All you need is love

All You Need Is Love

HISTOIRE DE LA MUSIQUE POPULAIRE

Tony Palmer

AM

ALBIN MICHEL

Traduit de l'américain par
Henry Houssaye
et Jean Dominique Brierre

REMERCIEMENTS

" Blowin' in the Wind, " Bob Dylan, © 1962 Warner Bros. Inc. ;
tous droits réservés. " I Feel Like I'm Fixing to Die Rag, " by
Country Joe McDonald, © 1969 Tradition Music Co. . " Keep
on Smilin', " by Jack V. Hall, James R. Hall, Maurice
R. Hirsch, John D. Armstrong, and Lewis M. Rose, Copyright
© 1974 No Exit Music Co. Inc. . " Sympathy for the Devil, " by
Mick Jagger and Keith Richard. Copyright © 1968 Essex Music
International Limited . " You Never Miss the Water Till the
Well Runs Dry, " by Paul Secon and Arthur Kent, Copyright
1947 by United Music Corp., Copyright renouvelé et assigné à
Arthur Kent Music Company, Copyright © 1975.

Grâce à l'aimable autorisation de The University of Alabama
Press, ont pu être reproduits dans cet ouvrage des extraits de
Storyville, New Orleans par Al Rose. L'auteur tient également à
remercier la ville de La Nouvelle-Orléans qui a donné l'autorisation de reproduire des extraits de *New Orleans Jazz — What it is
and isn't* par Al Rose, et finalement, Al Rose lui-même pour son
commentaire sur la série télévisée *All you Need is Love*.

Édition originale américaine
« All you need is love »
© Theatre Projects Film Productions Limited, EMI
Television Production Limited and Phonogram Limited, 1976
Première publication par Grossman Publishers, 1976,
New York, N.Y.

Édition française
© Éditions Albin Michel, 1978
22, rue Huyghens, 75014 Paris.
2-226-00600-1

Achevé d'imprimer sur les presses d'Offset-Aubin à Poitiers
N° d'édition : 6260 — Dépôt légal : 3e trimestre 1978 (P 8 2 2 1)

Pour

Sommaire

L'idée de ce livre m'est venue pour la première fois, voilà près de huit ans, après avoir terminé *All my Loving*, film tourné pour la télévision. La B.B.C. voulait que je réalise un documentaire « expliquant » la musique populaire, qui était déjà un sujet de conversation très prisé mais mal compris. Ce film a obtenu un certain succès en dépit de ses nombreuses faiblesses — l'une d'entre elles étant l'absence de perspectives historiques. Les critiques qui en ont résulté m'ont révélé les préjugés et le manque de connaissance du sujet. Mon vœu fut de reprendre, dans le moindre détail, les étapes successives de la musique populaire. Cependant, j'abandonnai le projet devant le travail monumental qu'il représentait, craignant de m'atteler à une tâche que je ne pourrais jamais achever.

Cinq ans après, j'ai eu pourtant la possibilité de m'attaquer à ce sujet lorsqu'on m'a demandé de produire seize émissions de télévision, visant à « expliquer » la musique populaire américaine contemporaine. L'idée de présenter la musique populaire en seize émissions, même en soixante, était absurde. En premier lieu, l'importance du phénomène requérait une vie entière de recherches. En second lieu, c'est un sujet qui, habituellement, n'est pas jugé digne d'être pris en considération. Néanmoins, ce genre musical demeure, à mes yeux, perpétuellement fascinant : une connaissance de ses éléments, insolites ou tragiques, est indispensable pour la compréhension de l'histoire sociale actuelle. Pourrait-on imaginer un monde sans Rodgers et Hammerstein, sans Duke Ellington ou les Beatles ? Est-ce que ces compositeurs sont des exceptions ou appartiennent-ils à une tradition qui ne cesse d'évoluer ?

Malgré les risques, j'ai accepté ce travail et commencé à examiner les thèses exposées dans ce livre. J'ai interviewé près de trois cents personnages clés, depuis les artistes jusqu'aux producteurs, critiques, imprésarios, publicistes et promoteurs, aussi bien en Europe et en Afrique qu'aux États-Unis. J'ai filmé des millions de mètres de pellicule et me suis procuré un nombre égal d'archives sur la question. Les films devant être tournés d'après des scénarios, j'ai demandé aux spécialistes en la matière de travailler sur chacune des émissions, espérant que cela attirerait mon attention sur des détails importants. Depuis longtemps, j'avais abandonné l'idée de réaliser une étude chronologique qui aboutirait à une simple énumération de noms et de dates. J'établissais une sélection des thèmes qui m'intéressaient particulièrement — le ragtime, le jazz, le swing, la comédie musicale — pour essayer de comprendre leur histoire et leur évolution ainsi que les changements intervenus dans cette dernière ; leur influence sur les autres styles et la contribution que tel genre avait apporté de nos jours. Ces travaux rédigés par des spécialistes avaient pour but de fournir les informations de base.

Ce livre, comme la musique populaire, est une synthèse de plusieurs genres. C'est également le résultat de nombreuses années d'un travail assidu et souvent sans récompense. Sans le film, ce livre n'aurait jamais vu le jour. Ce n'est pas non plus le scénario du film, bien qu'il exprime le même point de vue. Ce n'est pas une simple rétrospective de toutes les personnes qui ont chanté ou sont montées sur scène. Je n'ai pas écrit une apologie, ni un manifeste, pas plus, je l'espère, qu'une hagiographie.

Je remercie tous ceux qui ont participé à la rédaction des différents sujets. Merci à Paul Oliver (blues), Rudi Blesh (ragtime), Leonard Feather (jazz), David Cheshire (music-hall et vaudeville), Ian Whitcomb (Tin Pan Alley), George Melly (les années 20), John Hammond (les années 30), Humphrey Lyttelton (swing), Nick Cohn (rhythm'n'blues et country music), Charles Chilton (chansons de guerre), Jack Good (les débuts du rock'n'roll), Derek Taylor (les années 60) et Charles Gillett (le rock aujourd'hui). Je remercie tous ceux qui m'ont permis de les interviewer, dans les aéroports, les coulisses, chez eux, sur la plage. Je remercie tout spécialement ceux dont la sagacité m'a fait découvrir des horizons jusque-là inexplorés à mes yeux : Roy Acuff, Stanley Adams, Lester Bangs, Amiri Baraka, Dave Brubeck, Edward Cramer, Bing Crosby, Clive Davis, Jimmy Driftwood, Hal Durham, Benny Goodman, Brian Guinle, Seymour Heller, William Ivey, le lieutenant George W. Lee, Rouben Mamoulian, Paul McCartney, Jim et Amy O'Neal, Joseph Papp, Sam Phillips, Hal Prince, Dorothy Ritter, Al Rose, Ken Russell, Russell Sanjek, Pete Seeger, Artie Shaw, Phil Spector et Jerry Wexler. Bien d'autres encore auxquels je dois beaucoup.

Sans le soutien financier de Sir Bernard Delfont, pour le compte d'EMI, et de Tony van de Haar, pour Polygram, ce film n'aurait jamais été réalisé. Il n'aurait jamais vu le jour sans le travail et le dévouement de mes deux producteurs, Neville Thompson et Richard Pilbrow, qui ont dû endurer mon caractère. Et probablement, ce projet n'aurait jamais abouti sans le concours d'Aubrey Singer, directeur de BBC 2, mais qui à l'époque était directeur de BBC Films. C'est Singer qui avait imaginé un programme télévisé international, *Our World*, dans lequel « All You Need Is Love », des Beatles, avait été présenté pour la première fois. Plusieurs personnes ont vu ce film : Jennifer Ryan, David Gideon-Thomson, le Dr Reiner Moritz, et Gail Geibel. A tous, mes remerciements.

Le livre n'aurait jamais été achevé sans le travail acharné d'Anne Weldon, de son assistante Georgina Lee et de Paul Medlicott, qui ont recueilli tous les documents photographiques destinés à illustrer l'ouvrage. Sans mon éditeur, Dan Okrent de Grossman/Viking, les conseils éclairés de la directrice de l'édition, Sophie McConnell, de la maquettiste, la belle Jacqueline Shumann, sans l'idéalisme de mon agent littéraire, John Cushman, ce livre n'existerait pas. Je remercie également Juliet Clarke et Helen Howard pour avoir déchiffré mon écriture et aussi mon assistante, Annunziata Asquith, pour sa présence.

Tony Palmer.

La musique populaire est un modèle de la culture américaine ; personne ne sait si une chanson est bonne avant le verdict du public — sur quoi elle peut être volée, reproduite, enregistrée et lancée sur le marché pour en tirer des bénéfices. Cette attitude reflète en partie un certain degré d'infériorité : les Américains ont toujours pris l'Europe en exemple, car il semblait inconcevable qu'une culture aussi riche puisse exister dans leur propre pays. Cela repose en partie sur une conviction assez stupide, suivant laquelle la majorité décidera des normes de qualité, en faisant abstraction du fait que la popularisation tend à sous-estimer tout ce qui prétend être de l'Art. Par ses efforts pour acquérir à la fois un respect culturel et un succès commercial, la musique populaire a illustré un paradoxe fondamental : plus elle est musicale, moins elle est populaire et plus elle est populaire, moins elle est musicale. Une Ford peut ressembler à une Cadillac, mais on ne fabrique pas des Louis Armstrong ou des Paul McCartney. L'industrie de la musique populaire a voulu faire à plusieurs reprises ce que Ford avait essayé dans le domaine de l'automobile. Le résultat est plus concluant du côté des voitures.

La musique populaire, comme la télévision et le football, est facilement accessible. Chacun est un expert. Son histoire et son évolution restent vagues, voire même inconnues. Chercher à comprendre pourquoi cette musique est ce qu'elle est requiert une certaine connaissance de son histoire.

Qu'elle provienne, en grande partie, d'autres sources musicales n'a guère d'importance. Le fait d'emprunter des idées n'est pas en lui-même une faiblesse. Bach utilisait des airs de danses allemandes et françaises, Picasso incorporait dans ses tableaux chaque idée à la mode qu'il rencontrait ; Shakespeare s'inspira de tout le monde. La question est de savoir si cette assimilation peut apporter quelque chose de nouveau et si le tout est plus important que la somme des éléments.

La musique populaire s'est perdue dans une confusion commerciale parce que ses interprètes ont refusé d'accepter et de comprendre l'existence d'un tel processus. L'industrie musicale n'a pas été en mesure d'empêcher la disparition des talents dont elle dépend en fin de compte. Dans la rédaction de ce livre, je me suis fié à des incidents particuliers, à des musiciens ou à des imprésarios, pour illustrer des thèmes plus généraux. J'estime que l'histoire de la musique populaire est liée à celle des personnes luttant pour survivre dans un milieu qui considère l'individu, surtout s'il est noir, comme un gêneur.

All you need is love

1

Les débuts

Le 25 juin 1967, la technologie des télécommunications rendit possible un événement historique merveilleux. Les satellites stationnés autour de la stratosphère furent — pour la première (et seule) fois — reliés ensemble pour diffuser un programme unique de télévision mondiale. On permit à tous les pays qui possédaient un réseau de télévision de participer à cette entreprise exceptionnelle. Tous furent invités à présenter ce qu'ils avaient de mieux dans un programme qu'on appela avec une simplicité merveilleuse, *Notre Monde*.

Comme dans beaucoup d'événements historiques, il y eut quelques ratés. A la dernière minute, la plupart des gouvernements communistes se retirèrent ; dans la brousse australienne, il y eut quelques pannes. Mais l'aventure, semble-t-il, fut un

Page de gauche : l'attente au bord du Mississippi, vers 1900.

Ci-dessus : Isaac Hayes, 1971. Né à Memphis en 1943.

triomphe. L'Amérique présenta une émission amusante sur les problèmes peu connus de la culture des pois dans le Wisconsin. La Grande-Bretagne fut plus originale. A un public de plus de sept cents millions de personnes, simultanément, dans le monde entier, elle offrit ses Beatles. Ils chantèrent *All you need is love* (L'amour, c'est tout ce qu'il vous faut). Et tout le monde les crut. C'était l'apothéose de la musique populaire. Après cela, la chanson populaire ne pouvait aller plus loin.

Avec une exactitude effrayante, *Notre Monde* s'était accidentellement heurté à un concept important. Oui, il était bien possible que ce qu'il fallait à notre monde, ce soit de l'amour, et en grande quantité. Oui, il était justifié qu'un tel programme comprenne de la musique « populaire » contemporaine. Mais par un curieux hasard, il se trouva que la chanson choisie était un exemple remarquable de ce que l'on fait de pire en musique « populaire ». Les paroles, si l'on peut dire, étaient bâclées et répétitives. La musique commençait et se terminait

Les Beatles portent leur message.

par des emprunts directs à *La Marseillaise* et à *Greensleeves* — ce qu'on aurait pu prendre pour un clin d'œil délibéré à l'internationalisme. La chanson n'était pas de celles dont on se souvient, pourtant elle fut indéniablement populaire. En l'espace de trois mois on acheta deux millions d'exemplaires du disque. Ce n'était pas tout à fait sept cents millions, bien sûr, mais c'était un début assez prometteur.

« **P**op » est le mot le plus critiqué, le plus mal employé, le plus mal interprété du vocabulaire. Il est supposé vouloir dire populaire ; souvent il

signifie bien autre chose. La musique populaire n'est même pas ce que la plupart des gens aiment. Janis Joplin chantait de la musique populaire, pourtant elle n'était pas aimée par la majorité des gens. La version du premier concerto pour piano de Tchaïkovski, enregistrée en 1958 par Van Cliburn, atteignit des ventes supérieures à celles de beaucoup d'albums de musique pop. Mais Tchaïkovski, c'est de la musique classique. Oui, mais c'est aussi de la musique populaire. Alors, pourquoi la musique de Janis Joplin n'est-elle pas de la musique classique ? Parce que c'est de la musique populaire. Et cætera.

Il y a eu autant de définitions de la musique populaire que de musiciens qui l'interprétaient ; on a l'impression que la plupart des gens savent, même si c'est seulement intuitivement, ce que l'on entend par là. Généralement, on se trompe. Peut-on dire, par exemple, que les Rolling Stones jouent une musique du même niveau que Duke Ellington ? Non, probablement. Ou qu'un guitariste comme Eric Clapton appartient à la même école que Bing Crosby ? Certainement pas. Pourtant il est sûr qu'ils sont tous des musiciens populaires. Si vous demandez à quelqu'un dans la rue ce qu'est la musique pop, on vous parlera de cheveux longs, de décibels et de drogue. Mais la richesse de la musique contemporaine demeure inconnue. On ignore généralement que Bob Dylan, Elvis Presley ou Simon et Garfunkel sont les héritiers d'une immense tradition. N'oublions pas que l'on a pu identifier une époque grâce à sa musique. Ceci ouvre une porte à une meilleure compréhension de la musique populaire.

La B.B.C., avec son sérieux habituel, reconnaît avoir scindé la difficulté en mettant au point sa grille de programmes-radio en 1945-1946. Il y avait une chaîne consacrée principalement aux actualités et aux débats ; une autre se vouait à la musique classique ; et une autre qui s'appelait le « Programme Léger » et qui proposait de la musique « populaire ». Plus tard, le rock and roll devait être banni de cette chaîne car jugé de mauvais goût, et incitant à la subversion et à la débauche. La musique « populaire » devait être facile à écouter — une musique sans substance.

Plus tard, quand les stations de radio américaines commencèrent à diffuser un flot ininterrompu de pop/rock — car il y avait un vaste public pour une telle musique, et pour les Américains un vaste public signifie davantage de publicité donc plus de revenus — la B.B.C. décida de refondre ses programmes. Elle déclara illégales diverses radios « pirates » installées en mer (leur principal péché avait été de voler des auditeurs qui voulaient entendre cette chose étrange qu'on appelait pop) et annonça que, dorénavant, il y aurait une nouvelle chaîne, appelée fatalement Radio Un dont le but serait de diffuser du pop/rock. Les Pink Floyd, cependant, furent relégués à la chaîne « classique » avec Bach, Beethoven et Tchaïkovski. Une telle confusion montre combien il est difficile de définir la musique populaire. Le besoin d'une compréhension satisfaisante du phénomène est d'autant plus grand qu'on se rend compte de plus en plus qu'une grande partie de l'histoire reconnue de la musique populaire est profondément trompeuse, pour ne pas dire carrément fausse.

Par exemple, on croit généralement que le rock and roll, comme le rhythm and blues, le jazz et presque tout ce que l'on met sous l'étiquette « musique populaire » est venu des régions de la côte occidentale de l'Afrique. C'est faux. On croit généralement que Storyville, à La Nouvelle-Orléans, a été le berceau du jazz. Ce n'est pas vrai. On croit généralement qu'une fois Storyville fermé, en 1917, le jazz fut jeté dehors et que ses musiciens remontèrent le fleuve jusqu'à Chicago. C'est inexact. On croit généralement que le blues est la pierre angulaire de toute la musique populaire moderne. C'est une erreur. On croit généralement que le Delta, patrie de la musique noire américaine, se trouve autour de La Nouvelle-Orléans, de part et d'autre du Mississippi. C'est faux. Le Delta, petite zone limitée par le Mississippi à l'ouest et la rivière Yazoo à l'est, se trouve à deux cent cinquante kilomètres au nord de La Nouvelle-Orléans.

De pareils exemples sont banals, mais ils suffisent peut-être pour que l'on se donne la peine de reconsidérer quelques-unes des vérités premières les plus répandues concernant les origines de la musique populaire. Pendant deux siècles, des millions d'Africains furent arrachés de leur village et envoyés par bateau aux Amériques pour travailler comme esclaves — non seulement en Amérique du Nord, mais aussi en Amérique Centrale et en Amérique du Sud. Le long de la côte occidentale de l'Afrique, du Cap-Vert à la Guinée, les négriers vinrent avec armes et argent pour ramener leur cargaison vivante. On a la preuve par la survivance des Caraïbes noirs du Surinam, et par les danses et les coutumes de Bahia, que nombre de traditions et de musiques africaines furent importées aux Amériques par les esclaves. Ainsi, il a toujours semblé raisonnable d'affirmer que, puisque cette musique survivait en Amérique Centrale et en Amérique du Sud, il devait en être de même en Amérique du Nord. On doit donc retrouver dans toutes ces régions, des éléments d'un passé musical commun.

Les tambours font incontestablement partie de la musique afro-américaine, comme de la musique de Bahia et de Trinidad. Mais selon les critères africains ou même sud-américains, l'art du tambour aux États-Unis est primaire. Ce n'est pas étonnant. Les tambours furent rigoureusement interdits dans tous les États esclavagistes d'Amérique du Nord car ils pouvaient être utilisés pour envoyer des messages d'insurrection. En conséquence, les chances de conserver une forte tradition du tambour étaient négligeables. Les premiers blues en faisaient un usage très réduit et l'on n'entendit vraiment des tambours dans la musique noire américaine qu'une fois le xxe siècle bien entamé — plusieurs décennies après l'invention du blues. De plus, les théories sur le tambour présupposent que les esclaves noirs amenés en Amérique du Nord aux xviie et xviiie siècles venaient des régions côtières de l'Afrique, où le tambour était un instrument important. Mais pour la plupart c'est inexact.

L'Afrique est un vaste continent, trois fois plus grand que les États-Unis, qui comprend un large éventail de paysages, de climats et de sociétés ; on y trouve cinq cents peuples aux cultures très différentes. Il semble maintenant probable que les Noirs qui devinrent des esclaves américains ne venaient pas des forêts humides côtières, mais des régions de savanes, beaucoup plus au nord, qu'on appelait encore

récemment Soudan occidental. Les tribus côtières faisaient elles-mêmes le trafic d'esclaves, pillant le Nord et satisfaisant les demandes des marchands blancs européens ancrés dans leurs ports. Les bandits Yorubas qui habitaient le sud du Nigeria s'opposèrent, au XIXe siècle, à l'abolition de l'esclavage car on dit (même au Nigeria) que toute leur économie dépendait du commerce des esclaves.

Les principaux instruments de musique de la savane étaient à cordes — des plus simples comme les instruments monocordes aux plus

complexes comme la *cora* et le *seron* qui comptent plus de vingt cordes. Particulièrement répandu était le *banya*. Thomas Jefferson, dans ses *Notes sur l'État de Virginie*, décrit la fabrication d'un banya (ancêtre du banjo) par un esclave. On peut encore trouver des banjos et des violons primitifs en abondance dans le nord du Nigeria, au Niger, et dans le sud du Soudan. Les instruments à cordes étaient également essentiels dans la musique de l'ancienne Égypte ; il est possible que les marchands égyptiens aient apporté ces instruments dans le sud et l'ouest de l'Afrique au cours de leurs expéditions commerciales, plusieurs siècles avant Jésus-Christ. Ainsi, par l'intermédiaire des esclavagistes de la côte et des marchands européens, la tradition égyptienne fut transportée à La Nouvelle-Orléans. Peu à peu les esclaves africains commencèrent à se rendre compte qu'ils ne rentreraient jamais chez eux. Ils apprirent une nouvelle culture et une nouvelle langue, et assistèrent à la désintégration des liens qui les rattachaient à l'Afrique. Ils devinrent, contre leur volonté, des Noirs américains.

Cela ne veut pas dire que la culture africaine n'ait pas contribué au développement de la musique populaire. Une des caractéristiques de la musique de la savane, par exemple, était la gamme pentatonique, qui s'intégrait à une tradition vocale dans laquelle un leader « prêchait » tandis qu'une voix de femme puis une voix d'homme lui répondaient. Quand, plus tard, les Africains entendirent la gamme à huit tons des Euro-Américains, ils choisirent parmi les instruments peu connus disponibles, ceux qui se rapprochaient des voix de leur propre tradition. Le leader prit celui qui jouait le plus fort : le cornet ou la trompette. La voix de femme devint la clarinette, et la voix d'homme le trombone. Enfin, pour réconcilier la gamme à cinq tons avec la gamme à huit tons, les musiciens inventèrent les « blue notes » caractéristiques du jazz.

De plus, la précision de nombreuses langues africaines dépend de la qualité du ton et de l'in-

---

Les instruments d'origine (on se sert encore de beaucoup d'entre eux), et quelques-uns de leurs descendants. *Page de gauche. En haut :* un xylophone primitif. *En bas :* un tambour « gudugudu » du Nigeria (remarquez la baguette de cuir) et une kora sénégalaise. *Page de droite :* les articles achetés par correspondance prirent rapidement le pas sur les instruments « maison » dans la dernière partie du XIXᵉ siècle.

tonation. En modifiant simplement l'inflexion de la voix, beaucoup d'Africains produisent une multiplicité de sons. Les instruments africains, y compris les tambours, restituent cette capacité. Le tambour « parlant » (qui existe toujours) semble avoir cette fonction. Le blues, le bebop et tous les styles de jazz parlé ont visiblement des ancêtres — et ce ne sont pas les bongos de la côte.

Qu'en est-il de l'idée selon laquelle le blues est à l'origine du jazz, du ragtime, du swing ou même du rock and roll ? Pour comprendre le blues, il faut admettre que ce n'est pas seulement de la musique. Un moment de *blues* (cafard), c'est déjà le blues ; la musique donne voix et expression à cette situation douloureuse. Prétendre que le blues est un simple lien qui relie toutes les musiques populaires est absurde. Les plus vieux exemples de ragtime, de gospel, et même de jazz sont antérieurs aux plus vieux exemples de musique adoptant la structure du blues — douze mesures, et des couplets de trois phrases. Les artistes de music-hall anglais et les compositeurs des comédies musicales de Broadway doivent peu, sinon rien, au blues. Le blues devient compréhensible seulement si on le considère comme une forme avec des origines et une évolution spécifique assez riches pour avoir donné une couleur à la musique populaire, et non pas comme le premier maillon d'une chaîne.

Et qu'en est-il de l'idée selon laquelle le blues serait né de l'esclavage ? Les faits ne collent pas avec cette vision romantique. Sans nul doute, on peut associer l'esprit du blues à l'oppression de l'esclavage. Mais les harmonies si reconnaissables du blues, qui ont été abondamment utilisées par les musiciens blancs, étaient inconnues avant 1895.

La principale musique des esclaves n'était pas le blues mais le « work song » (chant de travail). Ces longs chants, sortes d'antiennes funèbres, accompagnaient le travail dans les plantations de coton. Le chef d'équipe chantait une phrase et les autres répondaient en chœur, selon une structure similaire à celles que l'on rencontre dans la savane africaine. Pour le reste, les esclaves avaient peu d'occasions de partager des moments d'émotion musicale, sauf dans leur église d'adoption. Ce fut là qu'ils adaptèrent des hymnes protestants, pour eux incompréhensibles, à leur propre vision de la terre promise, tout comme le faisaient leurs frères en Afrique ; la chanson *Swing Low, Sweet Chariot,* qui vient d'un chant méthodiste du XVIIIe siècle, apparut en Afrique orientale aussi bien que dans le sud des États-Unis. Par la suite — quand les rumeurs venant du Nord révélèrent qu'il y avait un pays sans esclavage — on introduisit une nouvelle note dans ces « spirituals » : *Steal Away,* par exemple, devint une chanson codée faisant allusion à l'évasion.

Et qu'en est-il de l'idée selon laquelle le jazz est né dans un quartier réservé, connu sous le nom de Storyville ? L'histoire raconte — accréditée par les encyclopédies et les plus grandes autorités du jazz — qu'une partie du quartier français de La Nouvelle-Orléans, désigné en 1898 par un magistrat puritain du nom de Story comme la zone officiellement réservée à la prostitution, fournit au jazz un environnement favorable à son développement. Entretenue par l'époque dissolue, la morale douteuse, la litanie se perpétue : les premiers orchestres mettent bout à bout un peu de ragtime, un soupçon de rythme africain, un peu d'improvisation sur un air de fanfare, une touche de libido — et ça fait le jazz.

Les critiques de jazz n'ont jamais hésité à falsifier les faits pour les besoins de leurs articles. Storyville n'était pas dans le quartier français, mais plusieurs pâtés de maisons plus au nord. Le jazz était largement répandu dix ans avant que Storyville existât — et pas seulement à La Nouvelle-Orléans. Des preuves récentes laissent entendre que, dans un certain nombre de villes du Texas, y compris Houston et San Antonio, des orchestres de rues instrumentaux semblables à ceux de La Nouvelle-Orléans se produisaient avant 1898. En fait, peu d'orchestres jouèrent à Storyville — il n'y avait pas beaucoup de place pour eux dans les saloons. Les bordels employaient des pianistes solo. Le fait qu'un ou deux musiciens comme Jelly Roll Morton ou Tony Jackson aient effectivement joué à Storyville fait oublier que pour les seules raisons religieuses la plupart d'entre eux n'auraient jamais mis le pied dans le quartier.

Le jazz était une musique d'extérieur, jouée par des orchestres de rue pour les parades et les pique-niques. De plus, ce n'était un phénomène

Page de gauche : On représente invariablement les Noirs comme d'heureux danseurs ; mais à part les offices religieux, la danse était souvent le seul moment de pause. Les deux gravures, anonymes, datent de 1800, environ.

sans travail. Mais l'idée qu'ils aient remonté le Mississippi sur un vapeur vers Chicago, où ils inventèrent le jazz de Chicago, après avoir fait un court arrêt à Memphis pour inventer le blues de Memphis, est fausse. Ils ont simplement continué leur travail à plein temps de paysan ou de travailleur agricole ; la musique, après tout, n'était pour eux qu'un travail à mi-temps. De plus, un coup d'œil rapide sur n'importe quelle carte de géographie d'école primaire montre qu'il n'y a pas de voie d'eau navigable entre La Nouvelle-Orléans et Chicago.

Ceux qui partirent vers le Nord le firent par le train — par l'« Illinois Central Railroad ». Ils ne venaient pas faire de la musique, mais chercher un nouveau travail : à Chicago, à Detroit, à Cleveland ou à Pittsburgh. De plus, le changement significatif ne fut pas de « remonter le fleuve » mais de quitter la campagne pour la ville, d'abandonner un travail éreintant dans les champs, pour la monotonie abrutissante des nouvelles chaînes de montages qui se multipliaient à l'initiative de Henry Ford.

ni de race ni de lieu. Ce n'était pas plus de la musique noire que de la musique blanche. Cela partit d'une improvisation collective, faite par un mélange exceptionnel de gens, dans un lieu où la culture musicale était cosmopolite et sophistiquée. La première musique de jazz reconnaissable fut le fait du Reliance Band de Jack Laine — formé en 1892, qui jouait dans tout le Sud et comprenait cinq musiciens — deux Noirs et trois Blancs.

Quand Storyville fut fermé en 1917, ses musiciens, c'est-à-dire ses pianistes — se retrouvèrent

Mais alors, si la musique n'est pas venue d'Afrique, sauf peut-être son esprit ; si le ragtime et le gospel ne viennent pas du blues, si l'esclavage ne fut pas principalement à l'origine du développement de la sensibilité musicale noire, si le jazz ne fut pas un passe-temps de proxénète à Storyville — qu'est-ce qui créa cette révolution musicale ? Comme dans la plupart des révolutions, les causes en sont infinies. En revanche, il est possible de la situer dans le temps. La musique populaire — c'est-à-dire le jazz, le rock and roll, le blues, le swing, le soul et leurs progénitures — commença à se développer (et c'est probablement une conséquence de l'événement) le 22 septembre 1862, jour de la libération des esclaves. Après la guerre de Sécession, les États du Nord victorieux décidèrent de consolider cette victoire, en « reconstruisant » le

Un exemple de conservation. *En haut à gauche* : un joueur de tambour au repos à La Nouvelle-Orléans. *En bas à gauche* : le « Preservation Hall » où les requêtes coûtent 1 dollar pour les airs traditionnels, 2,50 dollars pour les autres ; on demande une somme de 5 dollars à ceux qui désirent que les « Saints défilent ». *Page de droite* : un enterrement tel qu'ils se déroulaient à La Nouvelle-Orléans.

Sud sur des principes radicaux — c'est-à-dire, bien sûr, selon une exploitation économique. Avec zèle et confiance, les politiciens du Nord parlèrent de l'attribution à chaque esclave libéré de seize hectares de terre et d'une mule, et aussi du droit de vote. Pendant un temps, leurs idées semblèrent pouvoir se réaliser. Les esclaves (et par la même occasion, des milliers de petits fermiers blancs) profitèrent du démembrement nécessaire des grandes propriétés.

Mais le rêve s'évanouit. Des politiciens opportunistes descendirent dans le Sud pour exploiter les nouveaux électeurs. Un homme dont toute l'existence se basait sur l'obéissance implicite à un seul homme blanc a peu de chances de désobéir à un autre qui lui demande seulement un bulletin de vote. La redistribution des terres fut un échec. Tout d'abord, les plantations avaient été conçues comme des entreprises gigantesques ; les transformer en une myriade de petits lopins réduisit le rendement des récoltes et brisa l'équilibre économique. Ensuite, les Noirs récemment libérés étaient incapables de passer instantanément de l'état de travailleur agricole à celui de propriétaire terrien.

Au fur et à mesure de la « reconstruction », les hommes politiques blancs du Sud introduisirent une étroite législation répressive destinée à dépouiller les Noirs de leur pouvoir politique. Des impôts électoraux privèrent immédiatement des milliers de Noirs de leur droit de vote. Le Ku Klux Klan — créé à l'origine pour intimider les immigrants catholiques, entreprit une campagne de terreur contre les Noirs qui essayaient d'affirmer leurs droits.

Tandis que les Blancs se regroupaient, la ségrégation se durcit tout en devenant légale. Les Noirs n'avaient pas le droit de prendre le

train, sauf dans les wagons « Jim Crow » *. Les Noirs n'avaient pas le droit de séjourner dans les hôtels pour Blancs et de manger dans les mêmes restaurants qu'eux. S'ils voulaient parler à Dieu, ils devaient le faire hors de vue des Blancs, dans leurs propres églises. Les Noirs étaient exclus, ils étaient rejetés des lieux de distraction, des lieux de culte, des moyens de transport réservés aux Blancs, de la vie. Ils devinrent des gens qui n'existaient pas.

Cependant, une conséquence importante de cette barbarie fut d'inciter la communauté noire à se replier sur elle-même, la forçant à compter sur ses propres ressources. De la dureté de la ségrégation surgit la découverte de la négritude. D'une masse informe de paysans naquit une culture cohérente. Les Noirs dont on avait arraché le langage et l'identité pour les asservir à des maîtres blancs étaient maintenant abandonnés par la société blanche. Ils durent se retrouver ; c'est ce qu'ils firent, s'exprimant par la voix éloquente de leur musique.

* Jim Crow : sénateur ségrégationniste, dont le nom est devenu l'adjectif populaire pour désigner tout fait social touché par la ségrégation. *(N.D.T.)*

Ci-dessus : Marian et Martinez Ramez font une démonstration de danse « jazz » devant un public élogieux.

Page de droite : presque un « Who's Who » de la musique noire dans les années 30. Remarquez les « enregistrements scientifiques » de H.E. Tracy — le rapprochement avec l'Afrique de l'Ouest n'est pas une idée tellement révolutionnaire. Noter aussi que les quatre centres du jazz — La Nouvelle-Orléans, Chicago, Kansas City et New York — étaient bien représentés par des noms qui devinrent familiers, mais qui à l'époque luttaient encore pour être reconnus officiellement.

En quelques années, le Sud assista à la naissance de formes musicales qui devaient beaucoup à la musique anglo-écossaise, mais qui avaient des caractéristiques spécifiquement noires : au lieu des héros blancs, les baladins noirs chantaient les héros noirs. Le « boll weevil », tenace destructeur de récoltes, devint le symbole de la résistance à l'oppression blanche. John Hardy et Railroad Bill se frayèrent un chemin à travers la montagne de l'homme blanc. On adapta les gigues et reels des planteurs aux bals et aux fêtes.

Simultanément à l'explosion de cette musique séculaire naquit une musique religieuse, sans inhibitions et pleine de joie : le gospel. Trouvant ses racines dans l'Église baptiste, l'Église de Jésus-Christ fils de Dieu, il prônait une religion protestante dont les fidèles adoraient Dieu au son des « tambourins et des trompes » et répondaient par des chants remplis d'extase aux voix éraillées des prédicateurs. Ces cris poussés vers le Seigneur étaient un mélange de chants criés qui ponctuaient le travail des champs à l'époque des plantations, et de la seule musique jadis permise aux esclaves : leurs versions d'hymnes anglais. Les chants de travail avaient presque disparu après la guerre de Sécession qui marqua la fin du travail agricole collectif. Mais ils subsistèrent dans les fermes pénitentiaires du Mississippi, du Texas et de la Louisiane, où les conditions de l'esclavage persistèrent suffisamment longtemps pour permettre aux Noirs de ne pas les oublier et de trouver l'inspiration nécessaire à la création d'une nouvelle musique religieuse.

Autre élément : la minorité de Noirs libérés et d'esclaves jadis employés comme domestiques avait été en contact avec la culture et les modes d'expression européens. Ils avaient entendu des formes musicales très réglées telles que la musique de chambre. Ils avaient aussi apprécié avec leurs maîtres les chansons popularisées par les troupes de spectacle itinérantes.

Cette culture noire naissante, dans l'ensemble ne visait ni au changement, ni à l'amélioration des conditions sociales. Elle restait essentiellement un reflet de la condition noire ; une consolation face aux déceptions des Noirs,

The New Masses Presents

AN EVENING OF AMERICAN NEGRO MUSIC

"From Spirituals to Swing"

FRIDAY EVENING, DECEMBER 23, 1938

Carnegie Hall

Conceived and Produced by John Hammond; Directed by Charles Friedman

---

Note: The following program is not in chronological order

Introduction

AFRICAN TRIBAL MUSIC: From scientific recordings made by the H. E. Tracy Expedition to the West Coast of Africa.
THEME: Count Basie and His Orchestra.

I. Spirituals and Holy Roller Hymns

MITCHELL'S CHRISTIAN SINGERS, *North Carolina.* William Brown, Julius Davis, Louis David, Sam Bryant.
SISTER THARPE, *Florida.* (Courtesy Cotton Club) with guitar accompaniment.

II. Soft Swing

THE KANSAS CITY SIX, *New York City.* Eddie Durham (electric guitar), Freddie Green (guitar), Buck Clayton (trumpet), Lester Young (clarinet and tenor saxophone), Jo Jones (drums), Walter Page (bass).

III. Harmonica Playing

SANFORD TERRY, *Durham, North Carolina.* Washboard playing by artists to be announced at the concert.

IV. Blues

RUBY SMITH, *Norfolk, Virginia.* Accompanied on the piano by JAMES P. JOHNSON, *New York City.*
JOE TURNER, *Kansas City, Missouri.* Accompanied by PETE JOHNSON, *New York City.*
BIG BILL, *Chicago, Illinois.* Accompanied by himself on the guitar.
JAMES RUSHING, *Kansas City, Missouri.* Accompanied by the KANSAS CITY FIVE. Freddie Green (guitar), Buck Clayton (trumpet), Lester Young (clarinet and tenor saxophone), Jo Jones (drums), Walter Page (bass).
HELEN HUMES, *Louisville, Kentucky.* Accompanied by the KANSAS CITY FIVE.

V. Boogie-Woogie Piano Playing

ALBERT AMMONS, *Chicago.* MEADE "LUX" LEWIS, *Chicago.* PETE JOHNSON, *Kansas City.* "A Cutting Session."

INTERMISSION

VI. Early New Orleans Jazz

SIDNEY BECHET and his NEW ORLEANS FEET WARMERS. Sidney Bechet (clarinet and soprano saxophone), Tommy Ladnier (trumpet), James P. Johnson (piano), Dan Minor (trombone), Jo Jones (drums).

VII. Swing

COUNT BASIE AND HIS ORCHESTRA. Count Basie (piano), Walter Page (bass), Freddie Green (guitar), Jo Jones (drums), Ed Lewis (first trumpet), Buck Clayton (second trumpet), Shad Collins (third trumpet), Harry Edison (fourth trumpet), Benny Morton (first trombone), Dickie Wells (second trombone), Dan Minor (third trombone), Earl Warren (first alto saxophone), Jack Washington (second alto sax and baritone), Lester Young (third tenor sax and clarinet), James Rushing and Helen Humes (vocalists). Arrangers: Eddie Durham, Count Basie, Albert Gibson, Buck Clayton, etc.
BASIE'S BLUE FIVE. Count Basie, Shad Collins, Walter Page, Jo Jones, Herschel Evans.
THE KANSAS CITY SIX. Eddie Durham, Freddie Green, Buck Clayton, Lester Young, Jo Jones, Walter Page.

et — ce qui est plus important — l'expression de leurs émotions.

Mais à mesure que la ségrégation et l'oppression augmentaient, que les préjugés se changeaient en haine, que les Noirs étaient parqués dans les ghettos des villes industrielles du Nord, leur musique gagna en force. Quand ils troquèrent la misère des champs contre celle des usines, leur musique changea.

Les grandes locomotives des lignes Santa Fe, Southern, Illinois Central et Texas and Pacific grondaient à travers les champs de coton du Mississippi et les bois du Texas, faisant jaillir leurs coups de sifflets. Elles avaient toujours été un symbole d'évasion. Mais maintenant le travailleur noir sautait dans les trains de marchandises, ou se nichait sous les essieux pour se déplacer.

Voyageant avec pratiquement rien, ayant pour seule compagne sa guitare buissonnière, quittant un camp de bûcherons ou un bourg pour un autre, cherchant un endroit où échanger sa musique contre de la nourriture, de l'alcool, ou un lit, le musicien noir était considéré par la société blanche comme un voyou, un vagabond irresponsable dont il fallait se méfier. Mais le monde noir admirait en lui sa manière anarchique de voir la vie, sa liberté de mouvement, et son indépendance d'esprit : tout ce que les autres ne pouvaient que désirer.

Le style de piano du Sud, caractérisé par un jeu rapide, huit temps par mesure sur les basses, et une improvisation sur les aiguës, emprunte directement son rythme au bruit des wagons sur les rails, et son nom aux rassemblements improvisés d'immigrants du Sud. Ce style particulier, le « boogie-woogie » fut inventé (le premier enregistrement daté de 1928) par Pinetop Smith. Le boogie devait profiter d'une brève période d'exploitation commerciale et de gloire à l'époque du swing, et ceci sans Pinetop Smith ; il avait vendu ses droits à deux requins (l'un Blanc, l'autre Noir) qui touchent encore des droits d'auteur chaque fois que le nom « boogie-woogie » est utilisé dans le titre d'un disque ou d'une chanson. Pinetop ne toucha qu'un dollar ; trois mois plus tard il était tué par balles.

Il ne fut pas le seul à connaître ce destin. Blind Lemon Jefferson, un Texan doué pour les images poétiques pleines de force, fut retrouvé mort dans une tempête de neige à Chicago en 1930. Sonny Boy Williamson, un harmoniciste,

forma des orchestres et enregistra à Chicago avant de se faire tuer à la sortie d'une boîte, en 1948. Ni l'un ni l'autre ne doivent leur célébrité à leur mort tragique, mais toute culture transforme les morts en héros. Le monde dans lequel vivaient la plupart de ces musiciens impliquait des pressions qui échappaient à leur expérience familière.

Ci-dessus : dans les faubourgs et dans le centre : le Harlem Opera de William Hammerstein ; le Carnegie Hall où maints artistes, de Duke Ellington aux Beatles, reçurent leurs lettres de noblesse.

Ainsi, beaucoup d'entre eux menèrent une vie semblable à leur musique – dure, souvent brutale. Dans la dégradation des conditions de vie du Nord industriel, les musiciens noirs trouvèrent et affirmèrent leur identité.

Pendant des années, il n'y eut qu'une toute petite minorité de Blancs qui connaissait l'existence de la musique noire. Seuls les connaisseurs achetaient des disques de musique noire et ceux-ci étaient difficiles à trouver en dehors de l'entourage immédiat des différents artistes. La musique noire commença à percer quand elle fut copiée et vulgarisée par les musiciens blancs. Le « roi du ragtime » fut proclamé : il s'appelait Mike Bernard et il était blanc. Le « roi du jazz » fut nommé ; il se trouva être Paul Whiteman (c'est-à-dire homme blanc). Le « roi du swing » fut Benny Goodman. Et finalement, Elvis Presley devint « Roi » (king) du rock and roll, et lui aussi était blanc. La musique et le mode de vie noirs ont toujours été imités en Amérique, depuis les spectacles de ménestrels dans lesquels des Blancs se grimaient le visage avec du bouchon brûlé et singeaient les faits et gestes les plus « humoristiques » des esclaves noirs, jusqu'à l'imitation des blues par les musiciens du rock blanc d'aujourd'hui, en passant par l'adoption des vêtements des Noirs et de leur argot (généralement quand les Noirs venaient de passer à une autre mode et à un autre langage). Bien sûr, ça n'a pas été un processus à sens unique : le cake-walk, danse des années 1890, par exemple, fut une tentative noire de représenter les danses guindées pratiquées par les planteurs dans leurs grandes maisons. Il y eut aussi des exemples extraordinaires d'artistes noirs qui, ayant fait la sinistre constatation que pour qu'un Noir réussisse il devait imiter les Blancs, se noircissaient au cirage pour jouer le rôle du « ménestrel nègre ».

En général, les Noirs et leur musique étaient des proies faciles pour les musiciens blancs. LeRoi Jones, écrivain noir, homme politique et chroniqueur de la musique noire, maintenant connu sous le nom de Amiri Baraka, voit le processus par lequel les Blancs ont pillé les Noirs comme inévitable et autodestructeur : « Il y a des Blancs qui ont chanté des chansons destinées à changer la société. Mais quand ces chansons sont devenues des succès, le profit qu'ils en ont tiré les a encouragés à faire partie de la société qu'ils critiquaient. Si vous vous enrichissez en chantant les travers de la société, vous ne pouvez plus les chanter. Pour la grande majorité des musiciens noirs, la possibilité de devenir riche ne s'est jamais présentée. Pour les Noirs, il a toujours été plus facile d'être un raté. C'est de cette manière que leur musique a été préservée. »

Le temps du rag

Le « ragtime » n'a pas été inventé par un chef d'orchestre juif du nom d'Alexander, ni par un immigrant russe appelé Israël Baline, plus connu par la suite sous le nom d'Irving Berlin. « Alexander's Ragtime Band », pourtant, illustre parfaitement le fait que tout ce qui a été inventé par des musiciens noirs, l'industrie musicale blanche se l'est approprié par la suite. En 1911, Irving Berlin composa une chansonnette entraînante, mais musicalement sans intérêt et comportant des paroles insipides. Cela devint pourtant un succès. L'Amérique s'emballait pour un air et en faisait un tube.

Red Peppers Rag, Sweet Pickles Rag, Sour Grapes Rag, Chocolate Creams Rag, Ragtime Skedaddle, Ragtime Chimes, Ragtime Joke, Ragtime Insanity, Mop Rag, Doll Rags, Shine or Polish

---

Page de gauche : le « Queen City Concert Band » de Sedalia, Missouri, vers 1891. La ville de Sedalia avait été appelée ainsi en hommage à Sarah, la fille du général George Smith (fondateur du « Negro College » que Joplin fréquenta).

Ci-dessus : couples blancs dansant le cake-walk sur la couverture du fameux *Maple Leaf Rag* de Scott Joplin.

rag, Smash-up Rag, sont autant de « rags » musicalement gais, pour ces musiciens noirs qui avaient réussi à imposer le ragtime et qui, pour la plupart, ne participaient pas à la réussite blanche. La demande pour de faux ragtimes augmenta si rapidement que la société blanche était persuadée que Berlin avait lancé cette mode. Quand l'industrie musicale new-yorkaise décida qu'un nouveau genre faisait fureur, le ragtime fut oublié pendant près d'un demi-siècle.

L'Amérique des années 1870 était en pleine mutation. Des milliers d'immigrants accouraient dans l'espoir de trouver du travail dans les villes. Les gens étaient avides de spectacles ; les Blancs et les Noirs possédaient leurs propres divertissements. Bien sûr, les spectacles noirs n'intéressaient nullement les Blancs.

Sauf dans un seul cas. Dans les années 1840, les « nigger minstrel shows » avaient vu le jour lorsque des artistes blancs se noircirent la figure avec du bouchon brûlé et singèrent les Noirs. Le public trouvait cette parodie — malhonnête, veule, futile et musicalement archaïque — très amusante. Très peu de gens comprirent ce que ce spectacle avait d'insultant.

Il fallut peu de temps pour que les Noirs forment à leur tour leurs propres compagnies et se produisent dans tous les États-Unis devant des publics mixtes. Les « minstrels » noirs parodièrent à leur tour la musique country des Blancs, en la syncopant. La gigue, le reel (danse écossaise) furent syncopés et les nouveaux pas de danse s'appelèrent « rags ».

La musique était primitive, mélange de chants populaires blancs et de chants de travail noirs. Le « jug band », composé d'un banjo à cinq cordes, de pichets à liqueur vides, d'un violon, d'un harmonica, le tout improvisant ; une basse, faite d'un baquet à lessive et d'une corde tendue sur un manche à balai, servait de support musical. Dans les États pionniers de l'Arkansas, du Kansas, de l'Oklahoma et du Missouri, cette musique fut bien accueillie. Ainsi, les jug bands noirs proliférèrent grâce au succès des minstrels.

Certains de ces minstrels s'installèrent à Sedalia, Missouri, la jonction d'un réseau de chemin de fer important qui avait transformé en peu de temps ce village perdu en une cité florissante. De nombreux Noirs, attirés par les perspectives de travail, étaient embauchés dans les commerces, les hôtels, les restaurants, les bars et les fermes qui entouraient la ville. Certains ouvrirent un salon de coiffure ou dirigèrent un journal local. D'autres travaillaient dans les clubs et surtout dans un des bars de Main Street, le « Maple Leaf ». Main Street (la rue principale) devenait la nuit, la « rue chaude » de Sedalia. Les salles de jeux et les maisons de passe s'ouvraient aux clients. Les badauds et les prostituées envahissaient les trottoirs de bois.

Irving Berlin, né en Sibérie en 1888. L'homme qui popularisa le ragtime, présentant sa collection de succès en 1940 lors d'une soirée au « Nigger Mike's Bowery Bar », où il commença sa carrière.

Le musicologue Rudi Blesh a reconstitué la scène à l'intérieur du « Maple Leaf ». Le « club » se composait d'une grande salle dominée par un bar de style victorien, remplie de tables de jeux. La lumière brillait difficilement au milieu des volutes de fumée ; les lampes à gaz, suspendues au plafond, ressemblaient à des phares dans le brouillard. Un bruit infernal régnait dans le local. Une fois les yeux habitués à la pénombre, on se rendait compte que la musique provenait d'un piano droit installé dans un coin de la salle. Un pianiste noir, assis sur un tabouret couvert de velours, et un quartette interprétaient des versions syncopées de chansons populaires à la mode. Sans lever les yeux de leurs jeux de dés ou de cartes, les hommes reprenaient le refrain en chœur :

Oh, Mr. Johnson, turn me loose
Got no money, but a good excuse
Oh, Mr. Johnson, I'll be good.

Oh, Mr. Johnson, turn me loose
Don't take me to the calaboose
Oh, Mr. Johnson, I'll be good.

En argot, « Mr. Johnson » signifiait la loi. Personne ne désirait se retrouver derrière les barreaux : la vie étant bien plus agréable dans ces bars, là où se trouvait un grand nombre de pianistes. Ces « professeurs » ou « ticklers » se rendaient de ville en ville, jouant dans les foires, aux champs de courses. Parfois ils travaillaient ou tenaient un rôle dans un minstrel show. Ils se rencontraient pour échanger des idées ou emprunter des fragments de mélodies ou d'harmonies aux jug bands. Les bordels étaient les seuls endroits en mesure d'accueillir leur musique, car la société blanche n'offrait pas à un musicien noir de meilleures occasions pour se faire entendre. « Nous jouions dans ces boîtes et dans les bars, m'avait déclaré le compositeur et pianiste Eubie Blake. Pour les belles de nuit et les gens fortunés. Nous devions les saluer et ôter nos chapeaux. En fait, ce n'étaient que des maquereaux ignares. »

La fanfare était la principale activité musicale de Sedalia. C'était l'époque de John Philip Sousa et chaque dimanche après-midi, des musiciens du pays venaient pour entendre l'orchestre, le « Queen City Concert Band », qui était la fierté de Sedalia. Dirigé par le cornettiste Ed Gravitt, qui avait évincé lors de joutes musicales tous les nouveaux venus, de Sedalia à Kansas City, cet ensemble avait donné le jour à une formation restreinte, composée de sept musiciens, conduite par le tromboniste W. H. Car-

Orchestre de ragtime, les « Musical Spillers ».

ter, également directeur-éditeur du *Sedalia Times*.

Les marches constituaient le principal répertoire de la fanfare au moment où, du « Maple Leaf », une nouvelle musique se faisait entendre. Les musiciens du Queen City Concert Band commencèrent à interpréter des airs nègres comme *My Coal Black Lady, Dora Dean* et *Sweet Kentucky Babe*. Les ouvertures faisaient place à des pots-pourris de chants des plantations du Sud. L'orchestration ne tarda pas à suivre : quadrilles et scottisches furent remplacés par le pas de deux. Même les valses de Waldteufel et de Strauss devenaient syncopées sous l'impulsion du nouveau chef d'orchestre — Scott Joplin.

Scott Joplin était né le 24 novembre 1868 à Texarkana, à la frontière entre le Texas et l'Arkansas, dans une famille pauvre, néanmoins musicienne. Il avait deux frères et deux sœurs. Son père, ancien esclave, jouait du violon, sa mère chantait. Dès son plus jeune âge, Joplin s'intéressa donc à la musique. A onze ans, son jeu de piano, quoique autodidacte, était très apprécié. Un professeur de musique allemand, demeuré inconnu, frappé par le style pianistique du garçon, lui donna des leçons gratuites et lui fit connaître les œuvres des grands compositeurs européens. Cependant, Joplin père n'aimait pas la musique jouée par son fils. Le jeune homme quitta la maison pour vivre de la musique dans le seul domaine réservé aux musiciens noirs, en tant que « professeur » divertissant les clients des arrière-salles et des bordels des États frontaliers et du sud des États-Unis.

A Sedalia, il poursuivit ses études musicales au « George Smith College for Negroes ». Inscrit au collège, il trouva du travail au « Maple Leaf ». Arthur Marshall, un de ses élèves, se souvient : « Nous jouions des rags bien avant l'arrivée de Joplin à Sedalia. Cependant, c'est grâce à lui que les rags devaient s'imposer. » Aucun d'eux n'avait été édité. En 1898, la première rencontre entre Scott Joplin et A. W. Perry & Son, la maison d'édition musicale de Sedalia, fut décevante. Ils avaient déjà publié *Maple Leaf Waltz,* composé par une femme, Florence Johnson, et par conséquent un morceau intitulé *Maple Leaf Rag* n'avait aucune chance d'être imprimé. Sauf si l'auteur voulait changer de titre.

Joplin refusa. En décembre de la même année, il se rendit à Kansas City, un paquet de compositions sous le bras. Carl Hoffman, éditeur réputé pour son avarice, lui acheta un morceau, *Original Rags,* mais laissa de côté *Maple Leaf Rag.* D'après lui, cette composition n'était pas assez commerciale. Joplin retourna à Sedalia et abandonna momentanément ses projets de faire éditer ses œuvres.

Un jour d'été 1899, un gentleman de la ville vint boire une bière fraîche au club. Joplin jouait dans un coin du bar. Le client, un Blanc, fut étonné d'entendre cette musique et demanda à Scott Joplin de passer le lendemain avec quelques-unes de ses compositions. Le matin suivant, Joplin, devant un piano droit « Jesse French », interpréta ses morceaux. Les deux hommes tombèrent d'accord et John Stark, ancien vendeur de glaces, qui désirait devenir éditeur musical, acheta *Maple Leaf Rag.* L'histoire du ragtime se joue lors de la rencontre en 1899 entre John Stark et Scott Joplin. Stark était la personne indispensable pour concrétiser les buts poursuivis par Joplin : un Blanc, travaillant dans un monde blanc et capable de réaliser les rêves d'un Noir.

Il est, cependant, important de différencier rag et ragtime. Le terme ragtime s'applique en grande partie à tous les genres de musiques syncopées. Eubie Blake interprétait de la musique « classique » de façon traditionnelle ou en la syncopant, faisant ainsi du ragtime. Le rag, qui devint par la suite le « rag classique », représentait une forme écrite de la musique. Il comportait quatre thèmes de seize mesures, reliés entre eux par un arrangement harmonique propre.

John Stark acheta *Maple Leaf Rag* à Joplin pour 50 dollars plus les royalties, c'était un marché honnête pour l'époque. Imprimé à Saint-Louis, *Maple Leaf Rag* fut mis en vente en septembre 1899. L'unique promotion du morceau fut faite par Joplin dans les bars. Au cours des douze premières années, 400 000 exemplaires de *Maple Leaf Rag* furent vendus, ce qui représentait un chiffre considérable pour un compositeur noir. Après les six premiers mois de vente, John Stark put prendre une décision importante : monter à Saint-Louis.

Scott Joplin le suivit bientôt, accompagné de sa nouvelle épouse — Belle Hayden, une veuve de Sedalia. La vie de Joplin se déroula dès lors hors du circuit des maisons de passe. Cela correspondait mieux aux désirs du pianiste et à sa nature sérieuse. Il garda néanmoins des contacts avec ce milieu. Grâce aux royalties de *Maple Leaf Rag,* il enseigna le piano et sa femme ouvrit une pension de famille.

L'une des premières publications de Stark, intitulée *Sunflower Slow Drag,* avait été écrite par Scott Joplin en collaboration avec son beau-frère, Scott Hayden, alors mourant. Stark précisait que Joplin avait écrit ce morceau alors qu'il faisait la cour à sa future femme à Sedalia.

Morgan Street, où habitait la famille Joplin, se trouvait à trois rues du « quartier rouge » et de son principal bordel, le « Rosebud Café ». D'anciens amis attirèrent Joplin dans ce lieu de rendez-vous des pianistes de Saint-Louis et de ceux de passage dans la ville. Tous étaient très jeunes : Joe Jordan, né à Cincinnati, avait dix-huit ans en 1900 ; Sam Patterson, de Saint-Louis, avait dix-neuf ans ; Charlie Warfield avait quitté le Tennessee pour Saint-Louis en 1897, à l'âge de quatorze ans. Louis Chauvin, le plus doué de tous, parfois surnommé « Tête d'oiseau », n'avait que dix-sept ans.

Joplin, âgé de plus de trente ans, s'était rendu compte que ce monde devenait un enfer pour ceux qui ne pouvaient en sortir. Les bordels et saloons servaient de refuges aux pianistes

---

En haut à gauche : Thomas Million Turpin, en 1926, propriétaire du « Rosebud Café » à Saint-Louis.

En haut, à droite : le « Rosebud Café » dans Market Street.

En bas : les membres du « Hurrah Sporting Club » derrière le Rosebud avec Louis Chauvin *(troisième à partir de la droite au premier rang).*

inconnus. Il était facile – trop facile – de se laisser entraîner sans réagir. Ce fut le cas de Louis Chauvin, brillant pianiste, auteur, avec Joplin, d'*Heliotrope Bouquet*.

« Il mesurait environ 1,65 m et pesait 60 kg. » C'est ainsi que Patterson décrivait Chauvin. « Il avait une personnalité délicate, des doigts très fins, était sauvage et très fort. Il ne jouait jamais, mais buvait et faisait beaucoup l'amour. Il aimait les femmes mais les traitait comme des chiens. Il avait toujours deux ou trois maîtresses, aimait le whisky, mais redevenait normal quand il s'asseyait devant son piano. En plus, c'est vrai, il fumait de l'opium. » Louis Chauvin devait mourir en 1908, après vingt-trois jours dans le coma dans un hôpital de Chicago. Pour Joplin, « Chauvin était mort à la suite de complications ». Le *New Orleans Item* avait publié un article sur l'ambiance des maisons de passe et des saloons : « Pendant la journée, les victimes de la vie nocturne marchaient dans les rues de La Nouvelle-Orléans, pareilles à des zombies, les paupières lourdes, les mains et le corps tremblotants. Les jeunes musiciens, déjà usés, mouraient dans un râle. Les jeunes générations ne s'en souviennent plus, mais les vieux s'en souviennent bien. »

Pour Joplin, la mort de Chauvin fut une raison supplémentaire pour abandonner le monde des bordels et des saloons. Grâce aux royalties de *Maple Leaf Rag*, Scott Joplin put continuer ses études de composition et de contrepoint. Il désirait faire encore mieux. Le respect social, dû sans doute au succès commercial, était chez lui une ambition essentielle. Pour y parvenir, il devait prouver qu'il était plus qu'un compositeur à succès. En 1903, un journaliste et compositeur de l'est des États-Unis, Monroe H. Rosenfeld, travaillant pour le *Globe-Democrat* de Saint-Louis, écrivait : « Saint-Louis se vante de posséder un compositeur qui, malgré sa couleur et son caractère réservé, a écrit plus de succès commerciaux que tout autre compositeur local. Cependant, il souhaite briller dans d'autres domaines et affirme que composer de la musique syncopée n'est qu'un passe-temps. Il travaille à une tâche beaucoup plus ardue : écrire un opéra. »

D'autres compositeurs avaient des projets identiques. Un Noir, Harry Lawrence Freeman, avait déjà écrit une vingtaine d'opéras, le premier produit en 1893, mais aucun n'avait été publié. Joplin et Freeman avaient monté leur

compagnie pour promouvoir une musique « sérieuse ». Ces deux compagnies échouèrent. En 1903, la ville de Saint-Louis désira organiser une foire internationale : Joplin voulait produire une œuvre grandiose pour célébrer l'événement, et asseoir ainsi sa réputation de compositeur. Arthur Marshall, son copiste, devait déclarer : « L'opéra ragtime *A Guest of Honor* fut présenté à Saint-Louis pour tester les réactions du public. Il fut relativement bien accueilli. Je ne m'en souviens plus très bien, car seul l'argent m'intéressait. Par la suite, je devais partir pour Chicago. »

En fait, cet opéra fut présenté une seule fois, car le projet de foire internationale avait été reporté à 1904. L'œuvre est néanmoins répertoriée aux services des droits d'auteurs à Washington, datée du 18 février 1903, comme étant : « Publiée par John Stark & Son, écrite en 1903 par Scott Joplin. » Malgré cette reconnaissance officielle, *A Guest of Honor* ne fut jamais publié. Une annotation à la main précise que les « copies n'ont jamais été reçues ». Le manuscrit original avait disparu. On suppose que Joplin l'a détruit.

La vie familiale de Scott Joplin, comme son travail, était sans grand succès. Une petite fille, malade depuis la naissance, devait décéder au bout de quelques mois. Joplin se sépara ensuite de sa femme. Marshall se souvenait avoir entendu Scott lui dire : « Ma femme ne s'intéresse pas à ma carrière musicale. » Déçu par son expérience maritale, le pianiste avait renvoyé ses élèves. Il ne composait plus. Saint-Louis était fini pour lui. Il devait chercher fortune ailleurs, à Chicago par exemple.

Joplin n'était pas le seul compositeur de ragtime. Il fut sans aucun doute le plus connu parmi les Noirs. Blind Boone était un autre auteur. Né en 1864 à Miami, Missouri, Boone était un pianiste de concert qui avait succédé à un autre virtuose noir, Blind Tom. Réputé comme étant mentalement attardé, Blind Tom pouvait néanmoins reproduire au piano la plus complexe des compositions après une seule

Scott Joplin, vers 1900.

audition — y compris les erreurs et les pièges destinés à le surprendre. Personnage distingué, Blind Boone possédait une technique prodigieuse et était renommé pour ses interprétations de musique classique. D'un autre côté, il jouait des ragtimes et avait déjà publié plusieurs morceaux dans un recueil intitulé *Strains from the Alley*.

En fait, la publication de *Maple Leaf Rag* ne devait pas marquer les débuts du ragtime. *Rag Knots*, écrit par un compositeur de La Nouvelle-Orléans, W.C. Coleman, avait été publié dix ans auparavant. En janvier 1897, William H. Krell écrivait *Mississippi Rag*. En décembre, Tom Turpin, propriétaire du « Rosebud Café », publiait *Harlem Rag*. La demande pour le ragtime n'était pas due au succès de Scott Joplin. Une nouvelle danse, blanche, passionnait toute la nation. Le cake-walk, issu des plantations, faisait partie des

Ci-dessus : Jelly Roll Morton, à dix-huit ans.

Ci-dessus : William Krell, compositeur de *Mississippi Rag*. *Page de gauche. En haut :* Percy Warwick, vingt ans. *En bas, de gauche à droite :* Arthur Marshall en 1899. Scott Hayden, beau-frère de Joplin.

minstrel shows (noirs et blancs). Cela consistait en un final improvisé et dansé par les couples. Le prix attribué aux danseurs les plus inventifs était traditionnellement un gâteau.

« En général, cela se passait le dimanche, quand il y avait très peu de travail, précisait Shephard N. Edmonds, fils d'un esclave libéré. Les esclaves, jeunes et vieux, s'habillaient de parures faites à la main et dansaient en se pavanant. Ils imitaient les Blancs des grandes maisons. Leurs maîtres, qui assistaient à ces fêtes, n'y voyaient que du feu. » Mais ils ne restaient pas insensibles à l'excitation provoquée par cette danse. Par la suite, les danseurs de cake-walk blancs envahirent les plages, les salles de bal et la rue. Le ragtime devenait un très bon support musical. En 1897, le public voulait du ragtime et encore du ragtime. Turpin, créateur de *Harlem Rag*, était noir ; Krell, compositeur de *Mississippi Rag*, qui ne comprenait rien au ragtime si ce n'est son nom et un rythme approximatif, était blanc.

Benjamin Robertson Harney, connu pour ses imitations au music-hall, favorisa la reconnaissance du ragtime. Bruner Greenup, de Saint-Louis, se souvient bien de ce personnage : « Ben se mettait au piano, tenant une canne dans une main, et faisait des claquettes avec ses pieds et la canne. Un jour, il vint au magasin et me demanda de publier une de ses chansons. Ce morceau, devenu un classique, s'appelait *You've Been a Good Old Wagon, But You Done Broke Down.* Ce fut la première chanson syncopée à être publiée aux Etats-Unis ; c'est la vérité. »

Harney se rendit à New York où une dizaine de ses ragtimes furent publiés, la plupart comportant des danses et cake-walks. Certains sont devenus des classiques du genre, comme *Mr. Johnson, Turn Me Loose.*

Très vite, Harney fit partie des meilleures troupes de vaudeville et tint la tête d'affiche en tant qu' « Inventeur du Ragtime ». Son succès fit école et le *Police Gazette* de New York décida que le moment était venu de préparer un concours pour désigner le « Roi international du Ragtime ». L'une des spécialités de ce journal était justement les concours qui plaisaient beaucoup à ses lecteurs, et dans tous les genres : du mangeur de cailles au vol de pigeon, des ouvreurs d'huîtres à la lutte. Le ragtime devenait un sujet tout trouvé. D'après le *Gazette* : « Le concours de ragtime posera une question souvent débattue depuis que cette musique nègre est devenue populaire. » Après avoir assuré que « le meilleur

gagnerait... et qu'un artiste habitant la province possédait autant de chances qu'un autre », le *Gazette* annonça que le leader des musiciens de ragtime était « M. Michael Bernard, chef d'orchestre à Pastor, connu comme pianiste dans tout le pays. S'il faut un champion, le voilà ». Étant Noir, Scott Joplin ne pouvait se présenter à ce concours et ainsi être élu.

Personne ne fut surpris par la victoire de Mike Bernard et très vite le nouveau « roi » donna de nombreux concerts, Harney étant relégué au second plan. Cependant, quand les deux hommes se retrouvaient, la lutte était chaude et Harney faisait tout pour reconquérir son public. Il interprétait certaines de ses plus fameuses compositions avec beaucoup d'émotion, y compris *The Cake-Walk in the Sky*, comportant cette description fantaisiste d' « un nègre joueur de dés, condamné à aller en enfer, qui se

défila et parvint à tromper saint Pierre à la porte du paradis ». Le public criait, tapait dans ses mains et riait aux larmes.

Le ragtime devenant commercial, les gens voulaient jouer cette musique et les annonces pour donner des leçons de rag firent leur apparition, telle que celle-ci : « Apprenez à jouer du ragtime et devenez populaire. » Une autre, dans le *Chicago Daily*, en 1903, titrait avec prétention : « Apprenez le ragtime en dix leçons. » L'annonceur et professeur s'appelait Axel W. Christensen, vingt-deux ans, originaire du Danemark.

Page de gauche : James Sylvester Scott *(deuxième à partir de la droite),* pianiste dans un petit orchestre.

A gauche : Tony Jackson et le Panama Trio.

A droite : James P. Johnson, « maître » du « piano stride » à Harlem en 1920.

Entre 1903 et 1923, l'école de Christensen fut réputée dans tout le pays, comprenant plus de 200 000 élèves. En 1935, le nombre d'élèves avoisinait le demi-million et Axel W. Christensen était surnommé le « Tsar du Ragtime ».

John Stark ouvrit un bureau à New York, alors que le ragtime battait son plein. Ce fut une tragique erreur, un éditeur de province ne pouvant rivaliser avec les gens en place. Le succès commercial des imitations insipides de ragtime par Irving Berlin ruina les espoirs d'hommes comme Stark. Les éditeurs importants absorbaient les plus petits. Ils arrivaient à mobiliser des armées de promoteurs blancs pour faire exécuter leurs œuvres dans les music-halls.

Eubie Blake, né à Baltimore le 7 février 1883.

A droite : Eubie Blake *(au piano)* et Noble Sissle, compositeur de nombreux standards. Né le 10 août 1889, à Indianapolis, Noble Sissle devait former son propre orchestre en 1928. Durant les années 30, des musiciens comme Tommy Ladnier, Sidney Bechet et même Parker jouèrent dans sa formation. Eubie Blake a donné un concert en soliste en 1974 au Philharmonic de New York à l'âge de quatre-vingt-onze ans.

Joplin avait suivi le mouvement : de Saint-Louis à Chicago, au « Pekin Temple of Music », ensuite de Chicago à New York — persuadé qu'il était que ses rags nécessitaient davantage une promotion personnelle qu'une exploitation par les grandes maisons d'édition.

Stark comme Joplin avaient oublié que, dans les villes du Nord, leur musique n'avait aucun intérêt. Seul comptait ce qui était commercial. L'unique valeur de la musique noire résidait dans ses capacités à remplir les caisses des Blancs. A la mort de sa femme, Stark devait mettre un terme à son aventure new-yorkaise. Dégoûté par Manhattan, il retourna dans sa maison d'édition à Saint-Louis, renommée grâce au succès de *Maple Leaf Rag*. Joplin, consterné, accusa Stark d'avoir trahi sa confiance. Quelques années après l'échec de la foire internationale de Saint-Louis, Joplin eut l'occasion de préparer une deuxième œuvre de grande envergure. En 1911, l'année où Alexander « inventa » le ragtime, la version piano de deux cents pages écrite par Joplin était achevée. Elle s'appelait *Treemonisha*. John Stark la refusa.

Les conséquences de la discorde qui opposait les deux hommes étaient beaucoup plus profondes et les amis de Joplin s'inquiétaient du changement, lent mais perceptible, dans son comportement. Parfois, il passait par des stades opposés, allant de l'apathie la plus complète et de la dépression à un état de surexcitation et de fièvre au cours duquel son pouvoir de concentration s'aiguisait. Durant ses périodes de dépression, il perdait tous ses moyens. Il devenait comme un enfant apprenant à jouer du piano. Plusieurs personnes se demandaient s'il était véritablement l'homme qui avait composé les morceaux signés de son nom. Ceux qui ne le connaissaient pas se moquaient de cet homme qui disait avoir écrit *Maple Leaf Rag* mais était incapable de le jouer. Eubie Blake déclara un jour : « J'avais tellement entendu parler de Scott Joplin, mais je ne l'avais jamais entendu jouer. Un jour, un club de Washington lui avait demandé de venir dans la capitale. Il avait répondu : ''Je ne joue plus.'' Les propriétaires le harcelèrent et finalement Joplin accepta. Ce fut pitoyable à entendre. »

Son opéra *Treemonisha* comprenait vingt-sept séquences musicales, plus l'ouverture et un pré-

lude à l'acte III. Le sujet portait sur les Noirs, leur superstition et leur ignorance. La morale de l'histoire précisait que les Noirs devaient surpasser leurs croyances pour devenir de véritables êtres humains, capables d'exercer leur talent.

Une fois ce travail considérable terminé, Joplin rédigea toutes les parties instrumentales et commença à économiser de l'argent pour produire son opéra. Au cours de cette longue période d'arrangement de la pièce, Joplin eut de plus en plus d'élèves, lui permettant ainsi de financer son œuvre, tout en donnant un grand nombre de répétitions privées pour les éventuels accompagnateurs. Une fois la partition achevée, il commença à auditionner : il était maintenant en mesure de financer une représentation pour tester les réactions du public et convaincre un financier. A ce propos, Sam Patterson se souvient que « Scott avait réuni toute

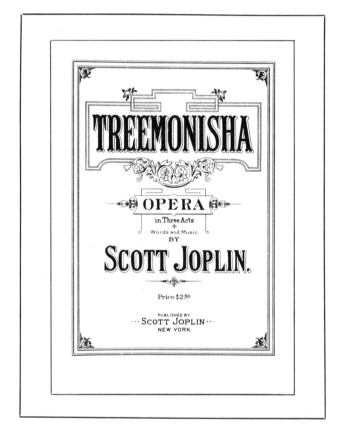

sa distribution et faisait travailler son monde comme on dresse un chien ».

Une représentation eut lieu à Harlem en 1915. La distribution était complète, mais les décors et l'orchestre étaient absents. Au piano, Joplin interpréta toute la partition. *Treemonisha* passa presque inaperçu. Sans décors, sans éclairage, sans orchestre, la pièce paraissait terne et peu convaincante, à peine meilleure qu'une répétition. Ce fut un désastre et elle disparut pendant près de cinquante ans. Jusqu'au jour où, en 1975, *Treemonisha* fut repris sur scène, tout d'abord à Houston, puis à Washington et enfin à Broadway.

Scott Joplin ne se remit jamais entièrement de cette nuit à Harlem. Son infirmité physique et morale augmenta et ses périodes de dépression devinrent de plus en plus fréquentes. Sa seconde femme fut finalement obligée de le faire interner. Ayant pris connaissance de cet internement, Joplin devait détruire des centaines de compositions avant de se rendre à l'hôpital de Ward's Island, sur la rive est de New York. Au printemps 1917, six mois après son entrée à l'asile, il devait mourir, officiellement « de syphilis et de démence ».

Les obsèques de Scott Joplin furent émouvantes. Toutefois, la légende selon laquelle les voitures portaient chacune une banderole mentionnant le nom des différentes compositions de Joplin est absolument fausse. Comme toutes les légendes. La veuve se trouvait dans le véhicule de tête durant le parcours jusqu'au cimetière St-Michael, dans le Queens, où le compositeur fut enterré. Sa tombe ne portait

Ci-dessus : couverture originale de *Treemonisha*, l'opéra ragtime de Scott Joplin.

Ci-contre : une scène de cet opéra, repris en 1975 avec Carmen Balthrop dans le rôle principal.

pas d'épitaphe. C'est seulement près de soixante ans plus tard que l'argent nécessaire fut réuni pour y graver ces mots : « Scott Joplin, compositeur américain, 24 novembre 1868 — 1er avril 1917. »

Le ragtime ne devait pas mourir pour autant. Malheureusement, les promoteurs et les éditeurs musicaux new-yorkais avaient exploité et pillé toutes ses formes. Il a fallu attendre cinquante ans et un film à succès, *The Sting* (« *L'Arnaque* ») pour redonner au ragtime sa place. Joplin incarnait réellement le combat du Noir pour se faire accepter. Sa musique fut un des fondements de ce qui devait venir à la suite, pourtant elle ne fut pas en mesure de satisfaire l'un des désirs du compositeur : le respect pour son peuple.

John Stark rendit un vibrant hommage posthume à Scott Joplin en ces termes : « Voici un génie dont l'esprit, pourtant diminué, était présent, même dans des chansons bon marché ou de pâles imitations de sa musique. »

3

Le jazz : ses mythes, ses hommes

La Nouvelle-Orléans. Métropole instable, tombant en ruine, avec une population française, noire, mexicaine, espagnole ou indienne, en plus des Sudistes pédants et des Nordistes candidats aux élections. C'était également un centre commercial et un port s'étendant le long du Mississippi, sur le golfe du Mexique. Aucune autre ville aux États-Unis ne pouvait se vanter d'être aussi cosmopolite, ou de promettre un accueil aussi excitant. Elle était bruyante, sale, chaude et puante. D'après certains journaux du Nord, une musique appelée indifféremment « jass », « jasz » et « jazz » s'y jouait.

Aujourd'hui, le mot « jazz » n'a plus grande signification. De Louis Armstrong au Modern Jazz Quartet, des styles très différents ont été rassemblés sous le terme

---

Ci-contre : Fate Marable et le « Society Syncopaters », en 1924.

Ci-dessus : Louis Armstrong, né à La Nouvelle-Orléans, le 4 juillet 1900, lors de sa tournée en Grande-Bretagne en 1931.

jazz. De nos jours, on l'applique à une musique qui n'est pas forcément du jazz. La musique provenant de Bourbon Street ne ressemble pas plus au jazz que le Quartier Français à Storyville. Cela « sonne » vaguement comme du « New-Orleans », mais les musiciens jouent trop fort et trop vite. En effet, les tenanciers de bars exigent qu'ils jouent de la sorte, car la musique la plus bruyante attire le plus de clients.

Beaucoup de ces musiciens ont appris le jazz en écoutant les enregistrements du premier groupe de jazz, l'« Original Dixieland Jazz Band ». Ses compositions étaient trop longues pour des morceaux enregistrés d'une durée maximum de trois minutes à l'époque. Pour respecter les normes établies par une industrie du disque naissante, l'orchestre interprétait ses thèmes sur un rythme plus rapide. « En public, une telle cadence aurait été impensable », avouaient les membres de l'Original Dixieland Jazz Band.

A l'origine, le jazz était une musique jouée en public, très difficile à reproduire sur des partitions ou à arranger. Le désir d'écrire les thèmes vint relativement tôt, mais ce n'était plus dans l'esprit de la musique originale. « Dans un orchestre symphonique, déclarait Bud Freeman, l'auditeur est subordonné à l'orchestre qui dépend du chef d'orchestre, soumis, quant à lui, au compositeur. En jazz, l'auditeur a l'impression de participer activement à la musique en la faisant sienne. »

Tout style de musique a droit à une étiquette, et le jazz ne fait pas exception. La musique que l'on pouvait entendre à La Nouvelle-Orléans après la Première Guerre mondiale était assez limitée dans sa forme. Elle se composait de mélodies jouées par deux ou plusieurs voix, improvisant de manière syncopée en deux/quatre ou en quatre/quatre. Le mot jazz, en argot nègre, est synonyme de copulation mais se réfère également aux bruits émis par les navires à aube de La Nouvelle-Orléans.

Le développement du jazz suivait, indépendamment, l'évolution d'autres formes musicales comme le ragtime. Les groupes de jazz empruntèrent aux fanfares militaires françaises entendues en Louisiane dans la seconde moitié du XIXe siècle cette combinaison orchestrale particulière : un trombone, un cornet, un tuba, une batterie et une clarinette. A cela, ils ajoutèrent l'instrument type utilisé par les Noirs : le

banjo. Grâce à leur composition, les orchestres de jazz devenaient les formations idéales pour les processions et les défilés. Les musiciens de jazz gardaient la fonction essentielle de la musique des « jug bands » d'après l'Émancipation, jouant sur des instruments improvisés : faire danser, car la danse nécessite un rythme soutenu et constant.

Le « Crib House » dans Basin Street, l'une des maisons closes de La Nouvelle-Orléans. L'argot cajun désigne les prostituées sous le nom de « jazz-belles » en référence au nom biblique « jezebel ».

Ce sont les Créoles qui ont le plus influencé le jazz. Exclus de la société blanche du Sud, ils furent finalement considérés comme des Noirs. Ces métis, anciens acheteurs et patrons de plantations prospères, gardèrent en eux l'amour et la connaissance de la musique européenne classique. La plupart de ces précurseurs, des musiciens tels que Buddy Petit ou Alphonse Picou, faisaient ressortir leur descendance française ; même Jelly Roll Morton, qui prétendait avoir inventé le jazz, rappelait souvent que son vrai nom était Ferdinand Joseph La Menthe. Le jazz résultait d'une rencontre entre la culture blanche et un héritage noir. Une musique créole sans forme ou sans définition aurait été impensable. George Shearing, le pianiste américain, né en Angleterre, souligne que « chaque chose, jazz ou musique classique, littérature ou conversation, doit être structurée. Ceux qui nous critiquent parce que nous appliquons ces critères au jazz, n'apprécient pas cela dans la musique. Le relâchement, c'est très bien, mais l'indiscipline entraîne la mort. »

Ainsi, le jazz n'a pas été créé par une race bien précise. Le jazz est aussi bien la musique des Blancs que celle des Noirs. Le jazz n'appartient pas exclusivement à une ville. Le pianiste Willie « The Lion » Smith jura avoir entendu du jazz au début du siècle à Haverstraw, dans l'État de New York. W. C. Handy disait fréquemment que la musique de Memphis en 1905 ne différait guère de celle de La Nouvelle-Orléans. Le tromboniste Wilbur de Paris, faisait les mêmes réflexions concernant son État natal, l'Indiana, de même pour Jimmy Rushing au Texas et en Oklahoma.

Malgré ces déclarations, il faut reconnaître que tous les éléments réunis pour la création du jazz furent présents à La Nouvelle-Orléans. Au début de l'année 1895, un coiffeur-musicien, Buddy Boldin, avait amusé tout le Sud en se promenant dans un wagon tiré par un cheval, jouant à la tête d'un orchestre semblable à ceux qui allaient être connus sous le nom de « jass bands ». Il y avait pourtant d'autres villes du Nord où les Blancs et les Noirs vivaient ensemble, mais le jazz n'y était pas né. Sans doute que le mélange culturel du Sud, et tout particulièrement à La Nouvelle-Orléans, était propice aux débuts du jazz. Pourquoi Storyville est-il cité comme étant le berceau de cette nouvelle musique ? Le 1er janvier 1898, Alderman Sidney Story — dont les goûts musicaux étaient plus proches de Johann Strauss —, pour tenter de contrôler la prostitution, proposa un règlement communal visant à confiner ce trafic illégal dans une partie de la ville, délimitée au nord par Robertson et au sud par Basin Street. Il déclarait que le péché ne se cachait plus. Le prix pour une vierge tournait autour de 800 dollars. En agissant de la sorte, déclara Story, le mal serait refoulé. A sa grande colère, cet endroit devint connu sous le nom de Storyville et prospéra pendant une vingtaine d'années, jusqu'à sa fermeture en 1917.

Le principal commerce de Storyville était bien entendu le sexe et non pas la musique. Pourtant, dans les salles de bal et dans les cabarets (au nombre de cinq), la musique tenait une grande place. Dans les bordels, elle jouait le même rôle que le vin, l'alcool ou le strip-tease ; elle stimulait les clients. Pour les prostituées, l'alcool était plus intéressant, financièrement parlant. Les musiciens étaient payés au pourboire. Heureusement pour eux, les hommes en quête de plaisir les rétribuaient très généreusement.

La musique variait d'un bordel à l'autre. Dans la plupart des bonnes maisons, un pianiste accompagnait les chanteurs de « pastiches » qui remplaçaient par des paroles osées celles des morceaux populaires du moment. La clientèle adorait ce genre de chansons. Le sexe, dans tous les sens du terme, était le thème le plus populaire du District. Jelly Roll Morton devint célèbre pour ses « variations » sur des airs à succès. *Mamma's Baby Boy*, ballade sentimentale publiée par la suite par Williams et Piron, comportait à l'origine des paroles naïves et était très appréciée à Storyville. La version de Storyville finissait de cette manière :

> *She handed him this line of sass —*
> *« If you don't like my Creole ways*
> *« Kiss my fuckin'ass. »*

Kid Ory devait enregistrer ce morceau plusieurs dizaines d'années après avec comme titre *Do what Ory say*, en marmonnant la dernière phrase.

Storyville permettait à beaucoup de musiciens de trouver du travail. Kid Ory et King Oliver poursuivirent leur carrière à Storyville, bien qu'aucun des deux musiciens n'eût débuté dans cet endroit. Mais avec ceux qui sont supposés, ou qui prétendent, avoir joué à Storyville au cours des vingt ans d'existence de ce quartier, on aurait pu réunir à chaque coin de rue une formation de la taille du New York Philharmonic, jouant jour et nuit. Pourtant, à aucun moment le nombre total des pianistes ne

dépassa la vingtaine. La musique qu'ils jouaient n'était pas du jazz, mais leur propre version de classiques (notamment *Histoires de la Forêt viennoise*) ou des chansons populaires (parmi celles-ci, la plus jouée *Bird in a Gilded Cage* ; ou *I'm Sorry I Made You Cry,* ou *In the Gloaming* — la plupart ayant été écrites à La Nouvelle-Orléans). Tous les musiciens étaient noirs, sauf Kid Ross, qui joua un moment au « Mahogany Hall ».

Storyville fut fermé sur ordre de la Marine, parce que les maisons closes étaient interdites dans un rayon inférieur à huit kilomètres d'une base militaire. En 1898, près de 2 200 prostituées avaient été recensées et en 1917, il en restait 388. La Nouvelle-Orléans fut à cette époque la seule ville des États-Unis à réduire ses forces de police de trente pour cent. Ce fut aussi la seule ville où la consommation d'alcool diminua. Les cabarets de Storyville avaient cessé

toute activité avant 1917, à la suite de la mort du propriétaire du « Tuxedo Dance Hall », Billy Phillips, au cours d'une rixe. Après cet incident, la musique devint un spectacle désordonné et très mal accueilli. Pourtant, les formes syncopées et les timbres des instruments utilisés par les musiciens dans leurs « pastiches » inspirèrent les rythmes et les structures de la musique du premier orchestre qui prétendit être de jazz, l'Original Dixieland Jazz Band.

Ce quintette était formé de musiciens blancs amateurs, musicalement illettrés. Un seul membre du groupe savait lire une partition.

Ci-dessus : le « Creole Jazz Band » de King Oliver à Chicago. Louis Armstrong devait rejoindre Oliver en 1923. Lil Hardin, sa future femme, tenait le piano. Le tromboniste Honoré Dutrey, le clarinettiste Johnny Dodds et le violoniste Jimmy Palao composaient également cet orchestre en 1921.

Ci-contre : la formation du pianiste Jelly Roll Morton.

Cependant l'Original Dixieland Jazz Band fut, en 1917, la première formation à enregistrer du jazz. Ils s'étaient inspirés pour leur premier succès, *Tiger Rag*, d'un quadrille français. *High Society* et *Muskrat Ramble* étaient également des airs d'origine française, retravaillés par les musiciens de La Nouvelle-Orléans pour leur donner un peu plus de mordant. L'Original Dixieland Jazz Band était dirigé par le cornettiste Nick La Rocca, charpentier de métier. Né à La Nouvelle-Orléans en 1889, La Rocca a souvent été oublié dans l'histoire du jazz, en partie parce que l'Original Dixieland Jazz Band cessa de jouer en 1936. Nick La Rocca abandonna la musique par la suite et reprit son ancien métier. Les arrangements de La Rocca n'étaient que des versions tronquées d'autres styles musicaux, mais le leader se plaignait toujours de l'impor-

tance accordée aux musiciens noirs, pour avoir « inventé » le jazz. Pourtant, au départ aucun musicien noir ne parvint au succès commercial et à la popularité de Nick La Rocca et de l'Original Dixieland Jazz Band.

La formation de La Rocca fut la première à quitter La Nouvelle-Orléans pour le Nord. Elle fut la première à donner aux États-Unis une nouvelle musique de danse. L'Original Dixieland Jazz Band se produisit, en 1913, au « Reisenweber's Café » à New York où les « précurseurs d'un nouveau style musical » durent satisfaire une demande de plus en plus importante de la part du public. Avec des titres comme *Barnyard Blues, Ostrich Walk* et *Skeleton Jangle*, La Rocca contribua à faire du jazz une musique socialement respectable et inoffensive. Les éditeurs new-yorkais, reconnaissant le

potentiel commercial des « inventions » de La Rocca, commencèrent à supprimer le mot ragtime sur leurs catalogues pour le remplacer par le mot jazz.

Tout ce qui était syncopé et favorisait le nouvel engouement pour les danses animales s'appelait jazz ; le « Turkey Trot », le « Bunny Hug » et le « Kangaroo Hop », devinrent très populaires, car aucune de ces danses ne nécessitait de leçons spéciales.

Nick La Rocca et son groupe jouèrent à Londres et à Paris. Au début des années vingt, chaque ville et chaque club de golf aux États-Unis possédait son orchestre de jazz. De formations restreintes, ils passèrent à des ensembles de trente ou quarante musiciens. Les spectacles de music-hall étant en train de péricliter, les orchestres de jazz remplirent les théâtres, avec des représentations comprenant des chanteurs, des acrobates et des groupes de danse. Les meil-

leurs compositeurs durent écrire du jazz. En 1924, George Gershwin composa sa *Rhapsody in Blue*. Le jazz était devenu « la » musique américaine, bien que l'on ignorât tout de ses origines. Deux films ont illustré ce paradoxe du jazz devenu la musique de la majorité blanche.

Le premier film, le plus connu, *The Jazz Singer (Le Chanteur de jazz)*, film parlant produit par la Warner Bros, avait comme vedette Al Jolson, artiste blanc, connu pour sa participation à dif-férents « nigger minstrel shows ». Le second film, pratiquement oublié de nos jours, s'appe-lait *The King of Jazz*. Il se composait de plusieurs

L'orchestre de Fletcher Henderson *(assis au piano)*. Don Red-man, son meilleur arrangeur *(extrême droite)*, à côté de lui, Cole-man Hawkins. La formation d'Henderson comprenait à une certaine époque des musiciens comme Louis Armstrong, Benny Carter, Rex Stewart. Par la suite, Fletcher Henderson devint l'arrangeur de Benny Goodman.

séquences illustrant la musique européenne — depuis *D'you ken John Peel* aux formations de balalaïka de Smolensk, des extraits du *Barbier de Séville* aux fandangos espagnols — le tout descendant dans un chaudron bouillant pour y être mélangé par Svengali et la fée Sugar Plum et finalement en faire ressortir une troupe de danseurs de claquettes du meilleur show de Florenz Siegfeld ; *Oui, Jazz !* Quel était le réalisateur de cette ordure musicale ? Qui d'autre que le soi-disant « roi du jazz », le Blanc Paul Whiteman.

Entre-temps, un deuxième exode du Sud et de La Nouvelle-Orléans vers le Nord s'était produit, toujours pour la même raison : la recherche d'un emploi. La pauvreté des Noirs en dépit et souvent à cause de l'Émancipation s'était poursuivie au-delà de 1900. L'industrie militaire était essentiellement concentrée dans le Nord, accentuant ainsi la mauvaise situation du Sud. Les premiers à en souffrir étaient, comme d'habitude, les Noirs. Ils émigrèrent vers les zones d'embauche, empruntant la principale voie ferrée reliant le Sud au Nord, l'« Illinois Central », qui les conduisait directement à Chicago.

Chicago n'était pas la seule ville du Nord à offrir du travail ; mais elle semblait plus excitante. Les musiciens noirs de La Nouvelle-Orléans — ville possédant sa propre culture — envahirent une cité déjà surpeuplée et livrée à la promiscuité. Ces musiciens n'étaient pas toujours les meilleurs éléments de La Nouvelle-Orléans, mais ils étaient suffisamment nombreux pour remonter des groupes dans le quartier du South Side à Chicago.

La ségrégation raciale sévissait à Chicago. Une fois de plus, les Noirs gardèrent leurs propres distractions. Les salles de danse et brasseries blanches leur étaient interdites. « La

---

Page de gauche : Leon Bix Beiderbecke en 1924. Les enregistrements de Paul Whiteman sont intéressants de nos jours de par la présence de Bix et de ses soli au cornet.

Ci-contre. En haut : Liste de cachets de l'orchestre de Paul Whiteman. Bix gagnait 200 dollars par semaine, l'arrangeur Ferde Grofé 375 et Bing Crosby seulement 150. *En bas :* l'« Austin High Gang » *(de gauche à droite)* Frank Teschemacher, Jimmy McPartland, Dick McPartland, Bud Freeman et Arnie Freeman.

bonne musique se trouvait dans leurs bars, expliquait le saxophoniste blanc Bud Freeman. Nous nous rendions dans le South Side pour écouter leur musique. Je me rappelle un portier noir, immense — on dit qu'il pesait 200 kilos — qui nous disait : '' Je vois que les petits Blancs viennent prendre une leçon de musique ce soir. '' » Parmi les musiciens qui jouaient régulièrement dans ces clubs se trouvait un trompettiste de La Nouvelle-Orléans : Louis Armstrong.

Louis Armstrong, petit-fils d'un esclave libéré, était arrivé à Chicago en 1922, sur les conseils de son ami et mentor, Joe « King » Oliver, pour jouer au Lincoln Gardens dans le South Side. Son jeu de trompette particulier devait, en peu de temps, éclipser celui de King Oliver. Il devint alors soliste ; un « aigle », comme l'appelait Bud Freeman. Un grand coup avait été porté au jazz en tant que musique improvisée collectivement. Louis Armstrong

enregistra de nombreux disques, comme « sideman » (accompagnateur), dans les orchestres, de chanteuses telles que Ma Rainey et Bessie Smith.

L'importance de ces accompagnateurs (Armstrong en était un parmi des centaines) avait été passée sous silence jusqu'au jour où la revue *Melody Maker* de Londres (journal sur le jazz, monté quelques années auparavant et avant même les premières revues américaines) reconnut sur ces disques des compositions et des improvisations uniques ne ressemblant en rien à celles de l'Original Dixieland Jazz Band. Le principal facteur, écrivait *Melody Maker*, résidait dans la contribution musicale intelligente des accompagnateurs. Le magazine s'empressa de relever les noms et leur attribua l'étiquette assez controversée de « génie ». Le premier concert donné par Louis Armstrong eut lieu au « London Palladium ». Quand Duke Ellington se rendit en Grande-Bretagne, il fut très étonné d'apprendre que les amateurs de

jazz connaissaient les noms et la carrière de chacun de ses musiciens.

La nature même de la ville de Chicago favorisa le développement du style et de la musique de Louis Armstrong et des autres musiciens. Depuis les débuts de la Prohibition (en 1919), et l'augmentation des boîtes et du trafic d'alcool, le jazz à Chicago devint de plus en plus une musique clandestine. Les trompettistes firent les frais de la répression. Trop bruyants, ils risquaient d'attirer d'éventuelles patrouilles de police. De nouveaux instruments solistes firent leur apparition : la clarinette et le cornet. Dans les nouveaux clubs, on préférait des solistes aux petites formations car ils étaient plus discrets.

Les « speakeasies » (bouges) permettaient aux Blancs d'écouter de la musique. « Parfois, Al Capone venait et nous filait des billets de vingt dollars, raconte Earl " Fatha " Hines. Un jour, il vint et fit fermer la boîte. Il donna deux mille dollars au patron et nous jouâmes seulement pour Al Capone. Les différents gangs se faisaient une sacrée concurrence. Une nuit, c'était un gang de l'East Side, une autre, un du West Side. Ils dépensaient quatre ou cinq mille dollars juste pour écouter de la musique. Il y avait vraiment beaucoup d'argent à Chicago à cette époque. Certains musiciens de mon orchestre habitent toujours dans des maisons qu'ils avaient pu se payer à l'époque. »

La particularité des solistes était de jouer des lignes mélodiques plus longues et de se faire ainsi remarquer au sein d'un groupe. La personnalité de Louis Armstrong — naturellement « m'as-tu vu » — convenait parfaitement à ce nouveau genre. Le cornettiste blanc Bix Beider-

Page de gauche. De gauche à droite : Art Tatum. Lorsque le pianiste aveugle entrait dans un club où jouait Waller, ce dernier disait : « Moi, je joue du piano, mais Dieu est dans la maison. »

Ci-dessous : l'orchestre de Paul Whiteman en 1934, avec accordéon et violons.

becke démontra que chaque note peut être aussi fascinante qu'un accord et que les musiciens blancs étaient en mesure de participer à l'élaboration du jazz et non pas simplement de l'imiter.

Leon Bismarck Beiderbecke apprit le jazz en écoutant des solistes noirs à Chicago. Assez mal connu au cours de sa brève existence, il est devenu depuis une véritable légende et pas seulement parce qu'il fut le premier musicien de jazz blanc admiré et copié par les Noirs. Comme les Créoles, il avait été influencé par des compositeurs classiques, en particulier Debussy. Maurice Ravel était un de ses proches amis, et grâce à lui, Bix découvrit un sens de l'organisation qu'il allait glisser dans un jazz en pleine évolution. Bix Beiderbecke enregistra pour la première fois en 1923, avec les Wolverines. Il se produisit avec cette formation au « Roseland Ballroom » à New York en 1924. Une saison à Saint-Louis en 1926, dans l'orchestre de Frankie Trumbauer, à l' « Arcadia Ballroom », puis une période passée dans l'orchestre de Jean Goldkette à Detroit, devaient l'amener à rejoindre la formation de Paul Whiteman où il demeura jusqu'en 1930. Jusqu'à sa mort, officiellement des suites d'une pneumonie, il devait jouer dans plusieurs formations.

Des solistes comme Beiderbecke se regroupèrent au sein d'orchestres qui, tout en maintenant une certaine ressemblance avec les formations de Dixieland, recherchaient une nouvelle liberté dans l'improvisation mélodique. L'un des plus marquants de ces orchestres fut celui de Fletcher Henderson, réunissant des solistes comme Louis Armstrong, Coleman Hawkins et Don Redman.

Henderson, venu en 1920 d'Atlanta à New York pour poursuivre ses études de chimie, finalement travailla à mi-temps avec W. C. Handy. En 1923, Henderson était à la tête de son propre ensemble au « Club Alabam » à New York, et l'année suivante au « Roseland », à Broadway. Son orchestre de jazz fut le premier à acquérir une certaine notoriété. Fletcher Henderson participa aux enregistrements de la plupart des grands artistes noirs des années vingt, Bessie Smith, Louis Armstrong, Don Redman et Benny Carter. L'orchestre d'Henderson était considéré comme musicalement indiscipliné. Henderson obtint ses plus grands succès plus tard en devenant

l'arrangeur de musiciens comme Benny Goodman ou les frères Tommy et Jimmy Dorsey. Cependant, sa sonorité particulière est devenue un modèle pour d'autres orchestres. Count Basie, puis Artie Shaw, Benny Goodman, ont fait carrière en suivant l'exemple d'Henderson. Ce fut le cas du plus fameux des chefs d'orchestre, Edward Kennedy Ellington.

Né le 29 avril 1899, à Washington, D. C. Ellington était, à l'origine, dessinateur, tout en faisant partie d'un petit orchestre local. Sur les conseils de Fats Waller — le musicien qui l'avait le plus influencé — Ellington tenta sa chance à New York, tout d'abord en travaillant avec Ada « Bricktop » Smith ; ensuite au « Barron's » à Harlem. Rapidement, il dirigea son propre groupe au « Hollywood Club » de Broadway (qui devait par la suite devenir le « Kentucky Club »). En 1927, il obtint un engagement au « Cotton Club » à Harlem. Il y resta cinq ans. A cette époque, il commença à enregistrer pour la radio. En 1943, Ellington et son orchestre donnèrent un concert au « Carnegie Hall », répété chaque année jusqu'en 1950.

La réputation de Duke Ellington ne venait pas de son jeu au piano, bien que ce fût un pianiste doué. Il s'imposa surtout comme un compositeur, un arrangeur et un chef d'orchestre exceptionnel. Il démontra qu'il était possible d'écrire de la musique de jazz pour grands ensembles sans réduire les improvisations des solistes. Il réussit à prouver que l'évolution du jazz n'était pas due à un accident musical ou historique, mais au résultat de la contribution apportée par certains musiciens comme Armstrong, Beiderbecke et Henderson. Plusieurs facteurs (dont l'environnement et la chance) influencèrent ces musiciens, y compris Ellington. Cependant ces deux éléments n'étaient pas assez déterminants pour conduire le jazz dans la direction qu'il allait prendre.

La musique de Duke Ellington — malgré ses ambitions classiques — était avant tout une musique de danse. Son orchestre, comme celui de Count Basie, originaire de Kansas City, se produisit dans les cabarets et les salles de danse. Cependant, les compromis nécessaires pour atteindre le public blanc étaient considérables. Ellington remettait 40 pour cent de ses royalties sur ses compositions et ses concerts à un imprésario blanc. Armstrong cédait 51 pour cent de ses recettes au sien. Jusqu'à la fin des années quarante, tous les artistes noirs du « Rainbow Room » — le club le plus élégant de New York — se servaient encore de l'ascenseur de service. Ellington fut officiellement reconnu pour la première fois à Hollywood dans un film de Amos 'n' Andy. Earl Hines abandonna le piano classique quand un de ses amis lui fit remarquer qu'un pianiste noir n'avait aucune chance de jouer pour des Blancs. Eddie South, l' « Ange du Violon », passa des années à Paris et à Budapest pour améliorer sa technique et pour s'entendre dire à son retour aux États-Unis que le meilleur travail qu'il trouverait serait dans les boîtes de nuit. Dizzy Gillespie, qui n'est pas un homme amer, se souvient du temps où il jouait dans le *Rudy Vallee Show* : « Je rentrais et il me disait : '' Bien ! qu'avons-nous ce soir au programme de l'Oubanga ? '' Il n'avait aucun respect pour notre culture et appelait notre musique, la musique de la jungle. » John Hammond, le producteur de disques, indique que « pendant près de vingt-cinq ans, les Blancs ont ignoré une expression artistique ».

Finalement, la ségrégation n'entrava guère le

L'orchestre de Duke Ellington en 1935.

En haut : Photo assez inhabituelle prise en 1940, avec le producteur John Hammond *(allumant une cigarette),* le pianiste Earl Hines *(tenant la bouteille),* Helen Humes *(portant un turban). (En face)* Count Basie et Benny Goodman.

En bas à gauche (de gauche à droite) : le guitariste Charlie Christian, Don Redman et Count Basie. Charlie Christian a joué avec Benny Goodman et jouait à Harlem avec Monk, Gillespie, Parker et Kenny Clarke. *A droite :* Dizzy Gillespie, né en Caroline du Sud, en 1917.

jazz. Au début des années trente, les orchestres les plus commerciaux étaient blancs. Ce qui ne veut pas dire que ces orchestres étaient moins intéressants musicalement que les formations noires — l'ensemble de Benny Goodman était plus au point et plus discipliné qu'aucun des orchestres de Fletcher Henderson. Les formations blanches ne pratiquaient pas forcément la ségrégation. Fletcher Henderson était l'arrangeur de Benny Goodman, et le clarinettiste refusait de jouer devant des publics séparés. Goodman, quand il forma son premier quartette, y inclut un autre Blanc, Gene Krupa, et deux Noirs, Teddy Wilson et Lionel Hampton. Hampton se rappelle aujourd'hui : « Être avec Benny nous permettait de jouer pour la première fois dans les plus grands hôtels du pays. C'était fantastique. »

Bien entendu, tous les musiciens n'eurent pas la chance de Lionel Hampton et beaucoup étaient irrités de ce qu'une partie de leur art avait été volée par les Blancs. Dans les petits clubs de la 52e Rue à New York, des musiciens se réunissaient en petites formations pour créer une musique qui découragerait les imitateurs. Fats Waller et Red Norvo dirigeaient de petits groupes qui reprenaient les thèmes des grands orchestres, mais avec une complexité rythmique plus grande. John Kirby dirigeait un sextette qui interprétait des standards comportant des arrangements par le trompettiste Charlie Shavers, très bien écrits et structurés avec légèreté.

Deux hommes en particulier élaborèrent une musique dont la complexité technique dépassait la plupart des musiciens blancs. Après avoir écouté *Show Nuff* de Charlie Parker et Dizzy Gillespie, un musicien blanc connu avoua : « Je ne peux *écouter* aussi rapidement. » Gillespie devait me déclarer, à propos de son association avec Charlie Parker : « Ce fut une vraie joie, car aucun de nous deux n'était le même musicien après notre rencontre et depuis que nous avions joué ensemble. » Leur style fut appelé le « be bop ». Leonard Feather, le critique de jazz, a tenté d'expliquer les origines du mot be bop : « Ils [Parker et Gillespie] prenaient un classique comme *Whispering*. A partir des accords existants, ils bâtissaient une nouvelle mélodie et l'appelaient *Groovin' High*. Les deux premières notes de ce nouveau morceau correspondaient au mot be bop. » Gillespie souligne qu'il ne fut

En haut : Ellington *(au centre)* avec son alter ego Billy Strayhorn *(à droite)*, compagnon de Duke de 1939 à 1967, date de sa mort. *En bas (de gauche à droite) :* Max Kaminsky (trompette), Pee Wee Russell (clarinette), Eddie Condon (guitare), Benny Morton et J. C. Higginbotham (trombone), Dave Bowman (piano).

pas à l'origine de cette expression : « Elle fut inventée par les média et la musique fut très mal accueillie — une radio d'Hollywood devait même l'interdire. [...] Tout ce qu'ils voulaient, c'était du Dixieland, ils détestaient notre musique. » Peu de temps après le premier concert de Gillespie au « Carnegie Hall », les nostalgiques du Dixieland ressuscitèrent un vieux trompettiste de La Nouvelle-Orléans, Bunk Johnson, lui achetèrent une nouvelle série de

dents et l'installèrent avec d'autres vétérans dans une salle de réunion de Greenwich Village.

Charlie Parker, co-équipier de Dizzy Gillespie, né à Kansas City, le 29 août 1920, jouait du baryton depuis l'âge de onze ans, dans l'orchestre de son école. Durant les vingt-quatre années qui allaient suivre, il devint l'un des musiciens les plus marquants en ce qui concerne la composition, les arrangements et l'improvisation. Les disques les plus importants furent ceux enregistrés et arrangés avec des instruments à cordes. Lennie Tristano, pianiste et compositeur, disait de lui : « Si Charlie l'avait voulu, il aurait pu poursuivre presque tous les musiciens qui avaient enregistré depuis les dix dernières années, pour plagiat. » Charlie Parker, musicien incroyablement sérieux, bien élevé, connaissait Stravinsky et Schönberg et était bouleversé à l'idée de voir son travail copié par d'autres. Sa passion grandissante pour la drogue et son séjour de six mois au Camarillo State Hospital provinrent de ce sentiment de frustration.

En mars 1955, à la mort de Charlie Parker — une semaine après son dernier concert au « Birdland », le club de jazz nommé ainsi en hommage au « Bird » —, plusieurs musiciens s'inspirèrent du be bop pour créer d'autres courants musicaux. Au « Royal Roost », un trompettiste, Miles Davis, jouait une musique plus *cool* (fraîche). D'autres abandonnaient toutes les structures. Lennie Tristano avait formé un groupe, appelé « Intuition », comprenant le saxophoniste Lee Konitz et le guitariste Billy Bauer. Ils devaient abolir le principe des huit mesures, la tonalité, la mélodie et l'harmonie en faveur d'un travail d'échange entre les musiciens, le tout sans répétitions. Tristano venait de mettre au point une forme de free jazz, qui allait être à la mode dix ans plus tard.

D'autres musiciens se sont réfugiés dans une forme de jazz plus classique, pour échapper ainsi à l'anarchie. Dave Brubeck, leader de ce mouvement, était blanc. La couleur de sa peau n'était pas synonyme d'infériorité musicale ; pourtant, les musiciens noirs, en essayant de l'arracher aux griffes du monde du show business blanc, avaient fait évoluer le jazz vers des horizons incompréhensibles pour les Blancs. Pour les nouveaux jazzmen noirs, les structures n'existaient plus. Même l'improvisa-

---

Page de gauche : Billie Holiday.

Ci-dessous.
A gauche : Sarah Vaughan. *A droite :* Anita O'Day.

tion sur des accords avait disparu. Brubeck se rappelle que, dans un nouvel enregistrement de *Lullaby of the Leaves*, Art Tatum, peu avant sa mort, avait repris note pour note, y compris les passages « improvisés », le thème d'un morceau gravé quelques années auparavant. A partir d'une telle situation, Dave Brubeck et d'autres musiciens luttèrent pour venir au secours du jazz.

La première formation de Brubeck, un octuor, donna deux concerts en une année, l'un d'eux ne fut même pas payé. Aucune maison de disques ne voulait enregistrer ces musiciens. Finalement, Brubeck signa chez Columbia et produisit *Time Out*. Goddard Lieberson, alors président de Columbia, apprécia beaucoup deux morceaux de l'album et décida de les sortir en 45 tours. Cela prit deux ans. *Take Five* et *Blue Rondo à la Turk* récompensèrent Brubeck

de sa patience. Cette musique, très complexe, n'était pas faite pour la danse mais pour être écoutée.

John Lewis travaillait dans la même direction que Dave Brubeck. Lewis, très cultivé, né dans une famille bourgeoise noire, devait, au sein du Modern Jazz Quartet, élaborer une musique proche de la musique de chambre européenne. Une composition telle que *Blues in A Minor*,

---

comporte une ligne de basse semblable à une passacaille de Purcell. Lewis soutenait : « Il y a un lien de parenté entre le jazz et la musique occidentale. C'est un de mes devoirs de faire ressortir les possibilités de notre musique. Augmenter l'orchestration et supprimer les barrières entre le jazz et la musique classique sont des moyens pour y parvenir. »

Leonard Feather déclare que « le Modern Jazz Quartet, sous la conduite du pianiste John Lewis, possède un art raffiné, permettant un répertoire éclectique. Cette formation pourrait aussi bien jouer un prélude de Bach qu'un morceau de Gillespie ou de Monk ». En d'autres termes, le jazz était devenu le domaine des critiques et des spécialistes. Il avait perdu les élé-

ments originels : l'improvisation collective confondue à la composition et un style qui favorisait l'inspiration individuelle.

On pourrait soutenir que John Lewis et son quartette ont été à l'origine d'une telle liberté. Pourtant, aussi brillante que puisse être une composition comme *The Golden Striker*, avec son tempo irrégulier et ses accords compliqués, elle n'a pas sa place dans la musique populaire. Dans son quintette, comprenant un flûtiste et un violoncelliste classique, Chico Hamilton parvint au même résultat. Ornette Coleman, saxophoniste alto originaire du Texas, ralentissait ou accélérait à volonté la façon de jouer de son quartette, détruisant ainsi toute continuité et toute régularité. En se faisant plaisir, les jazzmen firent du jazz une musique pour une minorité d'auditeurs. Le jazz, une des composantes de la musique populaire, était devenu un genre ésotérique : fascinant, stimulant mais redondant. Le saxophoniste John Coltrane semblait le plus heureux des hommes quand il pouvait improviser pendant plus de quarante-cinq minutes sur un même accord.

Ces explications ne dénigrent nullement l'évolution du jazz depuis son origine. Une forme musicale qui reste statique dépérit et meurt par manque d'adaptation. « Je n'ai jamais essayé de jouer deux fois la même chose, m'a déclaré Earl Hines. Je me battais contre le

Ci-dessous : Le « Cotton Club » en 1938.
Page de droite, de gauche à droite : le Modern Jazz Quartet. John Coltrane (saxo ténor). Thelonius Monk (piano).

piano, cherchant à aller toujours plus loin. Il est impossible de maîtriser une musique, vous devez sans cesse chercher du nouveau. » Pourtant la nouveauté ne doit pas faire abstraction de l'ordre et le mot liberté n'est pas synonyme d'anarchie. Dizzy Gillespie, que j'avais interviewé pour cet ouvrage, jouait au « Play Boy Club » devant un public essentiellement blanc et composé de douze personnes. Les jours sont loin, où Earl Hines pouvait se vanter de dire que le jazz était une musique à la portée de tous, « des ghettos au palais des rois et des reines ». Peut-être que le « Play Boy Club » représente la fin inévitable et probable du jazz.

Le blues

« **B**lues » est un mot sur le sens duquel il faut réfléchir avant de pouvoir le comprendre. Il date du XVIᵉ siècle, c'est une abréviation de « *blue devils* » (« diables bleus »), ou mélancolie. Musicalement, il est entièrement noir et entièrement folklorique. Le blues est aussi une réaction émotionnelle fondamentale à un environnement oppressif, un chant de l'aliénation. Il était, et est encore, tout à fait différent du ragtime ou du jazz. Ces derniers étaient des musiques de groupe, destinées à distraire la communauté. Par contre, le blues est né dans la solitude. Il n'a jamais été une musique de protestation ; il a toujours été une musique d'adaptation à la réalité sociale et économique de la ségrégation. Le blues n'a pas mis en cause la suprématie blanche, le chanteur se

Bessie Smith.

réconcilie avec lui-même, il reconnaît sa propre personnalité – et s'en réjouit. Le blues est une reconnaissance de la condition humaine, une affirmation de l'identité.

On a reconnu que la musique populaire du XXᵉ siècle aurait été très différente sans le blues. Pourtant, les musiciens et les critiques ont été longs à percevoir l'importance réelle de sa création et de son développement : la signification qu'il a eue pour une race exilée et prisonnière.

On ne se soucie pas de l'eau jusqu'à ce que le puits soit à sec (bis)
On ne se soucie pas de sa petite amie, jusqu'à ce qu'elle soit partie

Il exprime la désolation de n'avoir pas le droit d'être là où l'on est.

Le blues, c'est aussi une manière de jouer de la musique qui utilise une structure particulière – des couplets de douze mesures et trois lignes, parfois répétées, exprimant un état d'esprit particulier. A la fin de la guerre de Sécession et après l'éclatement des grandes plantations, de nombreux esclaves libérés de la « Ceinture du Coton », qui s'étendait du Texas à la Géorgie, restèrent dans la région qu'ils connaissaient le mieux ; beaucoup travaillèrent aux mêmes récoltes. La nature de cette récolte engendra certains des éléments de base du blues. La récolte du coton nécessite un travail de groupe. L'arrachage des plants et le ramassage sont rendus extrêmement pénibles et monotones par la lourdeur du sol. Le seul soulagement était, semble-t-il, ces chansons qui racontaient les déceptions et la faim de ces travailleurs noirs qui râclaient les fonds de plats de l'économie.

Tant pour le contenu que pour la forme, ces chansons servirent de base au blues. Les tierces et les septièmes bémolisées, l'apparente liberté d'expression, les inflexions caractéristiques de la voix, tout cela vient des chants de travail répandus dans tout le Sud. Le chanteur de blues parlait pour lui-même, sa manière de chanter et de jouer exprimait ce qu'il ressentait. C'était une tradition orale, il ne serait venu à l'idée de personne de vouloir l'écrire. C'était une musique folklorique, entendue et comprise par tous.

La misère poussa de nouveau les Noirs à aller chercher du travail plus au nord. Ceux qui avaient travaillé dans les plantations de coton se retrouvèrent inévitablement dans le grand centre du commerce du coton : Memphis, juste au nord du Delta. Comme tous les gens déplacés, ces ouvriers se retrouvaient le soir dans les boîtes, les bars et les bordels ; à Memphis, c'était dans Beale Street. Le lieutenant George Lee, un vétéran de la Rue, se souvient : « C'était splendide et mélodramatique, le boulevard du vice, de l'ambition commerciale et de la rengaine. D'innombrables tripots fleurissaient le

W.C. Handy, né à Florence, Alabama, en 1873, fut directeur musical des « Mahara Minstrels » pendant des années, avant de découvrir le blues. Aveugle depuis l'âge de vingt ans, Handy s'appliqua à développer ses affaires tout en menant une polémique restée célèbre avec Jelly Roll Morton pour savoir lequel des deux avait « inventé » à la fois le jazz et le blues.

long de la grande artère où des centaines de personnes perdaient leur fortune sur un coup de dés. » Comme à Chicago, la prohibition n'était pas trop dure à supporter : « Je me souviens quand c'était mieux à Beale Street qu'à Paris, à Chicago, ou à New York, raconte Memphis Slim. Tous les musiciens quittaient ces villes et venaient à Beale Street. Le whisky coûtait environ quinze centimes la bouteille. Le jeu fonctionnait à plein, bien que contrôlé par les Italiens. C'était mieux qu'à Las Vegas. »

Le lieutenant Lee se rappelle l'époque où Beale Street fut obligée de devenir « sobre » : « Il y avait une boîte qui s'appelait " Le Trou dans le Mur " ; dehors se trouvaient deux poubelles remplies de bouteilles de whisky d'un litre et d'un demi-litre. Si quelqu'un voulait en acheter, il allait au bar et payait d'abord. Le barman faisait alors signe à l'homme qui se trouvait à côté des poubelles et l'homme extrayait la bouteille demandée. C'est comme ça qu'on se procurait de l'alcool. Mais quand les camions de la voirie arrivaient, il fallait voir ça. Ils rentraient frénétiquement les bouteilles pour que les éboueurs ne les emportent pas. Une fois le camion passé, on ressortait les poubelles et les affaires reprenaient comme avant. » Les buveurs et les joueurs avaient besoin de distraction et de musique, et à Beale Street ce n'est pas ce qui manquait. A n'importe quelle heure du jour ou de la nuit, des dizaines de musiciens y jouaient, ou y cherchaient une occasion de passer. Memphis Slim se rappelle que la concurrence était telle qu'il n'avait pu trouver qu'un emploi de pianiste de jour. Beale Street devint le quartier général de tous les musiciens venus de la campagne pour chercher du travail. Bientôt la notoriété de l'endroit se répandit. Un homme d'affaires du nom de Cash Mosby organisait trois excursions par semaine à Beale Street, pour les Noirs du Delta désireux de tenter leur chance au jeu, ou de visiter les maisons closes. Mercredi soir était le soir des Blancs, mais jeudi et samedi étaient les soirs les plus chargés. « C'étaient les soirs où les domestiques et les ouvriers des fabriques de bas de soie recevaient leur paye et avaient leur soir de congé. »

La musique s'identifia à la Rue. C'était une musique du diable à ne pas mettre dans les oreilles innocentes. Les Noirs et les Blancs qui prônaient la respectabilité ne descendaient jamais à Beale Street, « sauf en observateurs ». Ils ignorèrent ces sonorités, jusqu'à ce qu'un orchestre dirigé par un Noir de Memphis, W.C. Handy, jouât en 1908, à un bal pour Blancs à Croxdale, Mississippi, à une quarantaine de kilomètres de Memphis. Ayant épuisé tous les morceaux traditionnels qu'ils connaissaient, les musiciens de Handy durent finalement quitter la scène lorsqu'un groupe de Blancs déclara ne plus pouvoir supporter la gentille musique de Handy ; ils préféraient la leur. Sur ce, un orchestre campagnard (au complet, avec les jugs) commença à jouer des versions tapageuses de chansons de travail et des danses. Observant cette scène derrière le public enthousiaste, le chef d'orchestre renvoyé vit ce groupe recevoir plus d'argent pour un seul morceau que ses musiciens pour la soirée entière. « Soudain, écrira plus tard Handy, j'ai compris la beauté de notre sonorité originale. » Le « Son de Memphis » (comme on devait l'appeler) a toujours été, depuis le tout début, le son des pièces de monnaie lancées par terre.

Handy a acquis le plus gros de son expérience musicale en travaillant avec et pour toutes sortes de troupes de black minstrels, parmi lesquelles les « Mahara Minstrels ». Comme les autres « compositeurs » du circuit des minstrels, il reconnut qu'en polissant la poésie rude des Noirs, en édulcorant leur angoisse pour la rendre acceptable, en étendant leur musique aux styles de jazz les plus populaires, on avait des chances d'atteindre un plus large public. Les minstrels ne développèrent pas un style de

En remontant la Grand-Rue de Memphis, à quelques pâtés de maisons de Beale Street.

musique, ils firent comprendre comment les Noirs pouvaient pénétrer la sensibilité blanche. C'est surtout en cela qu'ils sont importants. Ils furent le moyen par lequel la dernière composante de la musique noire (mais pas la plus essentielle) arriva à un compromis avec la société blanche.

Vexé par son expérience de Croxdale, Handy retourna à Memphis, se demandant quel était le meilleur moyen de combiner ces différents éléments musicaux. Les élections municipales lui fournirent l'occasion d'y parvenir : chacun des trois candidats paya un orchestre de rue pour animer sa campagne ; Handy fut employé par Ed Crump. Une fois élu, Crump entreprit de devenir un réformateur et menaça d'interdire le jeu à Beale Street. Handy changea alors un peu les paroles de la chanson électorale de Crump :

Il paraît que Crump n'accepte plus les joueurs
Je me moque de ce que Crump n'accepte pas
Je vais quand même à la maison des Illusions.

Handy changea également le titre de la chanson et l'appela *Memphis Blues*. Il avait trouvé la bonne formule : prendre le blues, en garder l'esprit, le jouer comme du « country », en accélérer le tempo, en édulcorer les paroles, et... Handy s'appliqua à s'imprégner de ballades, de blues traditionnels, de gospels — de tout ce qu'on pouvait entendre à Memphis et dans les environs. Plus tard, les apologistes de Handy affirmèrent qu'il avait tenté de transcrire un langage folklorique et effectué « la première popularisation d'une musique qui échappait jusque-là à l'industrie musicale ». Mais en fait, Handy rassembla des airs déjà existants et se les appropria.

Les Blancs aimaient la musique de Handy. Ils la trouvaient nouvelle, fraîche et américaine. Pour les Noirs des classes moyennes, cette musique marquait aussi un pas en avant — une façon de quitter Beale Street pour la Grand-Rue. En comparaison, le jazz était bon pour les bordels, ou du moins pour les bars clandestins. « Le jazz, ce n'est pas de la musique, dit aujour-

d'hui le lieutenant George Lee. Le jazz n'est qu'un tempo particulier, un tempo rapide. Il n'est pas comme le blues au rythme lent et paresseux. Le jazz n'est pas une musique mais un style. Le blues est une musique. » Handy monta à New York où il découvrit qu'il n'était pas le messie de la musique moderne, comme il l'avait cru. On lui dit que sa musique n'avait pas le bon tempo. Les éditeurs de musique new-yorkais en étaient encore au ragtime et découvraient le jazz. Handy reçut cent dollars pour son *Memphis Blues* ; on lui dit qu'il devait s'estimer content. Il passa ensuite un quart de siècle à essayer d'en racheter les droits. Mais auparavant, il créa sa propre maison d'édition et publia *St. Louis Blues*, qui fut le tournant de sa fortune.

Le blues que Handy introduisit avait des sources multiples qui ne s'accordaient pas toujours bien entre elles. Il y avait le « country blues » (blues rural), mode d'expression principalement individuel et spontané, utilisé par les musiciens de rue itinérants (souvent aveugles), les guitaristes employés à distraire les clients des bouges, les pianistes qui se produisaient dans les débits de boissons et les salons de maisons closes. Certains restèrent dans le Sud, comme Whistling Alex Moore ou Bukka White ; d'autres émigrèrent dans les villes du Nord et de l'Est, comme Big Bill Broonzy et Blind Lemon Jefferson.

Puis il y eut le blues urbain, appelé parfois « jazz blues », qui se développa en partie à Beale Street — où les joueurs demandaient autre chose que les lamentations d'un ancien cueilleur de coton — mais surtout à La Nouvelle-Orléans. Le jazz blues, sans doute influencé par les orchestres bruyants qui encombraient alors les rues, était principalement instrumental. Comprenant plusieurs instruments, il était moins souple que le blues rural traditionnel, dans lequel on chantait seul en s'accompagnant à la guitare. Quand une partie chantée apparaît dans le jazz — même si elle vient du tronc commun de l'imagerie du blues —, il lui manque l'intensité et l'angoisse des blues ruraux. Alors que le country blues est sexuellement explicite, le jazz blues invite plus poliment à « monter ». Les musiciens des villes ignoraient ou rejetaient le blues vocal traditionnel, le trouvant trop crû. Comme le dit la chanteuse et pianiste de La Nouvelle-Orléans Sweet Emma Barrett : « Les musiciens *strictement* de blues ? J'ai jamais eu grand-chose à faire avec eux. En fait, je n'aimais pas leur blues. »

Ensuite il y eut le « vaudeville blues » (blues de music-hall), directement issu des spectacles de ménestrels. Les chanteurs — principalement des femmes — réussirent à représenter le blues, dans un style rendu célèbre par Bessie Smith et Ma Rainey, en réconciliant la tradition du blues

A gauche : Ma Rainey avec son Georgia Jazz Band en 1925. Rainey faisait surtout le circuit des théâtres et des chapiteaux noirs du sud. De temps en temps elle s'aventurait jusqu'à New York ; « Hot Lips » Page a joué quelque temps dans son orchestre.

Ci-dessus. En haut : des membres de l'orchestre de W.C. Handy. *En bas* : Handy avec George Avakian et Louis Armstrong en 1954. Handy est mort en 1958.

rural chanté avec la tradition instrumentale de La Nouvelle-Orléans.

Bientôt, de nombreux artistes blancs, tels que Sophie Tucker, reconnurent la puissance d'une telle musique, et contribuèrent à la répandre encore plus largement. Pourtant ce ne fut pas une personne, ni un groupe de gens, ni même un endroit qui allait mettre en évidence la force unificatrice et l'influence explosive de cette multiplicité de styles. Ce fut une machine.

Le phonographe avait été inventé par Thomas Edison en 1877. Considéré au début comme une curiosité, il était devenu, à la fin du siècle, un appréciable moyen de distraction d'intérieur. Les membres les plus prospères de la communauté noire achetèrent des appareils et des disques, encore qu'avant 1920 le peu de disques faits par les artistes noirs s'adressait principalement à un public blanc. Même W.C. Handy, à présent célèbre pour son *St. Louis Blues*, fit tout son possible pour cacher la couleur de sa peau. Personne ne semblait se rendre compte qu'un public noir grandissant attendait de pouvoir enfin acheter des disques de musique « bien à lui ».

Bien que Handy ait eu des intérêts dans la première maison de disques appartenant à un Noir, « Black Swan », l'homme qui rapprocha le nouvel appareil et le nouveau public fut un jeune artiste noir, compositeur et homme d'affaires, du nom de Perry Bradford, Convaincu qu'il y avait un public pour les artistes noirs, il persuada Fred Hager, producteur blanc des studios OKeh, de permettre à une jeune chanteuse de night-club noire d'enregistrer deux de ses propres compositions : *That Thing Called Love* et *You Can't Keep a Good Man Down*. Hager aurait voulu employer Sophie Tucker pour cet enregistrement, mais elle était sous contrat dans une autre maison et Bradford et sa chanteuse décrochèrent l'affaire. Le disque ainsi réalisé se vendit assez bien pour que Hager se rende compte qu'il avait découvert un marché inexploité ; tous les trois retournèrent au studio OKeh pour enregistrer d'autres chansons de Bradford. Dès le premier mois de sa parution, le disque se vendit à soixante-quinze mille exemplaires. Le raz de marée avait la voie libre. La chanson s'appelait *Crazy Blues*, et la chanteuse Mamie Smith.

Rétrospectivement, il est difficile de comprendre l'impact de *Crazy Blues*. Le disque de Mamie Smith a l'air morne, presque ennuyeux.

L'ex-chanteuse de vaudeville Bessie Smith. *A gauche* en 1923 ; *à droite*, en 1925. Sur ses premiers disques, on signala poliment qu'elle était noire, en l'annonçant dans la catégorie « artiste de music-hall ».

Ci-dessus : John Hammond, né en 1911 ; probablement le Blanc qui a fait le plus pour la musique noire (en outre, il découvrit Bob Dylan, encouragea Benny Goodman, et fit enregistrer un nombre inégalé de musiciens populaires). Né dans une famille riche, Hammond se servit intelligemment de ses privilèges pour promouvoir sa musique préférée. Adolescent, il lui arrivait d'écourter ses leçons de musique classique pour courir à Harlem. Il était le seul Blanc dans le public de l' « Alhambra »,

pour écouter Bessie Smith pour la première fois en 1927. Hammond devint un ami personnel de beaucoup de musiciens noirs à la fin des années vingt et commença à écrire des critiques de jazz pour le magazine *Gramophone* en 1930, puis pour le *Melody Maker* en 1931. Il organisa un grand nombre de concerts de jazz, y compris la fameuse jam session du « Mt. Kisco Golf and Tennis Club ». En 1933, il commença à réunir des musiciens de jazz pour la firme anglaise Columbia. Pendant toutes les années 30, il encouragea des orchestres mixtes, avec une réussite inégale. En 1938, à la veille de l'ouverture du « Café Society » de Barney Josephson à New York, il organisa le deuxième grand concert de jazz du « Carnegie Hall » (le premier avait été le concert de swing de Benny Goodman) : *Du spiritual au swing*.

Si ce n'est la présence de Willie « The Lion » Smith au piano, la chanson est d'une banalité musicale qui n'a d'égale que son importance historique. Presque toutes les nouvelles maisons de disques comprirent le message et commencèrent à engager tous les artistes de cabaret noirs qu'elles pouvaient trouver à New York. Des chanteuses comme Lucille Hegamin, Edith Wilson et Rosa Henderson furent parmi les premières. Toutes voulurent donner à leur numéro une apparence « sophistiquée ». Ces chanteuses remodelaient et par conséquent édulcoraient la musique — le contenu fortement sexuel n'était rendu que par quelques allusions timides. Elles restèrent des chanteuses de vaudeville blues, plaisantes et sages.

Dans les premiers temps de cette période d'enregistrement, des éclaireurs venus du Nord ratissaient le Sud à la recherche de nouveaux talents. Ils ignoraient le plus souvent la qualité de ce qu'ils entendaient, ils enregistraient un chanteur et, si la musique se vendait, ils revenaient en redemander. Ces éclaireurs découvrirent que la plupart des chanteurs de blues se souciaient de la particularité locale de leur style et que leur musique ne se vendait pas à l'échelle nationale. Les maisons de disques profitèrent de ce prétexte pour les sous-payer. Beaucoup ne recevaient que quelques dollars, ou une bouteille de whisky, pour leur peine, puis étaient renvoyés chez eux. Memphis Slim dit que « la plupart des chanteurs de blues ne connaissaient pas le sens du mot royalty. Je ne l'ai pas su jusqu'à ce que Roosevelt Sykes me dise que je n'en touchais pas. Je jouais avec Big Bill Broonzy à l'époque, et il ne m'a rien dit. Peut-être qu'il ne pouvait pas. Alors quand j'ai commencé à demander des droits d'auteur, on m'a boycotté ».

Malgré cela, enregistrer un disque resta l'ambition ultime de presque tous les musiciens de blues, quelle que soit leur origine. Même ceux qui étaient restés dans le Sud — en partie pour échapper au show business blanc et en partie parce que le show business ne tolérait pas leur rudesse — tentaient de décrocher des contrats. Après tout, cela leur ouvrait la porte d'un monde plus vaste. La croyance, à cette occasion, que ces artistes incorruptibles incarnaient une musique plus « authentique » leur valut le titre de chanteurs de « blues classique ».

WILLIE JACKSON
"A Big Boy With the Blues"

THIS isn't the famous prize ring idol, but down in N'Orleans, where he hails from, he's known for his long string of K.O's of blues. He takes them on whether they're deep-dyed blue or baby blue, and he invariably gets the decision over them. Everybody's with him, are you? He is also an Exclusive Columbia artist.

KANSAS CITY BLUES . . . . } 14284-D 75c
T. B. BLUES . . . . }

TISHAMINGO BLUES . . . . } 14194-D 75c
COAL MAN BLUES . . . . }

NEW PRISON BLUES . . . . } 14177-D 75c
FO' DAY BLUES . . . . }

GERTRUDE PERKINS

NO EASY RIDER BLUES . . . . } 14313-D 75c
GOLD DADDY BLUES—Vocals . . . . }

Une telle attitude musicologique a occulté une question importante. Les critiques de musique populaire sont obsédés par leur besoin de donner à la musique une importance philosophique qui lui est étrangère. Ainsi, certains ont voulu honorer tous les artistes de blues des années vingt du titre de « classique ». D'autres insistent sur le fait que le blues véritable est si primitif qu'aucune maison de disques ne peut mettre la main dessus et relèguent ceux qui ont enregistré au rang de simples artistes de variétés. Souvent, après le succès de certains chanteurs « classiques », lesdits chanteurs de variétés durcissaient leur style pour se doter d'une apparence d'authenticité. Musicalement, la différence marquante, c'est que les chanteurs de vaudeville blues *représentaient* le blues, alors que les chanteurs de blues classique le jouaient simplement.

Ma Rainey, la plus vociférante de ces chanteuses qui étaient restées dans le Sud, était considérée par ses camarades de travail comme la femme la plus laide du show business. Connue comme la « Mère du Blues », elle avait introduit le blues rural dans son spectacle de ménestrels dès 1902. Elle resta toute sa vie proche du country blues de sa jeunesse et choisissait souvent

d'enregistrer avec un jug band derrière elle, ne désirant pas (ou ne pouvant pas) développer son art au-delà de limites précises. Malheureusement les studios de Chicago où elle enregistra, n'étaient pas techniquement au point, et l'écoute de ses disques est un calvaire. La chaleur qui se dégage de ses chansons justifie l'appellation de mère, tout comme les encouragements qu'elle prodigua à de nombreux protégés — parmi lesquels une jeune fille de dix-sept ans, grande, dodue et timorée, du nom de Bessie Smith.

Née très pauvre, Bessie avait dès son enfance chanté à l'église locale (tout chanteur digne de ce nom se vantait d'avoir commencé par le gospel). A l'âge de neuf ans elle avait gagné un concours de chant. Ma Rainey l'aperçut dans un autre concours et la fit engager par les Rabbit Foot Minstrels, certains disent pour qu'elle fasse son apprentissage, tandis que d'autres affirment que c'était par crainte de voir un talent plus grand que le sien menacer sa propre suprématie.

Bessie passait avec les Minstrels à Philadelphie, devant un public enthousiaste d'immigrants du Sud, quand Columbia eut vent de sa popularité croissante. Obsédés par la nécessité d'enregistrer pratiquement tout ce qui était noir, ils dépêchèrent un producteur blanc (Frank Walker) et son associé noir (Clarence Williams) auprès de Bessie Smith. Elle avait passé plusieurs auditions dans d'autres maisons, mais sans succès, car on la trouvait trop rude pour une sensibilité blanche. De sa première séance avec Williams et Walker sortirent seulement deux morceaux : *Gulf Coast Blues*, écrit par Williams lui-même, et une version de *Downhearted Blues*, d'Alberta Hunter.

La version de Bessie de *Downhearted Blues* surprit tout le monde, y compris elle-même. En quelques mois, elle vendit plus de quatre-vingt mille exemplaires du disque, deux ans plus tard elle exigeait deux mille dollars pour une apparition publique, et à la fin des années vingt Bessie Smith était « la » chanteuse de blues. Les

A gauche : une publicité de la Columbia pour Willie Jackson de La Nouvelle-Orléans.

A droite : le légendaire Blind Lemon Jefferson ; ses errances le menèrent dans tous les États du Sud. Né au Texas en 1897, Jefferson passa beaucoup de temps à La Nouvelle-Orléans et à Dallas, où il enregistra certains de ses premiers disques.

Cordially Yours Blind Lemon Jefferson

artistes de vaudeville blues qui l'avaient précédée vivaient maintenant dans son ombre, et elle ne rencontrait aucune rivale. Pourtant (et artistiquement, cela aurait pu prouver sa force), elle resta inconnue de la plupart des Blancs amateurs de blues. Elle resta fidèle à son peuple, presque une caricature de ses qualités et de ses défauts. A une époque où il était de bon ton d'avoir la peau claire, Bessie choisit délibérément des amants à la peau très foncée. Bessie Smith affirmait sans aucune honte la beauté de la couleur noire.

Au début, elle se couvrit de bijoux et de plumes, plus tard elle apprit à se présenter plus simplement et travailla, tout à fait consciencieusement, à atteindre ce moment de perfection où le sentiment et la technique se rejoignent. De part et d'autre de cette synthèse se trouvent l'art populaire qui charme sans le vouloir, et le maniérisme qui apparaît quand la virtuosité technique l'emporte sur le sentiment. Son répertoire allait des blues intensément poétiques aux chansons à succès sans valeur, parfois même aussi scabreuses que stupides. Mais, mis à part quelques morceaux médiocres, elle insérait dans tout ce qu'elle chantait une grandeur et une humanité incomparables. Elle pouvait, semble-t-il, communiquer la tristesse de la mort, le caractère éphémère du bonheur, le désir de certitude, et la recherche autodestructrice de l'oubli passager. Dans la vie, cependant, elle restait quelqu'un de très simple. Par exemple, il lui arrivait de proposer à la femme de Frank Walker de l'aider au ménage si un de ses enfants était malade. Bessie était une femme imposante qui buvait beaucoup — non pas les alcools dont elle parlait dans ses chansons, mais des alcools distillés artisanalement. Et puis, elle savait très bien se servir de ses poings.

Après le triomphe des années vingt arriva la crise de 29. Tout d'abord, ses disques et ses concerts eurent, semble-t-il, encore plus de succès — après tout, aussi bien sa musique que l'époque étaient sous le signe de la mélancolie. Mais son succès portait en lui le germe de son déclin. Encouragées par son exemple, ou du moins l'argent qu'elle rapportait, les maisons de disques commencèrent à explorer de plus en plus soigneusement le Sud. Les nouveaux artistes étaient moins chers. De nouvelles maisons de disques cassaient les prix de leurs concurrents ; les ventes des professionnels commencèrent à céder le pas à celles des amateurs. Même le blues était en train de changer. A Kansas City, des chanteurs comme Big Joe Turner et

Jimmy Rushing s'éloignaient du gémissement syncopé et apparemment spontané, privilégié par les « classiques ». Les jeunes à la page commencèrent à considérer Bessie et ses petites sœurs comme appartenant au passé. Presque fortuitement, la crise liquida une partie de l'industrie du disque. La maison de disques de Bessie (Columbia) fut vendue à une autre compagnie qui fit faillite. D'un seul coup, elle ne fit plus de nouveaux disques et cessa de toucher des droits sur les anciens. Pour sa dernière apparition publique à l'« Apollo Theatre » de Harlem, elle ne toucha que deux cent cinquante dollars.

En septembre 1937, Bessie quitta Memphis et prit la route 61 pour participer à un spectacle pour lequel elle était engagée à Huntsville dans l'Alabama. La voiture était conduite par Richard Morgan, son amant et son impresario, qui avait été un des principaux trafiquants d'alcool de Philadelphie pendant la prohibition. La route était sombre et paraissait sans fin. Après cent kilomètres, elle rétrécissait. Arriva un énorme camion. La voiture quitta la route et fit un tonneau. « Ce fut un horrible carnage, raconta un témoin. Le médecin, qui arriva peu de temps après, trouva Bessie couchée sur le bord de la route avec un demi-litre de sang

répandu autour d'elle. Son bras était partiellement arraché, mais si cela avait été sa seule blessure, il est certain qu'elle aurait survécu. »

John Hammond, le producteur de Bessie, qui l'attendait à Huntsville, pense qu'elle aurait pu être sauvée. Quant à l'histoire célèbre selon laquelle on refusa de l'admettre dans un hôpital pour Blancs, elle est très confuse, raconte Hammond aujourd'hui : « Il est clair qu'elle mourut d'une perte de sang due à un retard terrible. » Il est certain que l'admission de Bessie Smith blessée prit pas mal de temps. Sur le chemin de Memphis, où il y a un hôpital pour Noirs, la voiture tomba en panne, ce qui retarda encore les soins médicaux. Quand elle arriva, il était trop tard.

Malgré les mythes qui se firent jour peu de temps après sa mort, elle ne fut pas enterrée comme les pauvres. Au contraire, son cercueil était bordé de velours rose. Plus de sept mille personnes assistèrent à l'enterrement. On recueillit des fonds pour acheter une pierre tombale convenable et on donna un chèque à son ex-mari, Jack Gee qui, suppose-t-on, fila avec l'argent. Un journal de Philadelphie raconta ainsi son enterrement :

De gauche à droite.

One String Sam, chanteur de blues itinérant de Chicago.

Furry Lewis, né dans le Tennessee en 1893, un protégé de W.C. Handy. (Il se souvient de Handy comme « d'un type sympathique, toujours correct avec tout le monde ».) Bluesman de Beale Street, habitant de Memphis pendant plus de soixante-quinze ans, Lewis a joué dans la tournée américaine des Rolling Stones en 1975. Actuellement, il voyage avec le « Memphis Blues Caravan » dont le car porte comme destination « le Paradis ».

Victoria Spivey, née à Houston en 1910. Plus vieille survivante de la tradition du blues classique, elle a chanté avec de nombreux orchestres entre 1920 et 1940. En 1975, se rappelant Bessie Smith, elle me raconta : « J'étais fière de travailler pour elle, elle était bonne avec tout le monde ; une fois, à Cleveland, dans l'Ohio, elle me dit : Ce soir tu vas chanter pour moi *Blacksnake Blues* vraiment très bien, sinon je te casse la figure. C'était une femme merveilleuse. » Spivey joua dans un des premiers films parlants de King Vidor, *Hallelujah*.

Helen Humes, née à Louisville dans le Kentucky en 1913. Chanteuse de blues hurlé et chanteuse de grand orchestre. Son retour à New York en 1975 la confirma comme l'une des plus grandes chanteuses de jazz.

Deux femmes lourdement voilées pleuraient sans arrêt. Dans le silence pesant, on entendait distinctement les hommes respirer. Le pasteur s'éclaircit doucement la voix : « Je suis la résurrection et la vie... » Le cercueil glissa dans la tombe. Une femme poussa un cri, et les larges épaules de Jack Gee se crispèrent tandis qu'il enfouissait son visage plein de larmes dans ses mains. Une plainte rauque sortit de sa bouche. « Bessie, Oh ! Bessie... » « De la terre à la terre, de la poussière à la poussière... » L'ecclésiastique ferma son livre. Le cortège s'avança pour jeter des fleurs dans la tombe. Bessie Smith Gee, ancienne Reine du Blues, n'était plus qu'un souvenir.

Le vendredi 7 août 1970 eut lieu une autre cérémonie au cimetière de Sharon Hill à Philadelphie. Devant un petit groupe de personnes, le révérend Wycliffe Jangdharrie (costume sombre et lunettes de soleil) dévoila une modeste pierre tombale. Dessus étaient gravés — avec un goût exécrable — les mots suivants :

LA PLUS GRANDE CHANTEUSE DE BLUES DU MONDE
NE CESSERA JAMAIS DE CHANTER
BESSIE SMITH
1895-1937

La pierre, qui avait coûté cinq cents dollars, fut payée par deux personnes : Madame Juanita Green, infirmière diplômée et propriétaire de deux cliniques à Philadelphie qui, enfant, avait aidé Bessie à la maison et Janis Joplin, la chanteuse de rock. Pour des « raisons professionnelles » mais probablement pour éviter qu'on

l'accuse de se servir de l'événement comme support publicitaire, Joplin était restée à l'écart. Pourtant, comme sa vie et son œuvre l'ont démontré, elle avait commencé à ressentir une sympathie profonde et presque effrayante pour Bessie.

Bessie Smith est probablement plus importante pour comprendre le blues que toute autre artiste. Elle a revitalisé un langage essentiellement populaire et lui a donné sa dignité formelle. Elle a réuni les différents éléments de ce langage avec cohérence et détermination. Par son exemple, elle a empêché que cette forme soit pillée. C'était une artiste trop exceptionnelle, trop originale et en même temps de trop mauvais goût pour qu'on puisse l'imiter facilement. Elle a prouvé par là même que le travail de W.C. Handy a été un peu plus qu'une tentative de battre l'homme blanc à son propre jeu, de le dépasser, de l'absorber ou même de le piller.

Le talent artistique de Bessie Smith a donné forme à une musique qui sans cela aurait pu sombrer dans une vulgaire autosatisfaction. Ressentir le blues et simplement « faire son truc » n'était pas suffisant. Sans trahir ses racines, Bessie a donné au blues la dimension universelle nécessaire à tout art. En cela, bien sûr, elle n'était pas la seule. Elle fut l'inspiratrice d'un grand nombre de chanteurs et guitaristes

A gauche : Jimmy Rushing, chanteur de jazz-blues dont la rencontre avec Count Basie remonte à l'époque où ils jouaient tous les deux dans l'orchestre de Bennie Moten à Kansas City.
A droite : Roosevelt Sykes, né à Helena dans l'Arkansas en 1906, a vécu de nombreuses années à La Nouvelle-Orléans ou dans la région. Un jour, Sykes déclara : « Je suis venu à Chicago sans raison spéciale... après trente-sept ans j'ai quitté Chicago, sans raison particulière ; depuis lors, on me qualifie d'international. »

Page de droite, de gauche à droite :
Houston Stackhouse, bluesman du Sud, connu pour avoir mis une bonne année pour remonter jusqu'à Chicago.
Bukka White, qui habitait Memphis et dont le père était né à New York : « Le blues est né derrière la charrue, mais il n'a rien à voir avec une race. Je ne vois pas pourquoi un Blanc ne jouerait pas le blues aussi bien qu'un Noir. »
Sleepy John Estes, né à Ripley dans le Tennessee en 1903, déclara un jour à un journaliste : « Je suis maintenant marié avec ma seconde femme. J'en ai eu trois, mais son mari est venu rechercher la dernière. »

anonymes du Delta. Si sa manière de chanter prit ce style, c'est qu'elle était née avec une certaine couleur de peau, dans une certaine classe, dans un endroit particulier, à une époque particulière. Beaucoup d'apologistes, noirs et blancs, ont voulu croire les nombreux mythes qui entourent sa vie ; les artistes de blues sont des menteurs notoires. Mais sans elle, le blues aurait pu devenir la propriété de marchands de chansons blancs, ou de Noirs « blanchis ».

En 1933, John Hammond fut invité à Harlem, à l'ouverture d'un nouveau club appelé le Monette's, où son attention fut attirée par une jeune fille qu'il décrit comme « âgée de dix-sept ans, voluptueuse, avec un peu d'embonpoint — qui se servait de sa voix comme d'un instrument. Elle ajoutait quelques touches personnelles, et si elle apercevait quelqu'un qui lui plaisait, elle pouvait donner à sa chanson une inflexion totalement différente. » Hammond demanda à parler à la jeune fille et découvrit qu'elle venait de Baltimore ; elle s'appelait Billie Holiday.

Billie a toujours été évasive sur son passé.

Hammond lui demanda si elle était parente avec Clarence Holiday, qui jouait du banjo et de la guitare dans l'orchestre de Fletcher Henderson. « Elle me regarda avec un mépris affreux et me dit : " Oui, c'est mon père ". » Quand plus tard Hammond demanda à Holiday pourquoi il n'avait jamais rien dit sur sa fille extraordinaire, il répondit : « Bon Dieu, John, ne parlez pas de Billie devant les autres, ils vont penser que je suis vieux. Je l'ai eue en douce, quand j'avais treize ans. »

Elle passa ses jeunes années comme « bonne » dans un bordel. A l'âge de quatorze ans, on l'envoya en prison pour prostitution et bientôt elle se découvrit un goût particulier pour la cocaïne et l'héroïne. Sa mère l'emmena à New York où elle commença à travailler dans des clubs de Harlem comme le « Log Cabin » de Jerry Preston. Hammond fit campagne pour Billie. Il réunit pour l'écouter des dizaines de musiciens et de producteurs dont Benny Goodman, qu'il persuada de faire deux disques avec elle en décembre 1933. Ce ne fut pas un succès et, pendant plus d'un an, Hammond essaya d'organiser une autre séance d'enregistrement. Cette fois elle chanta ses propres versions de succès populaires, accompagnée par Teddy Wilson.

Et Hammond de reprendre : « Si Bessie Smith avait vécu – elle aurait seulement quatre-vingts ans – elle aurait pu faire un merveilleux retour après la Crise. Bessie buvait, bien sûr, mais on n'a jamais parlé de drogue à son sujet et quand elle est morte, sa voix était dans une forme éblouissante. Billie, elle, abusait de sa voix et d'elle-même. Elle n'avait plus qu'un mince filet de voix avant sa mort. » Hammond se rappelle que lui et les ingénieurs du son étaient très inquiets devant la quantité de drogue qu'elle fumait dans le studio. « Elle était une proie facile pour les proxénètes à fière allure. Elle n'a jamais eu de chance avec les hommes, bien qu'elle fût entourée d'hommes extraordinaires qui travaillaient comme des fous pour l'aider. » Dans sa vie privée, il y avait des hommes moins extraordinaires qui se démenaient comme des fous pour l'exploiter. Son père mourut en 1934, sa mère en 1940. Ses relations avec sa mère n'avaient jamais été très chaleureuses, mais sa mort la toucha profondément. A partir de ce moment, comme le dit Hammond, « elle alla d'un sale type à l'autre, et tous cherchèrent à se faire de l'argent sur son dos ». Pendant la guerre elle retourna en prison, pour des affaires de drogue.

Elle chanta avec Count Basie et Artie Shaw et, à la fin des années quarante et dans les années cinquante, elle passa de plus en plus souvent en solo. Elle donna un concert de charité au « Phœnix Theatre » en juin 1959, mais craqua peu après. On l'envoya à l'hôpital où elle fut arrêtée pour usage de stupéfiants – sur son lit de mort.

Si Bessie Smith fut la chanteuse dont l'exemple a ennobli la tradition populaire, Billie Holiday fut la chanteuse dont la vie exprima totalement cette tradition – un constant rappel de ce qu'était le blues. Elle s'adressait à ces innombrables générations qui avaient souffert, mais aussi aux autres ; avec un pessimisme héroïque, elle chantait l'amour abandonné, l'amour oublié, l'amour renié et l'amour refusé. Elle touchait, au-delà des races, des croyances et des époques. Pourtant elle assumait totalement

sa race, sa croyance et son époque. Les drogues, dans lesquelles elle trouvait consolation, eurent finalement sa peau. Mais elles l'aidèrent à supporter sa vie.

En 1939, dans un restaurant de New York du nom de « Café Society », Billie chanta *Strange Fruit*, une chanson amère, qui parlait des corps pendus aux arbres du Sud. Le public l'apprécia. Café Society était le premier club new-yorkais où Noirs et Blancs pouvaient venir s'amuser ensemble, le premier qui ignorait délibérément la ségrégation ; il ne faut pas l'oublier. De même, Billie Holiday n'oublia jamais que New York dans les années trente était aussi raciste que Memphis. John Hammond se rappelle que s'il y avait des Noirs dans le public qui assistait aux spectacles qu'il produisait, même si c'étaient ses invités, les propriétaires du théâtre lui faisaient des reproches. « Si vous vouliez dîner dehors avec des amis noirs – et peu de gens le faisaient, raconte Hammond, – vous deviez téléphoner à l'avance au restaurant pour vérifier que c'était d'accord. Si un Noir qui travaillait dans le centre de Manhattan voulait se faire couper les cheveux, il devait remonter jusqu'à Harlem pour trouver un coiffeur. Il ne faisait pas bon tomber malade. La ségrégation était sévère dans les hôpitaux, même à Harlem. Un jour, je pense en 1937, Jo Jones, qui jouait dans l'orchestre de Count Basie, eut besoin de soins sérieux. Il souffrait de troubles neurologiques et les médecins compétents se trouvaient à l'Institut neurologique de Harlem. C'est seulement parce que le psychiatre de garde se trouvait être un amateur de musique et qu'il connaissait Jo Jones qu'il accepta de le recevoir. Jones devint ainsi le premier malade noir de l'hôpital. »

Beaucoup de lieux de distraction étaient interdits aux Noirs. Le « Rainbow Room », renommé pour son orchestre (Ellington, Basie et Armstrong y ont joué), informa ses musiciens que la clientèle blanche ne devait pas remarquer leur présence, sauf sur la scène. L'entrée du plus grand théâtre de Harlem, l'« Alhambra », était interdite aux Noirs, et le « Cotton Club », un théâtre du centre de Harlem dont le succès reposait sur des numéros exclusivement noirs, n'admit aucun Noir dans le public pendant la plus grande partie des années trente. Quand la direction finalement céda, elle installa des emplacements spéciaux réservés aux Noirs – au fond, et derrière les piliers.

Big Bill Broonzy, malgré ce que donne à penser cette photo, fut un maître incontesté du blues amer et dur. Né à Scott dans le Mississippi en 1893, il monta à Chicago mais reçut sa plus grande ovation lors d'une tournée européenne en 1951. Il mourut en 1958.

Une conséquence de cette ségrégation était que la plupart des Blancs entendaient rarement de la musique noire authentique. On servait généralement au public blanc une version émasculée de l'original. L' « Apollo Theatre », la plus grande salle de Harlem — plus de mille huit cents places —, avait pourtant essayé dès 1932 (avec Bessie Smith) de présenter des spectacles noirs. Mais les spectateurs n'avaient pas l'habitude d'entendre si publiquement de la musique noire et le passage pendant deux semaines de Bessie Smith ne fut pas un succès. Le théâtre se reconvertit alors dans la comédie blanche. Mais quand son principal rival, le « La Fayette », ferma, l' « Apollo » assura une émission de radio hebdomadaire, appelée la « Nuit des Amateurs », qui commença à diffuser de la musique noire. C'est donc par la radio que, pour la première fois, un vaste public blanc put avoir accès à la musique noire non commerciale.

Les musiciens noirs ne pouvaient compter que sur quelques individus tels que John Hammond pour diffuser leur musique sans qu'on l'édulcorât. Barney Josephson, un marchand de chaussures du New Jersey, était tellement outré par cette ségrégation continuelle entre Noirs et Blancs qu'il décida en 1938 d'ouvrir son night-club aux gens des deux races, aussi bien la scène que la salle. Par chance, il rencontra Hammond, probablement le Blanc qui, à l'époque, connaissait le mieux la musique noire. Il put fournir à Josephson les meilleurs numéros, ce qui permit à celui-ci, dès le premier jour, de remplir trois fois par soir les 210 places de son Café Society. Il bénéficia même d'articles favorables dans les journaux.

Il eut quelques problèmes, bien sûr. Certains clients répugnaient à voir des Noirs à côté d'eux. On lui dit qu'être distrait ou servi par eux, ça allait, mais qu'être assis à côté d'eux, ça dépassait les bornes. Un jour, un homme d'affaires lui dit : « Barney, je me moque bien que vous remplissiez votre boîte de nègres ; après tout un sou est un sou. La seule chose qui me dérange, c'est qu'il y a davantage de dollars blancs que de noirs. Alors, il ne faut pas offusquer les dollars blancs. Si vous réussissez à avoir les deux, bien sûr, c'est encore mieux. »

De temps à autre, Josephson prévoyait, sinon provoquait des incidents. Par exemple pour

---

En haut, de gauche à droite : Billie Holiday, Ruth Etting, Mary Lou Williams, toutes plus charmantes et peut-être plus expertes que leurs compatriotes moins raffinées. Etting, née à David City dans le Nebraska, en 1905, était une Blanche qui chantait le blues de manière accomplie mais le plus souvent on ne voyait en elle que la « chanteuse incendiaire ». Williams est mieux connue comme pianiste de jazz, bien que son intérêt pour le gospel (tout comme les qualités d'improvisation de Billie Holiday) prouve que la frontière entre blues et jazz est peu distincte.

Page de droite : Memphis Slim vit maintenant à Paris car, dit-il, « c'est une ville ouverte, comme jadis Chicago et New York ».

cette chanson de Billie Holiday sur les lynchages et les cadavres dans les arbres. Josephson insistait pour qu'elle la chantât en dernier afin de laisser au public un sujet de réflexion. Un soir, à la fin des applaudissements, une femme se précipita dans les coulisses, donna un coup de poing à Billie, lui déchira sa robe et lui dit de ne plus jamais rechanter cette chanson. C'était une Sudiste et, à l'âge de douze ans, elle avait assisté à la pendaison d'un Noir. Elle ne l'avait jamais oublié et ne souhaitait pas qu'on le lui rappelle. Selon Josephson, Billie injuria d'abord la femme, puis toutes deux éclatèrent en sanglots.

Josephson eut aussi des ennuis qu'il n'avait pas provoqués. Quand le sénateur Joseph McCarthy commença à enquêter sur les bonnes mœurs de l'Amérique, ceux qui s'étaient prononcés pour la vérité plutôt que pour les préjugés furent suspectés. Soucieux d'éviter la censure, certains journaux new-yorkais commencèrent une campagne préventive. Parmi ceux qui sentirent s'abattre le couperet se trouvait « Café Society ». Certains critiques écrivaient des papiers sur les nouveaux numéros, uniquement pour les attaquer. Un article commençait par : « " Café Society ", le repaire des prolé-

taires. » Les artistes qui acceptaient un engagement au « Café Society » étaient justiciables de la liste noire. Des rumeurs circulaient selon lesquelles des agents du F.B.I. venaient au club pour voir qui y était. On envoya des inspecteurs de l'hygiène et de la sécurité faire des « contrôles de routine » le soir, toujours aux moments où il y avait le plus de monde. Les policiers de la brigade des alcools se frayaient un chemin jusqu'au bar, leurs fioles et leurs instruments de mesure à la main, perturbant ainsi l'activité normale du lieu. Le « Café Society » fut forcé de fermer.

Dans les années trente et quarante, on ne pouvait pas trouver de commerce aussi florissant que celui du spectacle — à condition d'être blanc. Pendant un temps le ragtime avait été la pierre angulaire de l'industrie musicale blanche. Puis le jazz lui avait succédé. Le spiritual avait été abâtardi pour les besoins des concerts blancs. Les Noirs s'étaient « adaptés », comme Armstrong, ou étaient morts dans les ténèbres, comme King Oliver. Basie s'était mis au swing, Ellington au classique. Parker et Gillespie étaient perdus dans leur propre génie. Dans les années cinquante et soixante, ce sont les jeunes musiciens blancs qui, avec enthousiasme, adoptèrent le blues. Et ce sont eux qui le liquidèrent.

Ils étaient décidés à faire avancer les choses, à faire éclater ce qu'ils considéraient comme les frontières de la musique. La musique blanche, disaient-ils, manquait de racines ; il lui manquait une tradition et un sens inflexible de l'injustice. Le blues devint alors pour les jeunes une sorte de chauvinisme musical, à Tokyo, comme à Liverpool ou à New York. Au fur et à mesure que le blues devenait monnaie courante, la plupart des authentiques chanteurs de blues se retiraient purement et simplement. Ils n'avaient jamais voulu faire la révolution. Leur musique s'était adaptée aux circonstances — par exemple l'exode vers les villes ou la cueillette du coton au Mississippi — mais elle n'avait jamais été « d'avant-garde » ; elle se contentait de parler de l'oppression. Les jeunes noirs rejetaient le blues. Il n'était plus temps de se plaindre mais d'agir.

Pourtant le blues semblait toujours vouloir

faire surface, même déguisé. Elvis Presley eut un succès tumultueux avec *Hound Dog*, écrit par Jerry Lieber et Mike Stoller, mais à l'origine un blues de Willie Mae Thornton. Big Bill Broonzy fut accueilli en héros au cours de sa tournée européenne de 1951. Et dans les années soixante, on organisa des tournées importantes auxquelles on donna le nom séduisant de *American Negro Blues Festival*. Des hordes de médiocres guitaristes blancs prétendaient jouer du blues et s'enrichissaient. Memphis Slim vint s'installer à Paris et s'acheta une Rolls-Royce.

Le plus grand coup, cependant, fut frappé par un jeune garçon maigre et décharné, venant du Minnesota. Bob Dylan (né Zimmerman) avait une voix éraillée. On l'a décrit comme un « poète à l'état brut ». En fait, comme avant lui W.C. Handy, il a puisé directement dans le blues et dans les chansons des Okies *. Il adorait Woody Guthrie et se tailla une réputation internationale comme porte-parole d'une génération qui se plaisait à se croire téméraire. Il avait certainement un réel attachement pour le blues et il a écrit et interprété quelques chansons très fortes. Si c'était cela le blues (et c'est ce qu'il disait), alors ses jeunes admirateurs aimaient le blues et l'imitaient.

Page de gauche, en haut : le Révérend Robert Wilkins, un exemple des relations en apparence paradoxales entre le blues et le gospel. *En bas, de gauche à droite* : Big Joe Williams, qui joua un rôle déterminant dans le développement du blues du Sud. Jesse Fuller qui, pendant des années, maintint un lien entre le folksong, la chanson de protestation et le blues. *Ci-contre* : Johnny Woods, toujours dans le Delta, toujours dans la misère et jouant toujours le blues.

Ces jeunes auditeurs blancs croyaient que Dylan parlait en leur nom. Ils affirmaient que ce qu'il chantait était directement lié à leur propre expérience. Mais aux jeunes Noirs et aux pauvres de n'importe quelle couleur, il ne disait rien. Malgré son dégoût avoué de la bourgeoisie, il faisait une musique de classes moyennes. Dylan montra, peut-être involontairement, qu'il y avait peu de place dans le blues pour un réel changement. La musique de Chicago, de Memphis ou du Delta avait été rude et pleine d'ardeur, mais juste assez pour garder l'espoir d'éventuels temps meilleurs. Le blues n'a rien fait pour changer les conditions qui l'ont fait naître. Finalement, un nombre croissant de Noirs l'abandonnèrent ; l'industrie de la musique populaire blanche garda le nom mais perdit la musique.

---

* Okie : réfugié de l'Oklahoma dans les années trente. (N.d.T.).

5
Vaudeville et music-hall

Née dans une malle au « Princess Theater » de Pocatello, Idaho, Frances Gumm était faite pour chanter. Pourtant, bien que n'étant pas noire, ne sachant pas jouer de la guitare et n'étant pas originaire de La Nouvelle-Orléans, elle fut — et pour beaucoup reste — l'image même de la musique populaire.

En réalité, Frances était née à l'hôpital d'Itasca à Grand Rapids, Michigan. A l'âge de seize ans, elle signa un contrat chez MGM sous le nom de Judy Garland. Elle fut la vedette de douze films produits par la MGM. Elle se mit à grossir et fut surnommée « Little Leather Lungs » (Petits poumons de cuir). Un de ses directeurs lui dit un jour : « Vous ressemblez à un bossu. » Elle suivait un traitement psychiatrique depuis l'âge de dix-huit ans ; ses parents étaient les psychologues et son amant, la caméra. A vingt-trois ans, elle avait déjà divorcé une fois. Elle chantait : « Call me unreliable, but it's

Artistes anglais de music-hall, en 1864.

Joséphine Baker.

undeniably true, I'm irrevocably signed with you. » (Tu peux me traiter d'instable, mais c'est pourtant vrai, je suis irrévocablement liée à toi). A qui, personne ne le sut vraiment.

Elle maigrit jusqu'à être quasi décharnée, ramena ses cheveux en arrière comme un garçon. Le tailleur orange qu'elle portait lui donnait une allure effrontée comme un mime perdu dans une rue mal fréquentée. Ses concerts étaient toujours fantastiques et vivants, pourtant sa personnalité semblait morte. Sur la scène, les mains sur les hanches, elle faisait semblant de tituber, tapait du pied et rôdait comme un tigre, sans répit, ses grands yeux noirs cherchant un visage ami parmi le public. Elle grognait : « Je n'ai rien appris de nouveau depuis le cinéma muet. » Elle embrassait son directeur musical. Il souriait et présentait l'orchestre. Tous souriaient, et elle riait. Nous riions tous. Elle faisait mine d'écouter les demandes du public, dressant l'oreille tel un écolier s'attendant à une fessée : « Qu'est-ce que vous voulez ? D'accord, mes chéris, nous allons y venir ! »

Elle se battait avec le fil du micro, déambulant sur la scène comme si elle cherchait un endroit pour le poser, ou bien elle le tendait vers le public et l'incitait à chanter avec elle. Lors d'une représentation, une spectatrice chanta : *Over the Rainbow*. « Je vous aime tous », criait Judy Garland, buvant sur scène. Elle parlait de plus en plus indistinctement, ses mains imploraient : « J'aimerais me haïr, mais je ne peux pas. » Elle aimait entendre les applaudissements. Son dernier mari était traîné et embrassé sur scène pendant qu'elle chantait : « Pour une fois dans ma vie, j'ai quelqu'un qui a besoin de *moi*. » Elle fumait, empruntait un mouchoir et était comme saoulée par les applaudissements. Elle mettait son petit doigt à la bouche avec un sanglot de joie bien étudié.

Tout ceci était parfait, mais vide de sens. Judy Garland avait été créée et détruite par le monde du show business qui pensait remplacer le talent par le charme et le prestige. Judy Garland représentait le triomphe de plusieurs générations de musiciens ambulants qui avaient diverti les masses laborieuses blanches. Depuis le coin de la rue aux brasseries, du « Palais des Variétés » aux bordels, ces artistes avaient chanté et dansé pour des gens qui étaient trop pauvres pour s'offrir les divertissements des riches.

Le terme « music-hall » a une réelle signification : à l'origine, une salle, un pub ou une taverne, fait pour boire, où l'on pouvait entendre de la musique. De cette atmosphère particulière allaient naître des styles nouveaux appelés : burlesque, vaudeville et variétés. Tony Pastor, artiste de vaudeville américain, em-

Ci-dessus : Les sœurs Gumm en 1930. Frances (Judy Garland) est la plus petite.

Ci-contre : Une affiche de music-hall en Angleterre, en 1890.

ployait, tout en le haïssant, le terme « vaude-ville ». Il pensait que c'était une dénomination impropre pour ce qui en réalité était de la « variété ». En fait, il y avait très peu de diffé-rence entre music-hall et variétés, vaudeville et burlesque.

La tradition de ce genre musical était britan-nique. Au XVIIIᵉ siècle de tels spectacles ani-maient de nombreuses tavernes. « Sadler Wells », devenue depuis une salle appréciée pour l'opéra et les ballets, était un de ces endroits. Dans un coin de la salle se trouvait une scène où se produisaient les comédiens (les comiques étaient les plus populaires) ; de l'autre côté, il y avait de petits boxes dans lesquels les buveurs se dissimulaient. La vente des alcools payait la musique. Pour empêcher la proliféra-tion de tels « divertissements », le Parlement britannique vota en 1751 une loi obligeant cha-cun de ces « antres » à posséder une licence spé-ciale. Cette mesure produisit l'effet contraire : les tavernes les plus spacieuses et les plus impor-tantes élevèrent leur niveau en employant des

musiciens et une mise en scène, alors que les petits pubs contournèrent la loi en créant des « clubs harmoniques ». Les bénéfices provenant des clubs licenciés permirent la construction de théâtres de variétés gigantesques, capables de produire des effets scéniques très avancés. En réalité, les bénéfices étaient si importants que les propriétaires de ces débits de boissons, désirant augmenter leurs opérations, achetaient des immeubles comportant une brasserie et les transformaient en « music houses ». En 1852, Charles Morton, le « père des tavernes », ouvrit le premier music-hall derrière le « Canterbury Arms », à Lambeth, au sud de la Tamise. Le « Collin's Music Hall » fondé par un ramo-neur, ouvrit ses portes dans le nord de Londres, à Islington.

Vers le milieu du XIXᵉ siècle, la situation était assez confuse : les établissements sans licence échappèrent à cette obligation en se faisant pas-ser pour des « burletta » ou « burlesque houses ». C'est-à-dire que là, les chansons fai-saient partie d'une pièce de théâtre. Le terme

« saloon » désignait un lieu de divertissement populaire, alors que « music-hall » correspondait à une salle de concert. « Variétés » englobait différents arts et un « vaudevillien » était un artiste qui se produisait aussi bien dans le « burlesque » que dans le music-hall ou la variété.

George Leybourne était un de ces personnages dominant la scène des années 1870. Grand, fringant, Leybourne était très demandé par les propriétaires des music-halls. Pas seulement parce que les ventes au bar augmentaient après que George eut chanté son plus grand succès : *Champagne Charlie*. Le thème de la chanson était une satire d'un rupin bravache personnifié par Leybourne, qui essayait toujours d'interpréter des chansons « correctes ». Cependant il avait un rival en la présence d'un certain Great Vance qui, lui, avait du succès grâce à une chansonnette appelée *Clicquot, Clicquot, That's the Wine for Me*, adaptée sur l'air de *Funiculi, Funicula*. Leybourne avait obtenu la permission de travailler en utilisant toute une liste de marques de vins réputés comme Moët et Chandon, Cool Burgundy Ben, et aussi limonade et sherry. *Champagne Charlie* restait cependant un des airs favoris de la maison, sans doute parce que Leybourne recevait chaque semaine une petite prime pour offrir le champagne à tous les spectateurs à la fin de son spectacle.

Leybourne lui-même n'était pas ennemi d'un petit verre de temps à autre. Oswald Stoll, directeur du « Parthenon » à Liverpool, se souvient d'un jour où il s'inquiétait de ne pas voir arriver son artiste : « Je m'étais rendu chez lui et, dans une pièce sordide, je le trouvai écroulé dans un fauteuil, à demi dans le coma. Je le secouai en criant : '' Venez, Mr. Leybourne, tous vos amis vous attendent ''. Je me souviendrai toujours de sa réponse : '' Mes amis ? Je n'ai pas d'amis. Maudits soient les gens qui se nomment mes amis ! '' Je l'amenai au théâtre où il devait à nouveau s'effondrer... Pourtant quand l'orchestre entama les premières mesures, il bondit sur ses pieds, comme un homme nouveau, plein de vie et de charme. Il chanta cinq chansons sous un tonnerre d'applaudissements. »

George Leybourne fut le premier chanteur populaire qui s'intéressa à son « image ». Toujours bien habillé, il disposait en permanence d'une voiture à quatre chevaux. Il estimait primordial de maintenir un certain rang partout où il allait. A ce propos, un jeune artiste se souvient : « Lorsque j'étais jeune, je croyais qu'ils étaient tous millionnaires, et que les Rolls-Royce les attendaient devant l'entrée des artistes. Tout ceci est très déprimant quand vous voyez l'envers du décor. » En réalité, George Leybourne devait mourir « de désillusion et de dissipation » à l'âge de quarante-deux ans.

La passion pour l'alcool ne disparaît pas avec George Leybourne. La chanson de Dean Martin, *Little Old Wine Drinker Me*, aurait pu être interprétée par tous les chanteurs de music-hall. En 1960, Ray Davies écrivit une chanson pour les Kinks : *Alcohol*. Elle aurait pu devenir un hymne pour l'Armée du Salut. L'alcool, écrit

Le music-hall de « Canterbury Arms » à Londres, ouvert en 1852. Il ferma ses portes en 1912. La photo est celle du public lors de la dernière représentation.

Marie Lloyd : « Our Marie » (Notre Marie), née en 1870, véritable Cockney londonienne.

Davies, est responsable de la désagrégation d'un foyer heureux. Avec de telles paroles, Ray Davies aurait trouvé des sympathisants parmi les réformateurs du XIXᵉ siècle en Grande-Bretagne.

L'Empire et l'expansionnisme étaient également les thèmes favoris des chanteurs. Dans les années 1880, Léo Dryden interprétait des ballades patriotiques. Quand il chantait *Great White Mother*, il s'habillait en chef Peau-Rouge ; il se transformait en rajah pour *Indian's Reply* et en Australien pour *The Miner's Dream of Home*.

Après la boisson et l'Empire, l'autre sujet fréquemment abordé était le souvenir d'une maison natale abandonnée depuis de longues années, souvent pour aller chercher du travail dans un autre pays. Une grande partie du public avait effectivement quitté sa terre d'origine pour tenter l'aventure. La ballade la plus populaire du moment s'appelait tout simplement : *Home, Sweet Home*. Elle était chantée partout et par tous. Adelina Patti n'eut aucun scrupule à l'introduire dans le *Barbier de Séville* de Rossini, qu'elle interprétait en 1891, au « Metropolitan Opera House » de New York. Même Harry Lauder, le comédien écossais, en avait fait une de ces chansons préférées. C'était précisément le thème que les Écossais, disséminés aux quatre coins du monde, aimaient écouter. Lauder devint plus populaire en Amérique, au Canada, en Afrique du Sud, en Australie et à Londres qu'en Écosse. *Home, Sweet Home* était une chanson composée de paroles évocatrices et directes, écrite sur une mélodie simple et facile à retenir.

La tradition du pub et du bar n'était pas aussi marquée en Amérique qu'en Grande-Bretagne. Cependant il existait un marché semblable pour les divertissements en tout genre. Différents des joueurs de banjo ambulants, les premiers en fait à avoir organisé des troupes théâtrales furent les « white nigger minstrels ».

Ci-contre. En haut : Lilian Russell. *En bas :* Un « Nigger Minstrel ».
Page de droite : plusieurs personnages interprétés par Nelly Wallace.

Mrs Twankey - "Aladdin"

I was born on a Friday

Truly Yours Nellie Wallace

350 OXFORD ROAD MANCHESTER.

"Oh! I was afraid."

A. Debenham SOUTHSEA

"Down by the Riverside."

32, BEDFORD STREET, STRAND LONDON

HANA

350 OXFORD RO

The Last Waltz.

BARON IPPOLITH (BILLY LEONARD) ARRIVES WITH FLORAL TRIBUTES FOR HIS THREE FIANCÉES.

COUNTESS ALEXANDROWNA (AMY AUGARDE) AND HER THREE DAUGHTERS (VIOLET MARLEY, CECILE BISHOP AND MOLLY HARBEN) LOOK UP THE BARON IN HER BOOK—"WHO'S WHOSE OR WHO'S GOT WHAT."

Countess: "No brain and lots of money—an ideal husband."

VERA TELLS HER MOTHER THAT SHE IS NOT IN LOVE WITH THE GENERAL

Countess: "But, my dear, you were quite happy about this wedding a week age."

LIEUTENANT JACK MERRINGTON (KINGSLEY LARK) MEETS THE MASKED LADY.

Mer.: "Take off your mask and let me see if your face is as beautiful as your voice."

L'inspiration, une fois de plus, vint d'Angleterre, où les ménestrels déguisés en Noirs étaient excessivement populaires depuis le début du XIXe siècle. Dans la plupart des cas, une représentation comprenait un groupe de chanteurs et de musiciens qui chantaient et jouaient sur scène, face aux auditeurs. Leur visage était barbouillé de façon grotesque, encore que représentant des sauvages aux allures nobles. Au milieu des chansons, il y avait bien souvent un dialogue entre deux des principaux acteurs, l'interlocuteur et Mister Bones. Le thème dominant restait la maison, le pays natal et les bons vieux jours durant lesquels l'ordre social était assuré, où chacun connaissait sa destinée — même si c'était l'esclavage —, où tout allait bien dans le monde.

Les artistes britanniques tournèrent bien souvent sur la côte Est de l'Amérique. Celle-ci, avec son importante population noire, trouva ces spectacles très amusants. En 1822, Charles Matthews se noircit le visage pour emprunter (ou voler) à un chanteur noir une chanson appelée *Possum up a Gum Tree*, pour l'intégrer dans son show *A Trip to America* (« Un voyage en Amérique »). Thomas Rice, un autre artiste blanc de vaudeville, mais qui ne faisait pourtant pas partie d'une troupe de ménestrels, fut à l'origine de l'expression « Jim Crow ». Rice était en tournée avec la « Ludlow's Summer Company », à Louisville, dans le Kentucky quand, selon son ami Edward Connor, il remarqua que « derrière le théâtre se trouvait une écurie pour chevaux de louage, gardée par un Blanc, appelé Jim Crow. Du théâtre, les acteurs pouvaient voir dans la cour de l'écurie et s'amusaient particulièrement de la présence d'un vieux Noir qui faisait les sales travaux pour Crow. Il était infirme et difforme, l'épaule droite pointant vers le haut, la jambe gauche raide et le genou de travers, ce qui le faisait boiter douloureusement et à la fois d'une façon comique. Il aimait fredonner une vieille chanson sur laquelle il avait mis ses propres paroles. A la fin de chaque vers, il faisait un petit bond et il retombait sur son talon branlant. Il appelait

sa chanson *Jumping Jim Crow*. Rice étudia attentivement ce personnage inconnu. Il écrivit plusieurs couplets, changea quelque peu l'air, accéléra la mélodie et l'interpréta devant le public de Louisville. A la première représentation les gens, déchaînés, rappelèrent Rice une vingtaine de fois... ».

En fait, les gens ne considéraient pas ce genre de spectacle comme respectable. Les théâtres de variétés, en particulier, étaient pour beaucoup des endroits louches. William Hammerstein (fils d'Oscar II) racontait les exploits de son grand-père, promoteur à New York : « Bien qu'étant propriétaire d'un music-hall, mon grand-père était un homme très vertueux. Il gagnait beaucoup d'argent grâce à ses artistes mais

MISS VESTA TILLEY IN KHAKI

Un programme de music-hall.

Vesta Tilley, déguisée en homme. Sa tenue servait pour le recrutement de soldats pour l'armée britannique.

jamais il ne les aurait reçus chez lui. » Un certain M. Anstey écrivait, en 1890, dans le *Harper's New Monthly Magazine* : « Le public n'a rien de distingué : ce sont des jeunes gens, qui ont l'habitude de mettre un cigare derrière l'oreille. Des cuisiniers distribuent d'énormes sandwiches au jambon et quand une jeune femme veut faire un peu chic, elle permet à son soupirant de lui commander un verre de porto. Dans l'ensemble, l'intelligence du public n'est pas un des éléments les plus remarquables. »

Pourtant, grâce à certains de ses aspects, le music-hall était devenu un art socialement important. L'imitation d'un rôle masculin était l'objet d'un culte grandissant. La plus célèbre de ce genre d'artistes s'appelait Vesta Tilley. Elle fascinait hommes et femmes. Mlle Tilley était une des rares vedettes féminines à imiter aussi les hommes. Ses costumes étaient dessinés par des tailleurs spéciaux. D'ailleurs elle devait servir de modèle aux jeunes gens de l'époque. Possédant un sens extraordinaire de la mise en scène, elle n'essaya jamais de chanter comme un homme. A l'inverse, quand elle interprétait *Burlington Bertie*, elle exprimait le point de vue féminin sur les hommes qu'elle incarnait.

Certains artistes masculins personnifiaient aussi de vieilles femmes, des veuves, des ser-

Une affiche pour un show mixte. En réalité, les Noirs étaient des Blancs noircis.

Page de droite. En haut : Un dialogue entre deux artistes de vaudeville. *En bas :* Harry Lauder qui dut son succès à la sentimentalité des Écossais.

vantes. C'étaient généralement des artistes connus ; en Grande-Bretagne, Dan Leno et George Robey, Julian Eltinge en Amérique. Eltinge se déguisait en femme fascinante que l'on trouvait dans les vaudevilles et les films entre 1900 et 1928, et grâce à lui, le jeu sexuel ambivalent de la tradition anglaise fut introduit dans le théâtre américain. Judy Garland ne représentait qu'un pas en avant.

Il n'y avait pas que le sexe pour attirer le public dans les music-halls. Se rendre dans un lieu de spectacle « en marge » était une expérience très excitante. En 1904, l'Association des Directeurs de Théâtre de Londres fit rapidement connaître sa désapprobation devant la prolifération des salles : « Il est permis de fumer et de boire dans la salle et de rester debout dans les allées ; leurs spectacles ne sont pas soumis à la censure ; de plus, ils disposent d'endroits appelés " promenoirs ", où l'on peut goûter aux plaisirs devenus maintenant courants dans le music-hall. » Les « promenoirs » étaient en effet des antichambres où des prostituées « de luxe » pouvaient racoler les clients, en échange d'un petit pourboire payé au patron de l'établissement.

Bien que le music-hall victorien attirât des artistes de toutes les parties des îles Britanniques, le quartier de l'East End à Londres était considéré comme une pépinière de talents, et l'accent cockney était le plus imité. Par la suite, quand les artistes essayèrent de recréer, en costume, de vieilles chansons devant un auditoire moderne (anglais ou américain), ils employèrent toujours l'accent cockney comme preuve de leur authenticité.

Il est frappant de constater que cet accent de l'East End londonien, difficilement compréhensible pour un habitant de l'ouest de Londres, servit de passeport et de point de départ au music-hall anglais en Amérique. Sam Cowell chantait des chansons populaires en cockney au cours des entractes dans les pièces de Broadway. Albert Chevalier était un autre exemple marquant. Né dans le West London, donc nullement un véritable cockney, d'un père français et d'une mère galloise, Chevalier fit ses débuts dans le music-hall en 1891, après avoir été pendant vingt ans acteur de burlesque, de mélodrame et de pantomime. En 1894, il émigra à New York où il obtint un immense succès, et

passa les années suivantes à tourner aux États-Unis et au Canada.

La plus grande chance du music-hall résida dans sa reconnaissance par la famille royale britannique. Un jour, au château de Windsor, la reine Victoria demanda à un chef d'orchestre le titre d'un air particulièrement bizarre. « C'est un air de music-hall, Madame », répondit le chef. « Très bien, reprit la reine, et comment s'appelle-t-il ? » Très embarrassé, il lui répondit : « *Come Where the Booze is Cheaper*, Madame. » A plusieurs reprises, le fils de la reine Victoria, Edouard, prince de Galles, dévoila son penchant pour les artistes féminines. D'ailleurs, une de ses visites privées au « Holborn Empire» (alors qu'il était devenu roi) fut très critiquée, bien que des artistes tels que Dan Leno, Albert Chevalier et Bransby Williams aient été désignés pour divertir le monarque à Sandringham. Edouard inaugura une nouvelle salle d'opéra financée par Oscar Hammerstein et nommée, sans autorisation préalable, l' « Opéra Royal ». Au moment où Edouard descendit de son carrosse, Hammerstein, très ému, oublia tout le protocole d'usage qu'il avait patiemment répété, et se précipitant au devant du roi, lui lança : « Salut, Roi ! Je suis content que vous soyez venu ! » Imperturbable, Edouard serra la main d'Hammerstein et répondit : « C'est très gentil à vous de Nous avoir invité. »

Pour l'accession au trône de George V et les festivités du couronnement en 1911, selon

Joséphine Baker, née à Saint-Louis, vedette de la *Revue Nègre*, à Paris en 1925. Ici, aux Folies-Bergère.

Ci-dessus : L'affiche de la *Revue Nègre* et des débuts du Jazz Hot en France.

Ci-contre : Le Palladium à Londres.

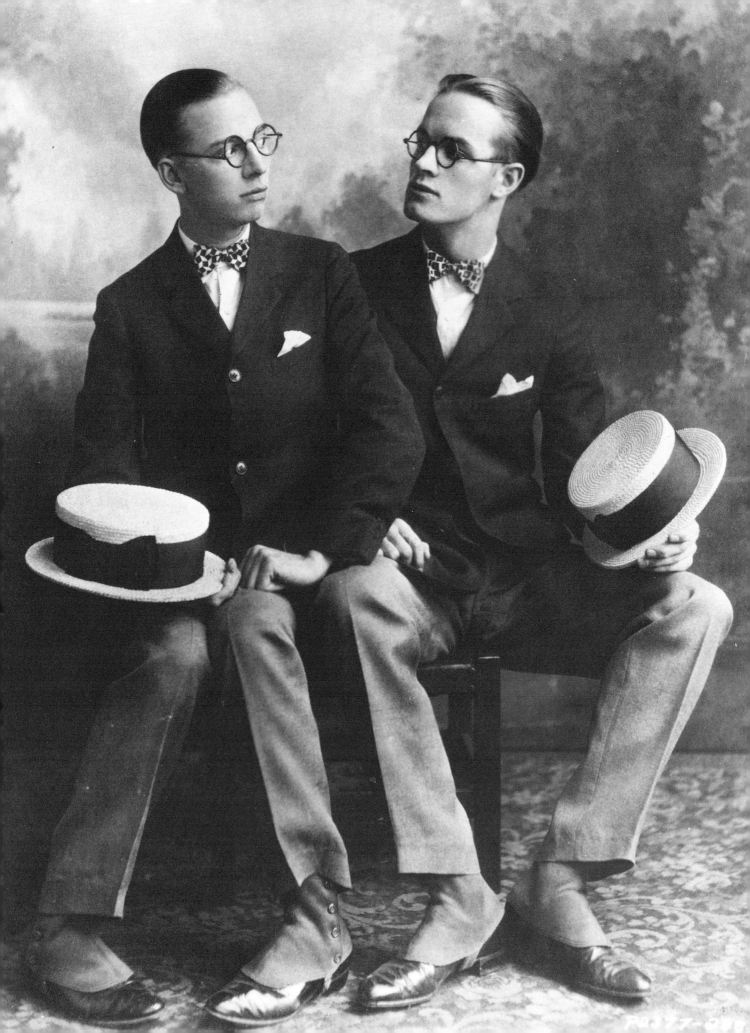

l'usage, opéras et ballets furent commandés à « Covent Garden », et une pièce de théâtre au « Majesty's Theatre ». Ce fut une grande surprise quand la « profession de variétés » reçut le même honneur. On retint une date au milieu de l'été, au « Edinburgh Empire ». Malheureusement, quelques semaines avant la représentation, un incendie détruisit le théâtre, ce qui mit en veilleuse le projet commandé. Une autre date fut proposée, en mai 1912, mais une fois de plus elle fut repoussée à cause d'un décès à la cour. Finalement, le « Palace Theater » fut désigné et la représentation eut lieu le 1er juillet 1912. Oswald Stoll, prospère propriétaire d'un théâtre londonien, pouvait dire : « La Cendrillon des arts est allée au bal. »

Le spectacle regroupait toutes les étoiles du moment. Ceux qui ne firent pas partie du programme principal participèrent au final —

Page de gauche : Bob Hope, portant lunettes dans *Two Diamonds in The Rough*, en 1920.

En haut. A gauche : Un artiste noir de vaudeville. En général, ils participaient au spectacle en tant que danseurs. *A droite :* Fred Astaire *(à droite)*.
Au centre : Bud Flanagan et Lou Allen *(à sa gauche)*. Paul McCartney avait déclaré qu'il voulait mettre un buste de Bud Flanagan sur chaque bouche d'incendie de Londres.
En bas : George Burns et Gracie Allen.

appelé pour la circonstance *Variety's Garden Party*. Seule Marie Lloyd fut absente, car les organisateurs du spectacle craignaient que la vulgarité de « Notre Marie » puisse mettre en danger leur respectabilité fraîchement acquise. L'artiste en question se justifiait pourtant en prétendant que « chaque représentation de Marie Lloyd est un spectacle commandé par le public britannique ».

Le public s'identifiait de plus en plus aux artistes, comme ces derniers étaient identifiés à leurs chansons les plus populaires. Quand, plus tard, Édith Piaf chante : *Non, je ne regrette rien*, le public sait qu'elle parle de sa vie. Abandonnée alors qu'elle était encore un bébé, devenue aveugle pendant son enfance (elle recouvrit la vue miraculeusement devant le tombeau de sainte Thérèse), elle travaille d'abord comme chanteuse de rues, vit avec le souvenir du meurtre de son premier amant et manager, et fait de la Résistance pendant la Seconde Guerre mondiale. Elle se marie plusieurs fois, devient alcoolique, se drogue et son état de santé s'aggrave. Pourtant sa brève existence fut extraordinaire. La plupart de ses chansons parlaient d'elle-même et étaient écrites pour elle. Son public savait qu'elle avait souffert et l'aimait pour cela.

La carrière de Danny La Rue, qui imite à l'heure actuelle des personnages féminins, est beaucoup plus gaie que celle de Piaf. Pourtant il déclare que « la vie en tournée est très dure. Il faut l'aimer ». Même une femme apparemment libérée, mûre et ultra-sophistiquée, comme la chanteuse française Juliette Gréco, le dit : « Chanter n'est pas seulement un travail ou un plaisir, c'est ma vitamine. Je continue à chanter grâce au public, il y a là un contact physique très émotionnel. Après une représentation, je me sens complètement vidée, je n'existe plus. C'est comme une drogue. Je suis tellement heureuse quand je chante que j'oublie tout le reste. Je vais au théâtre, je monte sur scène, et c'est fini, tout s'efface. Je suis moi-même. C'est comme un feu. En réalité, c'est l'amour. »

Page de gauche. En haut : Sophie Tucker et ses musiciens. *En bas. A gauche :* Sophie Tucker et Judy Garland déguisées en « grands bébés ». *A droite :* Florenz Ziegfeld.

Ci-dessous. De gauche à droite : Woody Herman. Max Miller. Gypsy Rose Lee (née Rose Hovick) dans sa loge. Écrivain, elle devait produire un best seller : *The G-String Murders.* Ses mémoires furent à la source d'un show de Broadway : *Gypsy.*

Bien avant la Première Guerre mondiale, les artistes de vaudeville avaient cessé d'être les princes de la chanson populaire. La plupart des chansons de vaudeville devinrent un véritable charabia. Un titre comme *Ta-ra-ra-boom deay* qui

fit la gloire de son vivant et la renommée posthume de la chanteuse Lottie Collins était adapté d'une chanson américaine, interprétée dans les bordels de La Nouvelle-Orléans, appelée *Ting-a-ling boomderay*. Lottie Collins la présenta dans sa version anglaise au « Grand Théâtre » d'Islington, où elle rencontra immédiatement un véritable succès. Une partie de la popularité de cette chanson provient d'un refrain repris par le public alors que Mlle Collins dansait le french cancan sur scène. Holbrook Jackson, un jeune et fringant socialiste, voyait en Lottie Collins le symbole de la jeunesse, capable de sortir l'Angleterre victorienne

de son conservatisme. Un autre fan compara son art à un acte religieux pareil au rituel des derviches tourneurs. En réalité, tout le monde était plus intéressé par ce qu'il y avait sous ses jupons.

Après 1918, le music-hall, pris dans une société en pleine tempête économique, sociale et politique, en Grande-Bretagne comme aux États-Unis, incarnait la légèreté et la frivolité. La boisson, la nostalgie, les accents, les déguisements, la paillardise et l'identification du chanteur à ses chansons étaient toujours les sujets présents. On devait les retrouver réunis en la personne de Mae West. Au fond c'était une

artiste qui se moquait de l'absurdité du sexe. Elle alarma les moralistes en déclarant que l'amour était un sujet comique. Elle imita la vamp édouardienne et perfectionna la technique qui consistait à rejeter tout le blâme sur le public qui voyait dans ses chansons quelque chose de grossier.

La tradition fut ébranlée et fit place à des artistes inconnus qui devinrent des stars dans d'autres domaines. Eddie Cantor, Bob Hope, Rudy Vallee débutèrent dans le vaudeville. Comme Irving Berlin. Mais en 1942, quand le « Palace Theatre » de New York décida de mettre fin à ses représentations biquotidiennes, le music-hall et le vaudeville laissèrent la place aux films parlants. Officiellement, le music-hall mourut le 2 mai 1937, quand la direction du « Gotham Theatre » de New York passa en justice pour avoir enfreint la loi contre l'obscénité, en présentant un spectacle de strip-tease. Le théâtre perdit son procès et le maire de l'époque, M. La Guardia, ordonna la fermeture de tous les théâtres burlesques de New York. Le music-hall devait mourir une fois de plus, en 1966, quand le « Windmill Theatre » de Londres — « Nous ne fermons jamais » — ferma

A gauche : Les fameuses « Ziegfeld Folies » et Florenz Siegfeld.

Ci-dessus : Ziegfeld en Floride.

Ci-dessous. A gauche : Une Ziegfeld girl, version originale. *A droite :* Son équivalent de nos jours à Las Vegas.

ses portes. Pendant soixante ans, ce lieu de spectacles avait offert aux clowns, jongleurs et artistes nus, la possibilité de jouer et de chanter ; il fut réduit au silence. Des personnalités déclarèrent que le vaudeville n'existait plus.

En fait, le music-hall devait réellement disparaître avec Judy Garland. Elle ne donnait jamais un concert : elle orchestrait une séance. « Nous vous aimons, Judy », criait le public. Elle répondait immanquablement : « Je vous aime aussi. » Après avoir ébloui le monde entier avec ses films, Judy Garland devait finir en s'adonnant à la boisson et au jeu. Elle déclara un jour : « Le public me maintient en vie. » Ce même public était également avide de connaître son passé et ses malheurs. Le public savait qu'elle avait été très marquée dans sa vie mais qu'elle ne s'était jamais laissé abattre. La lutte pour survivre lui donna sa personnalité et son sex-appeal. A la fin de chaque représentation, elle chantait : « *Somewhere over the rainbow, blue birds fly. Birds fly over the rainbow, why oh why can't I ?* (Là-haut quelque part au-dessus de l'arc-en-ciel, volent les oiseaux. Les oiseaux volent au-dessus de l'arc-en ciel, pourquoi, oh ! pourquoi ne puis-je en faire autant ?) » Judy Garland s'asseyait alors, jambes croisées, un seul projecteur braqué sur elle, seule dans le néant. Plus de

gimmicks, plus de show. Juste une petite fille abattue mais qui refusait de céder. La voix devenait inaudible, elle respirait à peine. Plus de bruit, plus de sourire. Tout ceci était pathétique, solitaire et digne, mais le public continuait à plaisanter et bavarder. « *You made me love you. I didn't wanna do it* », chantait-elle. (Vous m'avez fait vous aimer, je ne le voulais pas.)

De nos jours, il reste un seul endroit important où le music-hall est vivant : Las Vegas, Nevada. Au début de la popularité de la ville du plaisir, Liberace me disait que « les hôtels offraient un petit déjeuner et même des chambres gratuites parce qu'ils voulaient des clients pour garnir les tables. Tout ceci a

Ci-dessus : Edith Piaf et les Compagnons de la Chanson.

Ci-contre : Liberace, une des dernières grandes vedettes de Las Vegas.

changé, maintenant les hôtels se ressemblent et tout ce qu'ils font c'est essayer de se surpasser les uns les autres en présentant des shows très prétentieux et vulgaires. Des milliers de dollars sont dépensés pour la réalisation d'un seul costume, des millions sont gâchés pour préparer un spectacle. Plus c'est vulgaire, plus ils aiment. J'ai été élevé avec le music-hall, ajoute Liberace, hélas, ce n'est plus ce que c'était ! »

Pourtant l'esprit né du music-hall a survécu et est devenu un des éléments essentiels dans le développement du rock'n'roll. Et la tradition théâtrale qu'il avait préservée et incarnée devait contribuer à l'évolution de la principale expression artistique américaine, la comédie musicale. Avant sa naissance, un élément sauvage emporta la scène, en faisant un tapage pareil à son nom : Tin Pan Alley.

METRO - GOLDWYN - MAYER PICTURE
THE
BROADWAY
MELODY
ALL TALKING ALL SINGING ALL DANCING
ASTOR THEATRE

L'histoire de Tin Pan Alley

Tin Pan Alley écrivait des chansons pour l'argent, et pour fournir la demande du music-hall. « Cela peut sembler prétentieux, dit l'auteur de chansons Irving Caesar, mais vous seriez étonnés – vous ne devriez peut-être pas l'être – de ce que presque toutes nos chansons à succès ont été écrites en moins de quinze minutes. *Tea for Two* a été écrite en moins de quatre minutes. *I Wanna Be Happy*, à peu près en douze minutes. *Swanee*, George Gershwin et moi avons écrit ça en quinze minutes environ, pendant qu'il y avait une partie de cartes dans le salon. *Just a Gigolo*, non, ça m'a pris une soirée, ça a nécessité un peu de travail. » Irving Berlin écrivait une chanson par jour. Harry von Tilzer en écrivit plus de trois mille pendant sa vie. Fred Fischer en écri-

---

La mélodie jouée sur Broadway *(à gauche)* fut forgée par des immigrants qui avaient commencé leur migration vers le centre ville à partir d'Ellis Island *(en haut)*.

* Littéralement : « Toujours à la chasse à l'arc-en-ciel. » Titre d'un célèbre succès.

vit tant qu'il en perdit la tête. Un jour, il demanda à un auteur débutant : « Tu veux voir une farce ? » et précipita une lourde machine à écrire par sa fenêtre du quatrième étage.

Pour survivre dans l'Alley, il n'y avait pas besoin d'avoir une formation musicale. Il n'y avait même pas besoin d'être musicien. Certains, comme Gershwin, savaient écrire une rhapsodie. D'autres, comme Irving Berlin ou Lewis Muir, ne savaient pas lire une note et ne jouaient que dans un ton. Celui de Berlin était le peu usité *fa* dièse. Il s'était fait faire un piano spécial qui faisait la transposition quand on enclenchait un levier. Celui de Lewis Muir était le *do* majeur. Quand il auditionnait *Waiting for the Robert E. Lee*, Muir avait un assistant qui attendait qu'il crie « Vas-y ! » pour faire passer le piano du couplet en *do* au refrain en *fa* majeur.

Victor Herbert était encore un piètre pianiste ; il jouait comme si ses doigts avaient été des bâtons, d'après Irving Caesar. « J'ai écrit pas mal de chansons avec George Meyer, par exemple. Grand auteur de chansons, mais lui non plus ne savait pas jouer du piano. Il n'avait qu'un doigt... enfin, presque. Mais c'était un grand mélodiste. » Harry Woods n'avait pas de main gauche, seulement un moignon. Cependant, il insistait pour tapoter une phrase rythmique qui avait un son (dit-on) plutôt jazzy.

Beaucoup de chansons s'écrivaient en équipe. Le tube du début des années vingt, *Yes, We Have No Bananas*, est l'œuvre d'au moins sept auteurs. Ian Whitcomb, chanteur anglais et historien de Tin Pan Alley, a retracé son origine collective : « Frank Silver jouait pour le '' New York Dance Band '' d'Irving Cohn. Un soir, il était chez une petite amie en train de lui faire la cour sur un divan... ou du moins, il essayait, sauf que le petit frère de la fille n'arrêtait pas de brailler une phrase idiote : « Oui, nous n'avons pas de bananes. » Finalement, Silver demanda à l'enfant où il avait récolté la phrase. « Chez le marchand de fruits au coin de la rue... le gars qui ne sait pas parler anglais. — Approche-toi du piano, gamin, et travaillons. » Silver apporta le résultat à Irving Cohn, et bientôt cela fit une demande populaire. Ils le portèrent ensuite à Shapiro et Bernstein, éditeurs, où l'équipe le truqua un peu, ajoutant un mot par-ci et une note par-là. Parmi les collaborateurs, il y avait Hanley et McDonald *(Trail of the Lonesome Pine)*, Lew Brown *(The Best Things in Life are Free)*, et Shapiro et Bernstein eux-mêmes. Entre autres phrases musicales qui rentrèrent dans le canevas de l'air, il y avait des emprunts à *My Bonnie,* à *Aunt Dinah's Quilting Party*, à *The Bohemian Girl*, à *An Old-Fashioned Garden*, et à *The Hallulujah Chorus*.

Bananas devint la grande folie de 1923. *Time* lui consacra un article. David Niven dit qu'il a eu sa première expérience de l'amour dans les bras d'une prostituée du West End tandis que la chanson passait sur un phono dans son boudoir. Dans la République de Weimar, la chanson fut connue sous le titre *Ja, Wir Haben Keinen Bananen Heute*. On a rapporté que Hitler entra en furie quand il s'aperçut que la chanson avait été conçue par des Juifs.

Si les hommes de l'Alley étaient souvent des musiciens très primaires, ils avaient d'autres qualités. Ils se targuaient d'être des serviteurs du peuple, qui prêtaient l'oreille à la rue et écoutaient. Après quoi, bien sûr, ils revendaient

De gauche à droite : Stephen Foster, né à Pittsburgh en 1826 ; Irving Berlin ; *page de droite :* Chas. K. Harris composait, publiait et posait.

ce qu'ils avaient entendu, sous la forme de chansons et pour un profit. Le noir, le blanc, le jaune, le ragtime, le jazz, le blues, tout et n'importe quoi apportait de l'eau à leur moulin. Le vétéran de l'Alley, Mickey Addy, se souvient d'un parolier qui passait ses nuits à boire du café dans des restaurants de New York : « Il allait simplement s'asseoir à côté d'un groupe de types et à chaque fois qu'il y en avait un qui lançait une vanne, il notait ça dans son carnet pour faire un titre. Et si quiconque avait besoin d'une chanson, il avait un titre tout prêt. »

Cette obsession de se faire de l'argent avec les loisirs des autres a toujours captivé l'imagination américaine. Elle fut cependant mise en lumière au début de ce siècle par Chas K. Harris, qui publia un petit livre de conseils intitulé *Comment Écrire une Chanson populaire*. Personnage distingué avec moustache cirée, col à coins cassés et costume en tweed, Harris avait l'air d'un Kaiser Wilhelm à l'esprit d'entreprise. Il était fier de la corporation dont il faisait partie : l'industrie de la chanson. Il avait d'ailleurs si bien étudié son art qu'on le disait capable de déterminer à l'avance à combien d'exemplaires se vendraient les partitions de ses chansons. Il conseillait à ses lecteurs : cherchez le canevas de votre histoire dans les journaux ; familiarisez-vous avec le style en vogue ; évitez l'argot ; soyez au courant des lois sur les droits d'auteurs.

Harris savait exactement de quoi il parlait. Au début des années 1880, il avait fixé un écriteau devant sa boutique : « CHANSONS ÉCRITES SUR COMMANDE ». Son outil de travail était un banjo, sur lequel il avait ciselé des chansons pour des naissances, des décès, des mariages, des ripailles — tout ce qu'on veut. Prix maximum : vingt dollars. Il travaillait dur, et un jour il s'arrangea pour que sa ballade en trois couplets *After the Ball* soit insérée dans un spectacle de variétés intitulé *A Trip to Chinatown*. La chanson n'avait rien à voir avec Chinatown, mais ce type d'insertion devenait une pratique courante. Pour donner une bonne exposition à votre chanson. Certains spectacles étaient sûrs de marcher pendant des années par la force d'un tube. Et *After the Ball* fit un tube instantané dès le premier soir. Harris était éditeur en même temps qu'auteur-compositeur et, au bout d'un an à peine, la chanson rapportait vingt-cinq mille dollars par semaine ; sur vingt ans, les ventes de formats dépassèrent les sept millions.

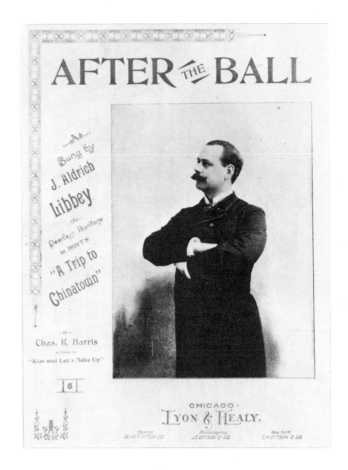

Elle fut traduite dans toutes les langues connues. Harris n'eut jamais d'autre tube, mais il vécut confortablement des rentes de cette seule œuvre jusqu'à la fin de ses jours. *After the Ball*, écrite et publiée en 1892, fut aussi la première œuvre vendue à plusieurs millions d'exemplaires à avoir été conçue et mise sur le marché en tant que telle. Son contenu était assez simple, quoique dramatique.

L'idée de produire en masse des chansons toutes prêtes pour se vendre par millions n'avait pas eu son origine en Amérique. Les camelots des rues en Europe faisaient depuis des dizaines d'années un commerce florissant de chansons d'actualité sur les meurtres, les désastres et les amours illégitimes — à Londres, à Paris et à Berlin. Et des éditeurs musicaux installés avaient bien marché avec leurs versions simplifiées d'opéras. Et puisque l'Amérique de l'époque victorienne avait déjà importé les châteaux de France brique par brique, pourquoi ne pas importer les musiciens européens et leur savoir-faire ?

Les premières tentatives furent infructueuses.

Certes, les éditeurs musicaux avaient bien leurs tubes occasionnels – les chansons de plantations de Stephen Foster se vendaient extrêmement bien – mais cela semble s'être produit presque par accident. Les éditeurs étaient une bande d'endormis dont les catalogues étaient truffés de trop de musique. Comme dans un vieux bazar de la campagne, ils conservaient tout quelque part – seulement ils ne savaient plus très exactement où. Si bien que lorsqu'ils avaient des tubes comme *Camptown Races* ou *The Old Folks at Home*, ils étaient incapables de les exploiter. Foster commença même à être embarrassé par ses chansons : il fut profondément affecté par une attaque contre sa musique dans le *Dwight's Journal of Music*, où ses mor-

ceaux étaient condamnés comme étant « seulement à fleur de peau, fredonnés et sifflés sans émotion musicale ».

Très peu d'auteurs-compositeurs connurent la fortune de Stephen Foster, pourtant. Ils formaient une faune bigarrée et vendaient leurs chansons pour quelques dollars, où ils pouvaient. L'échec les faisait sombrer dans la bois-

---

Ci-dessus : Tin Pan Alley, telle qu'incarnée dans la 42e Rue.

Pages en couleurs : Quand vendre une chanson voulait dire vendre des partitions, quand il n'y avait pas de radio ni donc d'animateurs pour faire la vente, l'emballage était primordial. Les couvertures d'anciennes partitions qui suivent démontrent la nature de la vente – sentimentalisme, racisme, vedettariat, patriotisme – aussi bien que l'importance des talents d'illustrateurs.

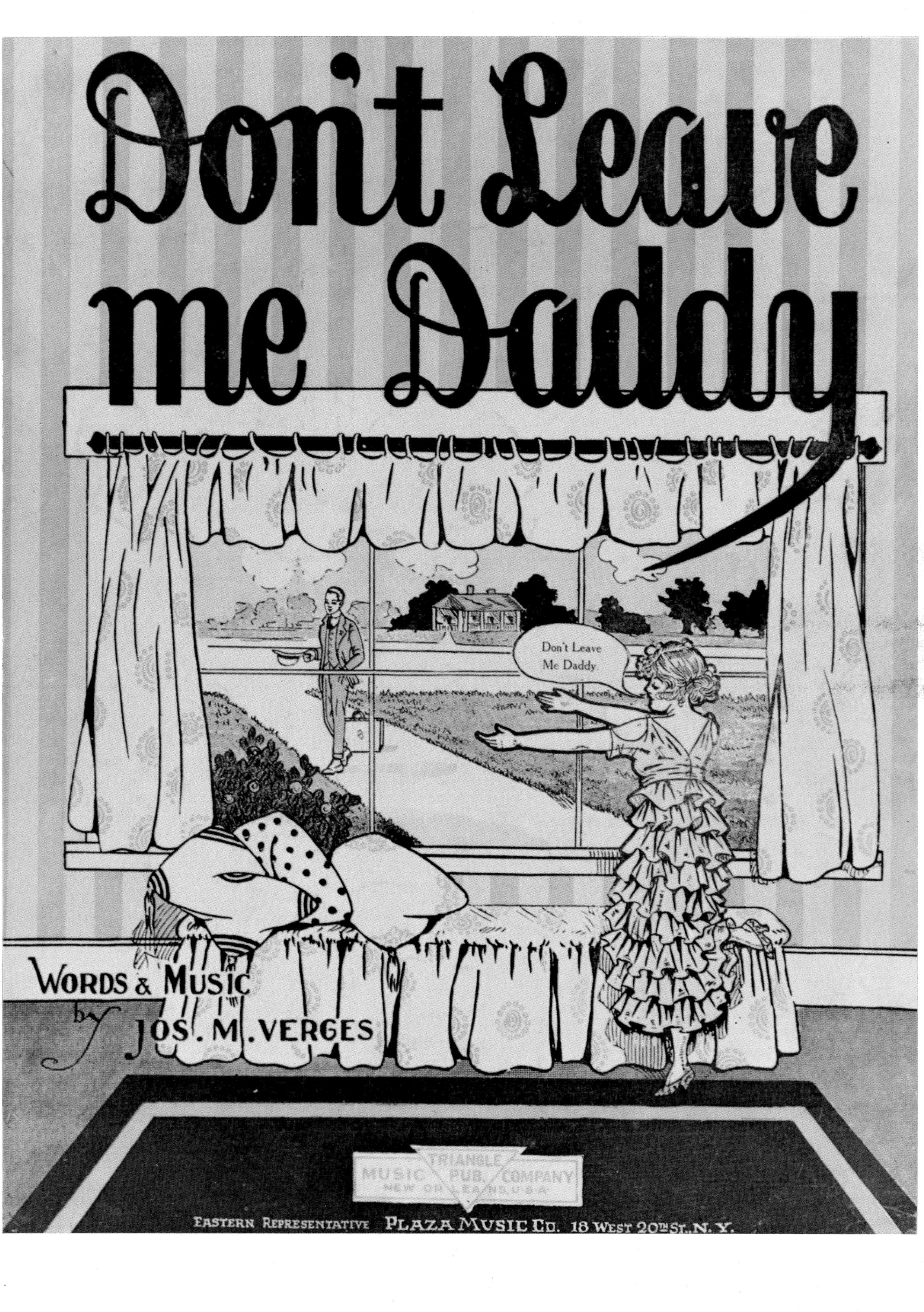
Don't Leave me Daddy
Don't Leave Me Daddy.
WORDS & MUSIC
by JOS. M. VERGES
TRIANGLE MUSIC PUB. COMPANY NEW ORLEANS, U.S.A.
EASTERN REPRESENTATIVE PLAZA MUSIC CO. 18 WEST 20TH ST., N.Y.

DEDICATED TO JAMES BROWN AND HIS MANDOLIN CLUB

THE ENTERTAINER

A RAG TIME TWO STEP

BY

SCOTT JOPLIN

COMPOSER OF

MAPLE LEAF RAG
SUNFLOWER SLOW DRAG
PEACHERINE RAG
SWIPESY CAKE WALK
THE STRENUOUS LIFE (RAG)
THE RAGTIME DANCE (SONG)
ETC., ETC.

50

John Stark & Son
SHEET MUSIC PUBLISHERS
St. Louis

CHILI SAUCE

THAT TANTALIZING
RAG·TIME·SONG

Words & Music By H.A. Fischler.

COMPOSER OF

"RASTUS" ———— RAG
"NIGGER TOE" ———— RAG
"PEPPER SAUCE" ———— RAG
"CHILI SAUCE" ———— RAG
"BLACK WASP" ———— RAG
"HOT SCOTCH" ——— RAG. ETC

50 VANDERSLOOT MUSIC PUB. CO. WILLIAMSPORT PA. 50

DOWN WHERE THE SWANEE RIVER FLOWS
WORDS BY
CHAS. Mc CARRON AND
CHAS. S. ALBERTE
MUSIC BY
ALBERT VON TILZER
FEATURED WITH GREAT SUCCESS BY
AL JOLSON
IN THE WINTER GARDEN PRODUCTION
"ROBINSON CRUSOE, JR."
PRICE SIXTY CENTS
BROADWAY MUSIC CORPORATION
WILL VON TILZER PRESIDENT
145 WEST 45TH ST. NEW YORK
PUBLIC PERFORMANCE OF THIS WORK WITHOUT WRITTEN LICENSE FROM THE COPYRIGHT PROPRIETOR IS PROHIBITED

PRETTY BABY

SONG

As Originally Introduced in the SHUBERT PRODUCTION "THE PASSING SHOW" OF 1916

LYRIC BY
GUS KAHN

MUSIC BY
TONY JACKSON
AND
EGBERT VAN ALSTYNE

JEROME H. REMICK & CO.   NEW YORK   DETROIT

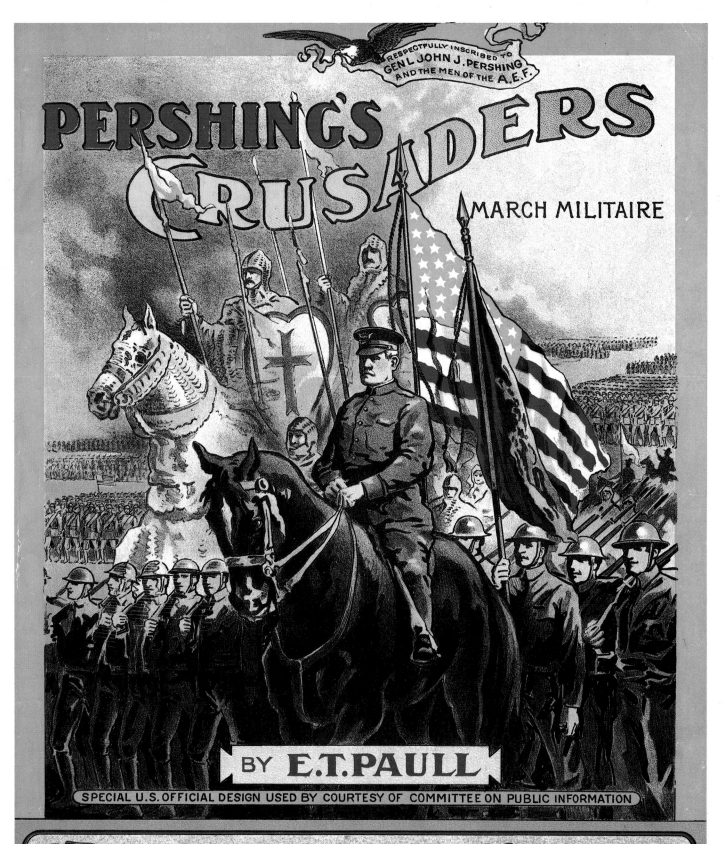

RESPECTFULLY INSCRIBED TO
GEN'L JOHN J. PERSHING
AND THE MEN OF THE A.E.F.

PERSHING'S CRUSADERS

MARCH MILITAIRE

BY E.T. PAULL

SPECIAL U.S. OFFICIAL DESIGN USED BY COURTESY OF COMMITTEE ON PUBLIC INFORMATION

PUBLISHED BY E.T. PAULL MUSIC Co. 243 WEST 42nd ST.

NEW YORK

LONDON, ENG.
B. FELDMAN.

NEW YORK
CROWN MUSIC CO.

NEW YORK
ENTERPRISE MUSIC CO.

NEW YORK
PLAZA MUSIC CO.

CHICAGO, ILL.
F. J. A. FORSTER CO.

TORONTO, CANADA.
W. R. DRAPER.

J. A. ALBERT & SON, SYDNEY, AUSTRALIA.

PIANO SOLO
PRICE 50¢
FOUR HAND
PRICE $1.00

Copyright
MCMXVIII.
By E.T. PAULL
COPYRIGHT FOR ALL COUNTRIES.

LITH BY ARDEN & CO RICHMOND VA

ED. MORTON'S SENSATIONAL ANTI-WAR SONG HIT

I DIDN'T RAISE MY BOY TO BE A SOLDIER

ED. MORTON

LYRICS BY
ALFRED BRYAN

MUSIC BY
AL. PIANTADOSI

POPULAR EDITION
LEO. FEIST NEW YORK
ASCHERBERG HOPWOOD & CREW, LTD. LONDON ENGLAND

5

WE'RE GOING OVER

by ANDREW B. STERLING, BERNIE GROSSMAN & ARTHUR LANGE

JOE MORRIS MUSIC CO., 145 W. 45th ST. NEW YORK

The Nine Founding Members of ASCAP

GEORGE MAXWELL

NATHAN BURKAN

SILVIO HEIN

GLEN MacDONOUGH

LOUIS A. HIRSCH

VICTOR HERBERT

JAY WITMARK

RAYMOND HUBBELL

GUSTAVE KERKER

son. James Thornton, par exemple, tombait souvent de scène, ivre pendant la représentation. Dans ses vapeurs éthyliques, il voyait des hommes avec des pinces de crabes. Et pourtant, c'est le même homme qui écrivait *My Sweetheart's the Man in the Moon*. Il mourut sans le sou. Il y avait aussi Charles Graham. Il mourut en 1899 à la section pour alcooliques de l'hôpital Bellevue. Il avait pourtant écrit des chansons comme *Two Little Girls in Blue*. Hart Danks expira dans une pension-taudis de New York, laissant un petit mot qui disait : « C'est dur de mourir seul. » Il avait pourtant écrit des chansons insouciantes et radieuses comme *Silver Threads Among the Gold*. Foster lui-même finit dans le Bowery. Un jour d'ivresse, il tomba sur une cuvette. Quelqu'un l'emmena à l'hôpital, où il mourut. Quelqu'un d'autre trouva un manuscrit dans sa poche. C'était *Beautiful Dreamer*.

L'omniprésent Chas. K. Harris, quant à lui, était bien décidé à ce qu'un tel destin ne l'abatte pas. Grâce au succès de *After the Ball*, il vint à New York et ouvrit un bureau. Il se trouva bientôt en cheville avec un groupe d'ingénieux hommes d'affaires qui en étaient à s'installer eux-mêmes dans le commerce de l'édition musicale en petits formats. Ils étaient d'une nouvelle race, observa Harris, assez différents de la gent victorienne. Ils ne répugnaient pas à l'emploi occasionnel du « ain't » *. Harris était stupéfait. Mais, tout comme eux, il avait une conscience aiguë de ce point fondamental : la révolution industrielle américaine avait créé « les masses » — ces millions de gens qui étaient arrivés par troupeaux depuis les fermes, les montagnes et les plantations, pour trouver du travail dans les villes. Ce nouveau petit peuple urbain avait besoin de distractions prêtes à consommer, au décrochez-moi-ça. Un air pour

Tin Pan Alley fut édifiée sur l'argent (*en haut, à gauche* : l'une des premières déclarations de droits d'auteur d'Irving Berlin) et une proche confrérie. *En bas. A gauche :* un dîner annuel de l'ASCAP chez Lüchow's. *A droite :* les membres fondateurs de l'organisation).

* Contraction populaire de la négation *am not, are not* ou *is not*.

chaque humeur — pour évacuer les scories d'une dure existence, si l'on veut. Des chaînes de music-halls et de théâtres de variétés, des alignements de restaurants décorés avec orchestres de bal, des allées de bars et de cafés comprenant des serveurs chantants et des pianistes de bastringue, surgissaient du jour au lendemain. Et tous avaient besoin d'une musique bon marché pour pas cher. Les nouveaux éditeurs de variétés étaient là pour la fournir. La question cruciale restait posée : qui allait écrire les morceaux ?

Ce fut l'Europe qui, une fois de plus, apporta la réponse. Ce ne serait pas la première fois que les pauvres de l'Europe enrichiraient l'Amérique. Entre 1880 et 1910, il en arriva vingt millions. C'était une rude époque pour les accents. Les Américains de naissance avaient peur de ces

étrangers, de ces « hordes dangereuses et corruptrices ». C'étaient les races battues, celles que les dieux avaient rejetées. Les Américains étaient particulièrement durs avec les immigrants juifs, les traitant tout juste un peu mieux que les Noirs. Trouvant porte close pour eux dans des affaires déjà bien établies telles que la banque, ces immigrants envahirent les industries naissantes et plus futiles des distractions de masse : le cinéma, le music-hall et les variétés. Ils apportaient des tripes, du nerf, et une facilité remarquable à assimiler la culture américaine. Ils donnèrent aussi à l'Amérique ses chansons ; pour être plus exact, ils les vendirent.

Comme les Juifs en Europe, ils formèrent leur propre ghetto. Le journaliste Monroe Rosenfeld fut engagé en 1900 par le *New York Herald* pour écrire tout un reportage sur ce nouveau commerce de l'écriture de chansons — dans lequel il avait trempé lui-même — et il fit appel à l'un de ses plus éminents protagonistes, Harry Von Tilzer. Les fenêtres du bureau de Harry étaient ouvertes, et il était difficile de se faire entendre au-dessus du martèlement des pianos qui s'infiltrait. « Ce sont mes amis et rivaux, criait Harry, qui assemblent les cashertos [c'était sa variante du mot " concertos "] de

Le succès, et non la qualité musicale, était l'objectif n° 1 quand les démarcheurs, démonstrateurs et concepteurs de partitions étaient les rois. Avec le développement de la radio, le succès pouvait être instantané. Hoagy Carmichael, auteur de la sensation d'un soir *Stardust*, pose en La Voix de son Maître *(à droite)* ; Irving Berlin, Jerome Kern, Victor herbert, Gene Buck, John Philip Sousa, Chas. K. Harris et Harry Von Tilzer *(au centre, de gauche à droite)* donnèrent au chien — et à la nation — encore plus à écouter.

demain. Vous savez, des airs pour tubes. Ça m'a toujours fait penser au vacarme des cuisines, tout à fait comme des casseroles d'étain. Des airs à tubes sortis de pianos désaccordés. Vous pigez ? » L'histoire semble un peu dingue, et elle l'est. Mais la série d'articles de Rosenfeld eut quelque succès et le titre resta. Là où les tubes se faisaient, nuit et jour, sur des pianos désaccordés, c'était Tin Pan Alley. « Pas *trop* désaccordés, s'est souvenu Irving Caesar, doyen parmi les hommes de l'Alley. Mais ils n'avaient pas un son tellement éloigné de celui d'une casserole en étain * pour un passant aux oreilles sensibles à la musique. »

Assez curieusement, il n'y a pas deux éditeurs qui se soient jamais mis d'accord sur la localisation exacte de Tin Pan Alley, sauf que c'était généralement à proximité immédiate de la source du prochain dollar. En 1900, elle était centrée autour de la 28e Rue de New York, secteur où habitaient de nombreux chanteurs de music-hall et de variétés. Mais à mesure que la ville se développait, les éditeurs musicaux remontèrent de quelques rues, pour se rapprocher de leur marché potentiel. Mickey Addy

* Casserole en étain : en anglais, *tin pan*.

déclare qu'on ne la baptisa même pas Tin Pan Alley avant qu'elle ne soit arrivée à la 46e Rue, entre Broadway et la 6e Avenue. Et quand la radio devint un facteur d'importance, Tin Pan Alley se regroupa autour des centres de production de la radio : RCA à Radio-City et CBS au carrefour de la 52e Rue et de Madison Avenue. Pour sa part, Eddy Rogers, marchand de chansons anglais, rejette avec mépris toutes les assertions des Américains. « En réalité, ça a commencé sur Denmark Street à Londres, m'a-t-il déclaré. Il n'y avait que douze éditeurs à la recherche de chansons. Quand ils arrivaient sur Denmark Street, on les entraînait dans une des maisons pour entendre la nouvelle chanson, et tous les revendeurs des autres maisons empoignaient des couvercles de poubelles et des marmites et ils tapaient dessus pour tuer la négociation. C'est pour *ça* que cela s'est appelé Tin Pan Alley. Cela n'avait absolument rien à voir avec l'Amérique. »

Quelle qu'en soit l'origine, les éditeurs de Tin Pan Alley se sont toujours serré les coudes. Ils venaient travailler dans la même rue, ils se mariaient entre familles, ils habitaient les uns chez les autres. Ils ont fabriqué leur propre environnement incestueux. « Je me souviens d'une

chanson que j'avais chantée dans un minstrel show, m'a dit Irving Caesar : *In the Land of the Buffalo, Where the Western Winds Do Blow* — tout sur le pays du bison. Le gars qui l'avait écrite n'avait probablement jamais été à l'ouest de New York. Mais il avait bel et bien de l'imagination. »

Les hommes de l'Alley transformèrent les affaires de la chanson en grosses affaires. Ils engagèrent des « arrangeurs d'équipe » qui étaient constamment occupés à orchestrer des arrangements en série dans tous les tons pour des orchestres de toute taille pour toutes occa-

---

Encore une photo du clan. Le journal professionnel qui publia cette photo avait identifié chaque homme avec ses prénom et nom de famille et sa plus célèbre composition, ajoutant ensuite : « G. Verdi *(Aïda)* et R. Wagner *(Siegfried)* n'ont pu être présents. »

---

sions ; les arrangeurs s'amusaient à regarder combien de fois ils pouvaient changer de ton dans un air. De tels arrangements étaient fournis gratuitement à tous les artistes — de la sorte, les éditeurs étaient certains qu'un orchestre de fosse pourrait jouer instantanément un nouveau morceau, c'est-à-dire qu'un chanteur ou une chanteuse avec orchestre avait plus de chances d'en faire l'essai sur son public. Et le public achèterait la partition pour le piano du salon à la maison.

Ensuite ils utilisèrent des démarcheurs. A l'époque des débuts de l'Alley, l'éditeur lui-même faisait la fastidieuse tournée des lieux nocturnes, trimbalant une cargaison de formats, offrant boisson et dîner aux artistes et aux chefs d'orchestres avant de leur glisser ses toutes dernières chansons. Ed Marks, le propriétaire d'une des plus grandes maisons d'édition, a raconté ces tournées : « Le " Music-hall de l'Alhambra " était cher parce qu'il fallait payer des pots aux gars de l'orchestre et ils étaient vingt-six. Le " Haymarket " était dangereux. Les balles volaient souvent et l'on ne pouvait entrer qu'en se joignant à un club qui s'appelait les " Lapins Gallois ", et ça coûtait encore une tournée pour les gars. » Marks emmenait généralement avec lui un type qui s'appelait Louis le Siffleur. Louis était très fort pour insinuer les airs d'Ed dans les oreilles avoisinantes. De toute façon, Marks ne savait pas jouer du piano.

Mais quand vinrent les années 1910, l'argent commençant à affluer, les éditeurs n'eurent plus besoin de courir eux-mêmes. Ils purent s'offrir d'engager des démarcheurs — des hommes tels que Harry Cohn, qui devint plus tard président de Columbia Pictures. Il était connu sous le simple nom de « The Crude One » (« le Grossier »). Jack Warner, l'un des célèbres frères du cinéma, en faisait partie lui aussi.

Le costume et l'allure des démarcheurs étaient importants — plus c'était clinquant, mieux cela valait. Addy se souvient qu'il se présentait souvent à des directeurs de salle comme comte autrichien. Ils étaient impressionnés. « Ce type a de la classe », disaient-ils. Addy avait saisi l'importance de l'habillement. Il portait un œillet frais à la boutonnière chaque jour et il dit avoir instauré le chandail à col roulé en 1914. D'autres arboraient des pantalons avec des jambes de couleurs différentes, mais ceci n'apporta pas l'effet escompté.

Une journée typique voyait les démarcheurs — armés de partitions — sortir des immeubles de l'Alley comme d'une fourmilière au milieu de la matinée. Certains gagnaient la rue littéralement par camions pour aller gazouiller devant la foule sur les trottoirs. D'autres écumaient les synagogues du Lower East Side à la recherche de jeunes chanteurs aux poumons amples et à la voix de rabbin, que l'on pouvait planter dans l'assistance d'un music-hall pour qu'ils se lèvent à un moment convenu d'avance et chantent tout texte qui était la coqueluche de la semaine. Le soir, les démarcheurs envahissaient les music-halls et les théâtres de variétés, aspergeant les numéros humains et animaux avec des chansons, des fleurs et des chocolats. D'autres faisaient des descentes sur les réunions politiques, les courses de vélos et les salles de billard. Addy aimait faire campagne à bord d'une charrette à cheval, avec un orchestre composé de trois Hawaïens et trois Américains, tous armés de mégaphones et vendant leurs partitions à cinq cents l'exemplaire. Son morceau de choix était le dimanche soir à Coney Island, où il se mettait en lice avec d'autres démarcheurs pour ce qu'on appelait « la soirée des éditeurs », au cours de laquelle on donnait le libre usage de la foire à un démarcheur après l'autre. Il y avait un démarcheur, Charlie Fisher qui était connu sous le nom de Poumon de Cuir : sa voix, sans l'aide de l'amplification, s'entendait jusque dans le comté voisin.

Il y avait un autre débouché : l'industrie du cinéma en plein essor. Des diapos de chansons illustrées commençaient à être projetées pendant l'entracte, d'après une idée inaugurée dans les années 1890 par un électricien de théâtre. Ed Marks avait fondé sa maison d'édition sur le succès de la *Chanson du Petit Enfant Perdu*. Cette histoire tragique, racontée en trois couplets, était illustrée de diapos criardes à la lanterne magique, et Marks en vendit un million de petits formats. Au début des années vingt, ces diapos-chansons étaient devenues une attraction permanente entre les projections. Et parmi ceux qui exécutaient de nouvelles chansons sous l'écran argenté, pendant que leur partenaire en démarchage dirigeait l'assistance avec les paroles appropriées, il y avait George Gershwin.

Par-dessus tout, et surtout parce que les démarcheurs de chansons étaient toujours par monts et par vaux, l'Alley disposait continuellement d'une connaissance directe de ce que le public voulait exactement. S'ils criaient une nouvelle chanson et n'obtenaient qu'une réaction tiède, ils posaient des questions à leur auditoire pour trouver ce qui ne convenait pas. De retour au bureau, ils donnaient des instructions aux auteurs quant à ce qui avait besoin d'être modifié. On se regardait les yeux dans les yeux avec le client.

On se regardait aussi les yeux dans les yeux avec l'artiste. Quand on avait persuadé un interprète de music-hall d'accepter une certaine chanson, il ou elle en devenait le plus efficace démarcheur. Après tout, un spectacle de variétés pouvait partir en tournée à travers les États-Unis pour jusqu'à cinquante semaines, assurant ainsi presque une année d'exposition à l'échelon national. « Chaque lundi et jeudi, nous allions dans les théâtres voir ce que les artistes chantaient, et voir s'ils avaient besoin d'une nouvelle chanson à placer dans leur tour », m'a raconté Mickey Addy. Si un chanteur se mettait à s'intéresser à une ballade, il pouvait dire oui, mais ce dont il avait vraiment besoin c'était une chanson comique pour son programme. Les démarcheurs faisaient leur rapport et on écrivait une chanson comique pour rien, à condition que le chanteur garantisse qu'il chanterait aussi la ballade.

« Nous faisions la démonstration à l'artiste de manière à faire de lui l'homme important, se souvient Addy, bien que huit fois sur dix le démonstrateur fût meilleur chanteur que l'interprète. Prenez Al Jolson : ce n'était pas un chanteur, c'était un styliste, un grand vendeur. Mais il n'avait pas de voix. Georgie Jessel et Eddie Cantor étaient pareils. Prenez Rudy Vallee, c'est un autre exemple. Il chantait du nez. » Pour sa part, Vallee dit : « Assez curieusement, la plupart des *démonstrateurs* n'avaient pas une bonne voix. Non plus que la plupart des auteurs de chansons, même s'ils aimaient faire la démonstration. Irving Berlin avait une voix horrible — pourtant il tenait à faire la démonstration de ses propres chansons. »

Même après l'introduction de la radio, la technique demeura la même. Bing Crosby a dit que les démarcheurs s'amenaient partout où il faisait une apparition, que ce soit dans un théâtre ou une station de radio. « Ils venaient dans votre loge faire la démonstration de la chanson sur laquelle leur compagnie faisait un effort particulier. C'étaient tous des types sympathiques, intéressants et colorés, dont certains anciens artistes de variétés qui avaient pris des bides. Ils savaient chanter et danser, ils connaissaient toutes les blagues. Cela faisait un interlude amusant. Et ils avaient tous la même réplique : '' Bing, je te le promets, cela va être la chanson numéro un, il n'y a aucun doute là-dessus. ''

« Avec certains auteurs, bien sûr — les Cole Porter et les Rodgers et Hart et les Gershwin — personne n'avait besoin de vous persuader de chanter ce genre de matériel, se souvient Crosby. Des chansons qui se chantaient sur scène dans des spectacles à grand succès étaient un choix tout naturel ; si vous pouviez mettre la main dessus, cela pouvait être un gros coup pour vous. Mais à l'occasion, vous preniez des chansons que vous n'auriez pas chantées sans cela, simplement parce qu'un démarcheur engageant vous avait bien fait l'article. »

Et le chanteur, bien sûr, pouvait s'acheter. Les orchestres se faisaient payer leurs arrangements. Des éditeurs payaient des troupes ambulantes de variétés pour n'interpréter que leurs chansons. Des chefs d'orchestre et des artistes recevaient des cadeaux. Et une façon répandue de récompenser un artiste, c'était de l'impliquer dans les droits d'auteur, comme s'il avait écrit la chanson. Rudy Vallee dit que les éditeurs n'avaient qu'à lui dire : « Nous avons mis ton nom dessus et nous voulons que ce soit toi qui l'interprètes. » « Jamais nous ne discutions pourcentages. C'était une question technique. Jamais grand-chose d'exorbitant — un sou l'exemplaire, plus mon pourcentage sur la reproduction mécanique. Aussi simple que ça. Des fois on signait un contrat, des fois non. Ils n'avaient qu'à dire '' c'est toi '', et ça y était. » Il est fort douteux qu'une seule des chansons qui portent le nom d'Al Jolson comme co-auteur ait été écrite par lui. Parfois, Jolson donnait son accord pour qu'on se serve de son nom, du moment qu'il y avait d'autres considérations. Une fois, il accepta gracieusement de la part d'un éditeur le petit cadeau d'un cheval de course.

Un autre éditeur, Leo Feist, meubla et décora une maison appartenant au chanteur Gene Austin pour un prix de revient compris entre dix et quinze mille dollars, et ensuite il lui donna une Cadillac. « C'est que tout objet touché par Austin devenait de l'or, explique aujourd'hui Vallee. Austin valait au moins trois ou quatre cent mille dollars pour n'importe quel éditeur, et ils pensaient que ce n'était rien du tout de lui offrir pour cinq ou dix mille dollars de cadeaux. » Plus tard, quand Vallee lui-même anima une émission de radio très en vogue, selon Mickey Addy, « il mettait une vedette dans son programme et peu après, vous appreniez qu'il y avait dans le domaine de Vallee un nouveau bateau nommé *Banjo Eyes*, d'après la chanson qu'interprétait Eddie Cantor. Tout ce qu'il y avait sur le domaine de Vallee lui avait été donné, depuis les courts de tennis jusqu'aux cacahuètes ».

Le contenu des chansons importait peu, du moment que cela se vendait. En 1914, le *Musical Courier* avait voué le ragtime aux gémonies, le jugeant obscène, lascif et « artistiquement et moralement déprimant ». Mais les occupants de Tin Pan Alley, eux, ne se posèrent jamais une seule seconde des questions quant à sa moralité.

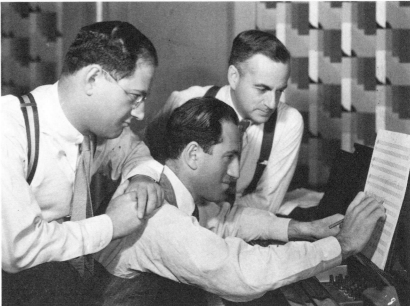

Irving Berlin a dit un jour : « Vous savez, je n'ai jamais bien pigé ce qu'était le ragtime. » Et pourtant, il en écrivait, quoi que ce fût. Et c'était commercial. Ses collègues commencèrent à écrire du ragtime par liasses. Il y eut même un Shakespeare du ragtime. « *Tout en Amérique est ragtime* », notait Berlin. Quand le jazz atteignit New York vers 1919, les hommes de l'Alley décrétèrent que cela aussi était ragtime, mais en plus déguenillé *. Ils ôtèrent le mot « ragtime » de leurs couplets et y substituèrent le mot « jazz ».

Mais ce fut le très grand nombre de chansons d'actualité qui démontra sans discussion possible l'incollable versatilité de Tin Pan Alley. Au moment du naufrage du *Titanic*, les hommes de l'Alley chantèrent son trépas : *Just As the Ship Went Down* (« Tandis que le navire coulait »). Les nouvelles inventions — autos, avions, radio — trouvèrent une même faveur : *Come Away with Me Lucille in My Merry Oldsmobile* (« Viens-t'en avec moi Lucille dans ma joyeuse Oldsmobile ») et *There's a Wireless Station Down in My Heart* (« Il y a une station de T.S.F. au fond de mon cœur »). Un manque de familiarité avec le sujet était sans gravité ; dans certains cas, c'était même préférable. Irving Caesar m'a dit que Stephen Foster

---

* Jeu de mots intraduisible. *Rags* veut dire aussi chiffons, guenilles, etc.

n'avait jamais vu la Swanee River : « Foster était de Pittsburgh. Et lorsque George Gershwin et moi-même avons écrit *Swanee, How I Love Ya* (''Swanee, je t'adore''), nous n'avions jamais vu la Swanee River non plus. Nous n'avions jamais été plus au sud que le Battery à New York. Quand nous avons finalement vu ce fleuve de nos yeux, alors que nous partions pour la Floride, heureusement que nous avions déjà écrit la chanson, car la Swanee s'avéra n'être qu'un aimable flot boueux. » La morale est simple, expliquait Caesar : « N'importe qui pouvait écrire une chanson à n'importe quelle heure de la journée ou de la nuit, c'est ça qu'un pro devait savoir faire. J'écrivais des chansons à *n'importe* quelle heure, pour parier. » L'expression personnelle était hors de propos. Al Bryan écrivit en 1915 une chanson intitulée *I Didn't Raise My Boy to Be a Soldier* (« Je n'ai pas élevé mon fils pour qu'il soit soldat »). C'était une chanson pacifiste ; l'Amérique n'était pas encore entrée en guerre. Mais l'Angleterre y était, alors pour l'édition anglaise, Bryan changea tout simplement les paroles en *I'm Glad My Boy Grew*

Les Gershwin et leurs collègues. *A gauche :* Ira *(à gauche)* avec E. Y. Harburg *(au centre)* et Arthur Schwartz posant fort à propos tout en « composant » pour le compte de l'Aide à la Chine Unie en 1941 ; *à droite :* Les frères avec l'auteur de théâtre Guy Bolton.

Up to Be a Soldier (« Je me réjouis que mon fils soit en âge d'être soldat »).

Lorsque l'Amérique entra de fait en guerre, en 1917, Tin Pan Alley connut son heure de gloire. Le Président en personne fit appel aux faiseurs de chansons pour charger le fusil. Les chansons mobilisantes et chauvines, qui envoyaient joyeusement les soldats au front, étaient à l'ordre du jour. *Goodbye Broadway, Hello France* fut publié dans la première semaine. Les hommes de l'Alley, quoique immigrants, étaient déterminés à être plus patriotes que les Américains de naissance, comme pour prouver leur valeur de citoyens de leur pays d'adoption. Ils faisaient la chasse au Kaiser à travers l'Europe entière : *We Are Coming, We are Coming, in Yankee Doodle Style* (« Nous arrivons, nous arrivons, dans le style Yankee Doodle »), et *We Don't Want the Bacon, What we Want Is a Piece of the Rhine* (« Nous ne voulons pas le bacon, ce que nous voulons c'est un morceau du Rhin »).

La guerre fut traitée comme un immense spectacle de variétés. On produisit plus de chansons qu'à n'importe quelle époque avant ou depuis. Après la guerre, les éditeurs de musique sur papier allaient devoir mener un combat d'arrière-garde contre les nouveaux média à faire de l'argent : disques, radios, orchestres de bals et films parlants. Mais pour le moment, c'était boum badaboum. Pour la seule année 1917, il fut vendu plus de deux *milliards* d'exemplaires de partitions de musique populaire. Cela revenait pour l'éditeur à deux mille cinq cents dollars environ pour une première impression de dix mille exemplaires, et chaque exemplaire se vendait cinquante cents. Un éditeur pouvait se faire cent mille dollars net sur une vente d'un million d'exemplaires. Et à cette date, une vente de cinq millions d'exemplaires n'était pas rare.

L'Alley était tranquille seulement tant qu'elle préservait son monopole. Mais en 1920, la radio se mit aux opérations commerciales. Au départ, l'Alley semblait bien équipée – une fois de plus – pour satisfaire une demande. Les auditeurs de radio paraissaient aimer un bon air de danse par-dessus tout, et l'Alley pensait pouvoir en fournir autant qu'on en réclamait. La radio, cependant, était insatiable, et dévorait le matériel à un rythme incroyable ; les tubes s'usaient et mouraient au bout de quelques semaines à peine. On poussa une nouvelle sorte de chansons, ultra-simple et sirupeuse. Les techniciens

de la radio informèrent les auteurs de chansons qu'une gamme de cinq notes aux alentours du milieu d'un clavier de piano était ce qui convenait le mieux pour une diffusion de haute qualité. « Alors nous nous sommes simplement mis

Aussi importante que les fruits du succès était la publicité qui en découlait. *A partir d'en haut à gauche, sens des aiguilles d'une montre :* un majestueux George Gershwin au domaine de la famille Warburg ; Bert Kalmar dans son verger à pêches en Californie ; Al Jolson et sa femme, la danseuse Ruby Keeler, en vacances ; la maison construite par la radio pour Rudy Vallee.

au diapason d'un matériel éthéré, dit un ancien de l'Alley. Un peu de clair de lune par-ci, un zeste de roses par-là, le tout peint à la couleur du hamburger le plus ordinaire. Vous savez : le beige ! » Toute chanson qui apparaissait trop épicée pour le public familial était bannie.

Les compagnies de radio refusèrent de payer aux éditeurs le droit de passer leur musique sur les ondes. Ils déclarèrent qu'ils ne faisaient rien d'autre que de diffuser « de l'éther », et que de toute façon ils faisaient aux gens de l'Alley *l'honneur* de coups promotionnels gratuits. Comme par représailles, ceux de l'Alley s'organisèrent. Ils étaient déjà groupés en une société de droits de reproduction appelée l'American Society of Composers, Authors and Publishers. Selon le président actuel de l'ASCAP, Stanley Adams, cette société avait vu le jour lorsque, en 1914, le compositeur Victor Herbert avait décidé de faire un procès au restaurant Shanley's de New York. L'orchestre de Shanley's avait joué des musiques de Herbert pour attirer du monde dans le restaurant, mais pas un sou des bénéfices qui en résultèrent n'était parvenu à la poche de Herbert. La Cour suprême donna raison à Herbert.

A l'époque de ses débuts, l'ASCAP se préoccupait essentiellement des restaurants. Puis arriva une autre menace, sous la forme du disque phonographique. Dès 1924, les fans purent écouter leurs idoles chantantes sur des enregistrements électriques. L'édition-papier faisait désormais double emploi. Les tubes s'apprenaient sur les disques 78 tours ; c'étaient maintenant les firmes de disques qui connaissaient les ventes par millions. Les compositeurs faisaient encore du bénéfice, bien sûr, mais il y avait besoin de nouvelles techniques et méthodes de production pour s'adapter aux nouvelles exigences. Le club qui s'était perpétué en dominant la 28e Rue, ou la 32e Rue, ou la 46e Rue, ou quelque endroit que ce fût, n'était pas équipé pour contrôler un million de disques à travers des murs de grès. Mais Chicago, avec son industrialisation en plein essor et sa réserve de main-d'œuvre à bon marché, pouvait s'en charger. Plusieurs membres de l'industrie du disque émigrèrent vers l'ouest et, bien que l'ASCAP continuât de protéger ses compositeurs et éditeurs, elle ne pouvait rien faire pour garder toute cette nouvelle industrie dans la famille. Partis de Chicago, des hommes armés de micros se dirigèrent vers le sud et vers l'ouest pour découvrir une

En haut. *De gauche à droite :* le producteur Jack Warner avec le Dr. Lee De Forest, inventeur de l'appareil qui rendit possible le parlant, et l'un des hommes à qui l'on attribue l'invention de la radio. Rudy Vallee chantonnait dans son micro ; Helen Kane faisait boop-boop-a-doop dans le sien.

En bas : presque une réunion de famille pour la postérité de la romance entre Hollywood et Tin Pan Alley : *de gauche à droite ;* Darryl Zanuck, Irving Berlin, Lloyd Bacon, Al Jolson, Jack Warner, Albert Warner.

musique autre que celle que confectionnait Tin Pan Alley. Et c'était une musique que l'ASCAP ne possédait pas.

La plus grande menace vint cependant de plus loin ; de la terre mystérieuse de Hollywood. Le cinéma et la musique populaire avaient toujours été liés depuis que les démarcheurs avaient investi les salles obscures ; ils travaillaient la main dans la main, bien sûr, puisque tous deux reflétaient le goût populaire. Les cinéastes avaient besoin d'une musique de fond pour leurs films muets, et l'Alley collabora en instaurant les campagnes pour associer des chansons « à thème » avec tel ou tel film. *Charmaine,* par exemple, s'entendit en mineur et en majeur au long des projections de *What Price Glory ?* En 1927, lorsque la Warner Brothers décida de risquer sa fortune défaillante dans le cinéma parlant, elle acheta soixante-dix pour cent de la jeune Vitaphone Corporation, se forma à la confection de courts métrages de musique populaire, et loua l'ancien « Manhattan Opera House » d'Oscar Hammerstein. L'omniprésent Al Jolson chanta, et *Le Chanteur de Jazz* révolutionna l'industrie du cinéma. Des acteurs jusqu'alors muets se mirent brusquement à la chanson, et les grands studios, impatients de profiter de cette nouvelle vogue, montèrent de gigantesques revues hollywoodiennes.

Hollywood, par conséquent, avait besoin de musique bon marché, et en masse. L'Alley, chancelant sous l'impact du disque et de la radio, eut une réaction enthousiaste. La Warner racheta la crème des maisons de l'Alley et bientôt Hollywood posséda presque toute l'édition de musique populaire d'Amérique. Les auteurs de chansons firent la longue traversée du continent par le train, voyant pour la première fois ce pays du Bison que leurs collègues et eux-mêmes avaient décrit depuis la position confortable de leurs bureaux new-yorkais. « Tout cela était très instructif », se souvient l'un de ces explorateurs, le compositeur Harry Warren. Car, on avait là, des lunes de moisson, des nuits de juin et des petites Sally véritables. « Chaque studio avait une équipe d'auteurs de chansons, m'a dit Warren. Il devait y en avoir vingt-cinq rien qu'à la Fox. J'ignore d'où ils sortaient tous... de sous les rochers, probablement. »

La comédie musicale hollywoodienne des années trente fut rendue possible parce que les firmes cinématographiques avaient acquis un arriéré considérable de chansons de Tin Pan Alley qu'elles avaient hâte de vendre dans des films. La diffusion en radio d'une chanson « à thème » devint le medium le plus important pour faire la promotion du film d'où elle était tirée. Les tubes des années trente étaient extraits de films. Dans cette période, on pensait que les familles passaient leurs soirées de deux manières possibles : ou bien elles sortaient au cinéma, ou bien elles restaient à la maison à écouter la radio. L'industrie du cinéma faisait son beurre en attirant un public qui passait à la caisse ; les chaînes de radio faisaient le leur en livrant un public aux annonceurs.

L'une et l'autre se battaient pour installer leur suprématie, et les hommes de l'Alley avec leur organisme de protection ASCAP tiraient des bénéfices de part et d'autre. Du moins jusqu'au moment où la dimension de leur auditoire cessa brusquement de croître. A la fin des années trente, les années accumulées de la dépression économique finirent par se payer. Hollywood s'aperçut que l'auditoire total diminuait en fait. Sa stabilité financière s'en trouvait menacée ; ses concurrents devaient être bridés. Or, le principal concurrent d'Hollywood était la radio.

La solution était simple. L'ASCAP, désormais contrôlée par Hollywood, possédait presque toutes les chansons diffusées en radio, et exigerait que les droits payés par la radio aux adhérents ASCAP soient doublés. Comme la radio serait incapable de payer cette énorme augmentation, la radio ne bénéficierait plus des chansons ASCAP. Une radio sans musique perdrait de son attrait pour les auditeurs et les publicitaires. La part de l'un et de l'autre revenant au cinéma ne manquerait pas d'augmenter.

L'ASCAP était sûre que sa stratégie marcherait. La musique ASCAP, affirmait son secrétaire, était la musique de l'Amérique, et il n'y avait pas à en sortir. « Nous possédons tous les meilleurs auteurs », disaient-ils. Excepté, il faut le dire, tous ceux qui, à cause de l'ASCAP, avaient été exclus du cercle enchanté — les « hillbillies » et les Noirs. L'ASCAP ne s'était jamais mêlée de musique country pour la raison bien claire que toute œuvre non écrite par des gens de l'ASCAP ne produisait aucun dividende. Mais pour chaque fille qui se faisait séduire sur le siège arrière d'une voiture au son d'un passage de Bing Crosby à la radio, il y en avait une autre qui faisait l'expérience des mêmes plaisirs en écoutant Roy Acuff chanter en direct sur la chaîne de radio du Grand Ole Opry. Jus-

qu'alors, l'ASCAP, c'était New York et Los Angeles. Là, étaient les centres de la production, les centres de l'exploitation. L'ASCAP n'avait pas envie d'étendre son fief. Après tout, son revenu de 1939 était de 4,3 millions de dollars à partager entre 125 éditeurs et environ 1 200 auteurs. Qui avait besoin de changement ?

Mais en cherchant à freiner la radio en doublant ses honoraires, l'ASCAP dominée par Hollywood commit une grossière bévue. Au moment où expira son contrat avec les radiodiffuseurs, le 1er janvier 1941 à minuit, les stations de radio avaient organisé leur propre société de droits de reproduction : Broadcast Music, Incorporated. Pour son catalogue, la BMI choisit de la musique auparavant ignorée par Tin Pan Alley et se joignit aux fabricants de disques de Chicago pour passer le Sud au peigne fin et chercher du matériel. Tandis que l'ASCAP n'avait perçu les droits que sur les exécutions en direct sur les chaînes de radio, la BMI promit qu'elle les percevrait pour les passages en direct *et* en enregistrements. Pour la première fois, des artistes qui avaient peu de chances de se faire entendre dans un programme important pouvaient obtenir quelques revenus provenant de disques qu'ils avaient faits, ou d'apparitions dans des programmes de radios locales, et ceux qui en bénéficièrent immédiatement furent les hillbillies, qui dorénavant disposaient de leur propre réseau bien établi d'émissions de country dans les radios locales, et les musiciens noirs, qui pendant des années avaient été enregistrés pour très peu de gratification financière, voire aucune. Le monopole ASCAP était brisé, et ce fut la fin de la domination absolue de Tin Pan Alley.

L'Alley souffrit encore une autre reculade. Pendant des années, beaucoup de ses auteurs avaient tiré bénéfice du travail des autres. Quand le jazz fut en vogue, les hommes de l'Alley en adoptèrent les rythmes. Quand les Noirs produisirent le blues, les hommes de l'Alley accolèrent le mot blues à leurs titres de chan-

A gauche, à partir du haut : Eddie Cantor, Bing Crosby, les Boswell Sisters. Cantor chantait, dansait, faisait le clown. Crosby gémissait ; les Boswell gazouillaient.

A droite : on oublie parfois que le principal talent de Judy Garland était celui de chanteuse.

4714

sons. Au moment où se développait le rhythm'
n'blues, Tin Pan Alley essaya de se servir de
cela aussi. De même pour la musique hillbilly.
Mais à présent, à cause de la BMI, on entendait la
musique authentique elle-même à travers les
États-Unis. Tout à coup, un public authentique
dictait ce qui devenait populaire. Il ne suffisait
plus pour une personnalité de la radio comme
Rudy Vallee d'octroyer son imprimatur à une
chanson. Le nouveau public voulait le vrai truc,
et Rudy Vallee ne l'était pas.

L'ASCAP fut forcée de se soumettre. Avant la
fin de 1941, un nouvel accord était signé et le
boycott contre l'ASCAP était levé. Mais il était
trop tard. Les barbares étaient partout sur les
ondes.

Dans le meilleur des cas, Tin Pan Alley avait
paru refléter et affecter la vie quotidienne. Mais
l'électricité et Hollywood avaient isolé ses
auteurs de chansons du bruit de la rue. Il fallut
le rock and roll pour rétablir cette liaison vitale,
mais cela vint bien plus tard. La mode, dont

l'Alley fut l'instigatrice, reste encore essentielle à l'industrie musicale dénommée pop.

Néanmoins, une chanson comme le *Brother, Can You Spare a Dime ?* de E. Y. Harburg, a exprimé la mentalité de l'époque de la dépression mieux qu'une centaine de livres. Les chansons pouvaient représenter la croissance d'un pays, cristalliser ce qu'il y avait dans le cœur et dans la tête des gens, et elles le firent. Bien des produits de Tin Pan Alley étaient amusants, très agréables même, et à l'occasion consistants. Mais Tin Pan Alley dilapida sa grande fortune. Il fallut un chantage manifeste pour mettre en évidence l'avidité d'une clique blanche, à domination juive et à ascendance new-yorkaise, qui perpétuait la machine à fabriquer de l'argent. Les chansons qu'elle fourguait n'étaient pas l'équivalent blanc de la musique noire. L'adage « dis-moi ce que chante une nation, et je te dirai ce qu'elle pense » se révéla être un mensonge.

Page précédente : Ruby Keeler traverse une mise en scène folle, brillante et excessive de Busby Berkeley. Le style de cinéma de Berkeley était un cul-de-sac, chaque succès l'obligeant à se surpasser tout en restant dans les limites de la décence.

Ci-contre : De plus récentes sensations de Tin Pan Alley ont été l'œuvre de Phil Spector *(en haut)*, chanteur dans un groupe du nom de Teddy Bears avant de devenir producteur ; de Lieber et Stoller *(au centre)*, auteurs pour Big Mama Thornton de *Hound Dog*, qui leur rapporta une fortune quand Elvis Presley en fit une « cover » ; et des Monkees *(en bas)*, gavés de rudiments de guitare, fabriqués pour une série télévisée hebdomadaire et vus ici — fort à propos — suspendus aux fils d'un marionnettiste.

La comédie musicale

Tout comme le music-hall était devenu un marché pour les négociants en chansons, il en était de même d'un autre antécédent du théâtre musical, la revue. Au contraire du music-hall, le choix du matériel pour une revue incombait au producteur. Celui-ci disait par exemple : « Nous allons faire une revue tout en jaune. Bon, qui est-ce qu'on peut prendre ? Prenons Ethel Waters, Fred Allen et Clifton Webb. Et, coco, *toi* tu commences à dessiner des costumes jaunes et puis prenons donc une paire de chansons chez Jerome Kern et une autre chez ce jeune Gershwin. » Les interprètes travaillaient souvent et dans le music-hall et dans la revue, mais presque tous les compo-

A gauche : Rogers et Astaire dans *Shall We Dance.*

siteurs en vue — comme Gershwin et Porter — choisissaient. Une revue était constituée de répliques de comédie et de chansons, tandis que le music-hall mettait l'accent sur les « numéros » : magiciens, animaux dressés et comédiens, avec des chansons de Tin Pan Alley prises en sandwich entre le chien funambule et le phoque savant. La revue avait des prétentions artistiques ; pas le music-hall. Jerome Kern ne plaçait ses chansons que dans la revue ; Irving Berlin voulait les deux.

Le burlesque, ou la farce avec quelques chansons, offrait une chance de plus de se faire entendre. Bien qu'aussi ancien que Plaute, le burlesque n'eut aucun impact en Amérique jusqu'en 1868, date où une redoutable rose d'Angleterre du nom de Lydia Thompson fit son apparition à New York avec un divertissement intitulé *Evangeline*. Constituée essentiellement d'une interminable troupe de filles en collants chair qui jouaient des rôles « masculins », et de comédiens en culottes bouffantes et au nez rouge, qui chantaient et racontaient des histoires répugnantes, *Evangeline* fit un triomphe. Son langage et son style étaient accessibles. A la différence des drames du XVIIIe siècle d'Edmund Kean, ou encore des caricatures offertes par les minstrels nègres, on avait là des gens *vrais*, qui parlaient un anglais (ou du moins un américain) *vrai*. On avait besoin de chansons populaires pour amuser l'auditoire.

Comme la puissance de Tin Pan Alley croissait, elle attira des auteurs de chansons qui ne se contentaient plus de compter sur les caprices de tel ou tel artiste ou directeur pour avoir l'acceptation de leurs chansons. Cette nouvelle race voulait la respectabilité sociale habituellement réservée à cet autre objet d'importation européenne notoire, l'opérette, qui satisfaisait une aspiration à l'Art, lequel dans l'Amérique du XIXe siècle devait être étranger (de fait, il suffisait d'être étranger). Johann Strauss et Offenbach étaient étrangers à l'évidence. Gilbert et Sullivan étaient, le fin du fin, anglais. Et tous, selon Leonard Bernstein, « conduisaient le public américain tout droit dans les bras de l'opérette. Tous trois étaient des versions nationales d'une même chose : Gilbert et Sullivan avec leur opéra-comique britannique, Offenbach avec son opéra bouffe français, et Strauss avec son opérette viennoise ».

Il semblait essentiel que l'opérette soit fantaisiste et éloignée de toute trace du familier, que ses personnages soient invraisemblables, et que son langage soit archaïque, quoique élégant. Néanmoins, des opérettes comme *La Veuve Joyeuse* de Franz Lehar firent un raz de marée sur le public américain, suscitant une douzaine de pâles imitations par des auteurs-compositeurs d'Europe centrale récemment arrivés aux États-Unis. Rudolf Friml, Sigmund Romberg et Emmerich Kalman utilisaient des paroles qui étaient imprononçables (parfois littéralement), mais leur musique éleva les attentes du public à un nouveau degré d'achèvement. Les partitions d'opérettes étaient complexes et élaborées, entre autres parce que des musiciens comme Friml et Romberg (qui écrivit plus tard avec Oscar Hammerstein II) étaient par inclination des compositeurs d'opéra résignés à ce qui pouvait sembler la tâche secondaire : réussir quelque chose qui soit plus que le music-hall, quoique moins que l'opéra. Pour l'auteur de chansons ambitieux, la forme dérivée qu'entraîna l'opérette représentait l'occasion parfaite de s'assouvir.

Music-hall, revue, burlesque, et à présent l'opérette à aspirations culturelles. On dit souvent que l'opérette, étant européenne (et donc étant de l'Art), donna forme et raison d'être à une collection de divertissements par ailleurs disparates, au contenu interchangeable, au style indifférent, et au résultat musical insupportable. Mais atteindre une stature véritable pour le théâtre musical, cela demandait davantage.

En haut : Charles Winninger *(au centre, à gauche)* dans la **ver**sion originale de *No, No, Nanette*, aussi éloignée de la révolution de Kern et Hammerstein que typique de l'avant-*Show Boat*. *En bas, à gauche :* la première participation écrite par Rodgers et Hart pour Hollywood était celle de *Love Me Tonight* (1932). Dans le lit, Maurice Chevalier ; le metteur en scène Rouben Mamoulian lui donne ses instructions avant le tournage. *En bas, à droite :* les styles des années vingt connurent une renaissance dans les années soixante-dix *(Irene, Nanette)* ; dans les années cinquante, la duperie était d'usage. *The Boy Friend* (vu ici) en fut l'exemple éclatant.

En fait, cela exigeait une intégration de la musique, des paroles, des danses et du livret. L'unité de la forme devint chose essentielle pour le théâtre musical, et l'effort en vue de cette unité sa réussite massive.

Le premier pas vers cette intégration avait été fait bien avant l'invention de Tin Pan Alley. En 1866, une épopée intitulée *The Black Crook* (« L'Escroc Noir ») arriva à New York. A l'origine sombre mélodrame germanique, elle avait été achetée par un producteur du nom de Wheatley pour être présentée au « Niblo's Garden » de New York. Au même moment, une compagnie de ballet française débarquait à New York pour s'apercevoir que le théâtre où on l'avait engagée avait été rasé par un incendie. Wheatley eut une brillante idée : pourquoi ne pas combiner les deux productions ? *L'Escroc Noir* n'avait pas de musique, et la compagnie de ballet française n'avait pas de scène. On transforma donc « Niblo's Garden », on injecta quelques morceaux de musique et de danse dans *L'Escroc Noir,* et le spectacle était en route. Cette œuvre révolutionnaire quoique bizarre durait cinq heures et demie tous les soirs. Elle se joua un an et demi à New York et vingt-cinq ans de plus en tournée.

L'Escroc Noir montra qu'il était possible de combiner musique et mélodrame, plus quelques numéros spéciaux tels que la danse, sans préjudice pour aucun de ces éléments. Qui plus est, le public adora. L'extravagance avait bénéficié, bien sûr, d'une infusion d'Art Étranger (la compagnie de ballets française) ; mais l'éventualité que le music-hall puisse engendrer quelque chose de plus que des pirouettes vaudevillesques était claire. *L'Escroc Noir,* en effet, fut le premier spectacle de variétés avec une histoire.

Le burlesque avait déjà démontré l'attrait commercial des divertissements dans le langage commun, et lorsqu'en 1890 le spectacle intitulé *A Trip to Chinatown* (« Voyage à Chinatown ») fut monté à partir de chansons et de danses bien connues du public, parmi lesquelles *After the Ball* de Chas.K. Harris, un autre triomphe était assuré. *Voyage à Chinatown* était une revue à intrigue, présentée dans le style du music-hall, avec l'allégresse sans vergogne qui était le signe distinctif du burlesque.

Cependant, ce furent Oscar Hammerstein II (petit-fils du directeur de music-hall) et Jerome Kern qui comblèrent le plus savamment l'écart entre l'Art européen et la musique nationale américaine. Kern avait toujours délibérément usé de « sons indigènes » américains dans ses chansons — folklore et ragtime, jazz et music-hall. Hammerstein fut le premier auteur à saisir la nécessité de traduire intrigue et dialogues en un langage compréhensible pour tout le monde. Stephen Sondheim, protégé d'Hammerstein, dit : « Son œuvre a contribué à faire croire aux gens qu'il était un rustre insipide et peu évolué, alors que c'était un homme hautement intelligent, armé de principes, à l'esprit très ferme, et un philosophe. C'est-à-dire, tout ce que son œuvre semblait ne pas être. » Hammerstein s'épuisa à la recherche d'un milieu entre l'opérette et la revue, entre le drame musical et le music-hall. Peut-être y avait-il quelque chose au milieu de tout cela, quelque chose d'indubitablement américain s'opposant à l'européen, quelque chose qui avait une raison d'être et une cohérence ne se bornant pas à une simple collection de chansons.

Show Boat, qui démarra en 1927, était une opérette dans la forme ; mais au lieu de princes, de comtes et d'amants déguisés dans la meilleure tradition du genre, il montrait des personnages reconnaissables dans des situations coutumières. La technique demeurait celle de Friml, de Lehar et de Romberg, mais le style était nouveau. L'histoire, tirée d'un livre d'Edna Ferber, était encore un aspect frappant de *Show Boat.* Elle concernait le Sud et l'oppression des Noirs, et considérait le problème de manière intelligente et humaine. Elle réussit quand même à avoir de l'esprit, du charme, beaucoup de belles chansons, et un succès commercial.

Néanmoins, après *Show Boat,* Broadway continua à être un super-marché de la chanson clinquante, un moyen commode pour Tin Pan Alley de caser son matériel. Chaque compositeur voulait arriver dans un des théâtres, de plus

---

La progression de Rouben Mamoulian avec *Love Me Tonight* et le travail d'autres Européens émigrés comme Ernst Lubitsch permirent aux caméras de dépasser le théâtre filmé. *En haut : The Gold Diggers of Broadway* (1929) représente ce dont il leur fallait triompher. *En bas :* Le premier triomphe de Mamoulian à Broadway fut le *Porgy and Bess* de Gershwin ; il avait un naturalisme jusqu'alors évité par le public de Broadway.

en plus nombreux, situés dans des rues secondaires à l'écart de la « Grande Voie Blanche ». Le rendement devenait rapide et démentiel. Un investissement dans un spectacle pouvait rapporter un revenu confortable en deux semaines ; si un spectacle marchait six mois, c'était un énorme succès. Une année de fonctionnement était presque incroyable. Rodgers et Hart composaient deux spectacles par an ; Kern de même. Quand un titre faisait un four dans un spectacle, les producteurs l'enlevaient simplement et le laissaient de côté pour la suite.

Même pendant les années de la Dépression, presque tous les auteurs de chansons et de spectacles conservèrent une vue remarquablement dorée de leur monde, qu'ils expliquaient par l'excuse que dans cette période sinistre, ce qu'il fallait à l'Amérique, c'était l'évasion. Certains, tel Cole Porter, se trouvèrent piégés dans un océan de banalité dont la seule échappatoire semblait être le suicide commercial, sinon artistique. Porter avait de l'argent, de l'esprit et de l'éducation. Comme l'a observé Robert Kimball, ses paroles étaient « le tonique le plus rafraîchissant que Broadway eût absorbé depuis l'époque de la légalité du cocktail ». Il inventait son propre monde de bizarreries, et puis le livrait au client. L'amour est au départ « le sommet, la crête, l'œuvre » ; à l'occasion, il peut aussi être douloureux, évanescent ou tragique. Mais Porter ne parvint jamais à la mordante simplicité d'un Lorenz Hart. Il était brillant, mais aussi folâtre. Ses chansons ne blessaient jamais comme celles de Harburg — elles étaient dans l'ensemble trop soyeuses, comme les vêtements qu'il portait toujours. Il n'avait pas compris non plus tout le potentiel de la comédie musicale et la nécessité d'une conception élargie. Ses spectacles furent les mêmes du début à la fin de sa vie : des collections mousseuses de chansons. Sans vouloir par là dénigrer leur magie. Mais, en même temps que Berlin, il ne sut (ou ne put) contribuer à un genre dont la survie allait bientôt dépendre de son évolution. Il demeura un auteur de chansons qui fournissait pour la scène. Son homologue anglais, Noël Coward, fit quant à lui une tentative pour réduire le fossé entre l'opérette et la comédie musicale familière. Essentiellement dramaturge, Coward comprit la nécessité de relier les chansons, et entre elles, et à l'intrigue. Mais lui aussi fut trahi par sa sophistication même, par le petit

monde chic de sa propre invention. Finalement, le temps le dépassa tout simplement.

Le spectacle de 1931, *Of Thee I Sing,* des frères Gershwin, parvint à inclure la critique sociale, mais de manière plus familière. Si optimiste qu'il pût paraître (Sondheim dit qu'Ira Gershwin n'aurait pas su faire de mal à une mouche si sa vie en avait dépendu), il devint la première comédie musicale à remporter le Prix Pulitzer. Le livret, de George S. Kaufman et Morrie Ryskind, était presque plus important que la musique. Mais, à travers la fusion des techniques de l'opérette et de la revue telle que démontrée dans *Show Boat,* il était arrivé

En haut, à gauche : Billy Rose (avec Charles MacArthur et Ben Hecht) incarna une race de producteurs qui se déclaraient « hommes de spectacle ». Ils travaillent ici à la préparation de *Billy Rose's Jumbo. En bas, à gauche :* pendant une répétition de *On the Town,* le metteur en scène George Abbott (bras croisés, au centre) avec ses collaborateurs : l'auteur-interprète Betty Comden, assise à gauche ; son partenaire Adolph Green, bras autour de Nancy Walker et de Sono Osato ; le chorégraphe Jerome Robbins parle à Abbott ; le compositeur Leonard Bernstein est assis derrière Robbins, la main sur le menton ; Green à vingt-huit ans, était l'aîné ; Walker, la cadette, avait vingt-deux ans.

Ci-dessus : Gertrude Lawrence et Noel Coward. Coward, dramaturge, compositeur, parolier et interprète, fut l'un des personnages de théâtre les plus éclectiques connus en Grande-Bretagne entre les deux guerres.

quelque chose de nouveau à la musique : elle était devenue plus sérieuse. Tant qu'une comédie musicale n'était que des chansons, il suffisait de n'être qu'un auteur de chansons. Mais à présent, l'auteur de chansons se trouvait sollicité pour être un compositeur sérieux, pleinement compétent pour les exigences musicales du commentaire effectif, et capable d'écrire des séquences musicales prolongées.

George Gershwin était en mesure de satisfaire cette exigence. Son frère Ira se souvient qu'il n'y avait pas un moment où George n'essayât d'approfondir ses études académiques ; si occupé fût-il par son travail pour le théâtre ou le cinéma, George trouvait toujours le temps de prendre des leçons ou d'analyser l'œuvre de compositeurs « sérieux » comme Schönberg, qu'il connaissait personnellement et admirait beaucoup. Gershwin ne fut certes pas le seul à bénéficier d'une formation classique : Porter, Kern et Rodgers étaient tous passés par une

éducation musicale formelle. Mais Gershwin était très nettement celui qui s'intéressait le plus à l'écriture de morceaux dits symphoniques. Dès 1924, Paul Whiteman avait demandé à Gershwin d'écrire du « jazz symphonique » pour un concert que Whiteman mettait sur pied à l'« Aeolian Hall » de New York. Gershwin composa *Rhapsody in Blue* en dix jours et, en dépit ou peut-être à cause du succès de cette œuvre, on l'accusa d'être incapable d'écrire pour orchestre : Gershwin avait demandé à Ferde Grofé d'orchestrer la pièce. Alors il écrivit à toute allure un nombre prodigieux d'œuvres pour faire taire ses détracteurs : le *Concerto en Fa* pour piano, *Un Américain à Paris,* sa *Deuxième Rhapsodie,* réalisant lui-même chacune des orchestrations.

Pour sa part, Gershwin semblait stupéfié par son talent et considérait sa musique (selon Ira) « avec un émerveillement presque mystique ». Sondheim dit : « Je ne sais quelle importance Gershwin accordait à sa musique quand il écrivait. J'aimerais le savoir. J'aimerais savoir s'il pensait à *Porgy and Bess* de la même manière que Leonard Bernstein à sa *Messe,* ou s'il y pensait en termes de " Bon Dieu, je parie que ce spectacle ne va pas marcher à cause de tous ces Noirs qu'il y a dedans ". » A l'époque, il ne marcha pas ; il fit une perte de soixante-dix mille dollars la première fois qu'il fut produit. Gershwin n'en retira jamais un seul sou, bien qu'il eût sué sang et eau dessus.

Pour ses créateurs (Gershwin, son frère Ira le parolier, le librettiste DuBose Heyward), la véritable tragédie de *Porgy,* c'est que personne ne

A gauche, en haut : les trois enfants du fantaisiste Lew Fields : Herbert, Dorothy et Joseph. Dorothy, qui travaillait seule ou bien en compagnie de ses frères, était une parolière-librettiste-scénariste qui prospéra dans le monde du théâtre musical, par ailleurs dominé par les hommes. A gauche, en bas : Agnes De Mille fait répéter Bambi Lynn (sous l'œil de l'actrice Jan Clayton) pour la séquence de ballet de Carousel.

A droite, en haut : ces deux curieuses photos de Lorenz Hart et Richard Rodgers montrent que l'idée des attachés de presse quant aux hommes-au-travail n'échappait pas aux conventions. Ci-contre : Rodgers (nu-tête, au piano) explique un point de la partition de Babes In Arms à la vedette Mitzi Green, aux producteurs du spectacle et au chorégraphe George Balanchine (assis, au centre). En bas, à droite : Jerome Kern fut le plus important collaborateur d'Oscar Hammerstein avant Rodgers. En dehors du succès de Show Boat, ils travaillèrent ensemble à Sunny (1925) et, ici, à Music In the Air (1932).

savait ce que c'était. Son thème était similaire à celui de *Show Boat* : la dure condition des Noirs. Rouben Mamoulian, l'émigré arménien cinéaste, amené d'Hollywood pour faire la mise en scène, considérait sa forme comme moitié opéra. « A l'origine il y avait beaucoup de récitatifs inspirés du style italien, m'a dit Mamoulian. J'en ai parlé à George en lui disant : '' Ceci n'est vraiment pas dans la note parce que le reste est si authentique, si américain, si noir et si rythmé. '' » Gershwin voyait en *Porgy* un « opéra populaire », quel que soit le sens de ce terme.

La nouveauté de *Porgy and Bess,* c'est qu'il était de la chanson à quatre-vingt-quinze pour

cent. *Show Boat* avait été construit suivant la ligne bien connue : scène-puis-chanson, scène-puis-chanson. Mais *Porgy* était presque tout musique : rempli de thèmes s'identifiant à tel ou tel personnage ou situation, tous reliés entre eux dans un canevas musical unique pour ce spectacle-là. Son langage dramatique, cependant, s'avéra trop compliqué pour le public de Broadway de son temps. « Nous ne sommes pas un pays d'aria, dit Alan Jay Lerner, nous sommes un pays de chanson. » Mais Gershwin avait essayé d'élargir et d'élever cet idiome de la chanson en y impliquant ce qui le sous-tendait. Là où *Summertime* incarnait la fonction traditionnelle de la chanson dans le théâtre (une

pause dans l'action, un moment de réflexion musicale, un divertissement insouciant), d'autres chansons, comme *Bess You Is My Woman Now,* contribuaient à l'action, faisaient progresser la compréhension d'un personnage, étaient reliés par le récitatif et le *leitmotiv*, et amenaient une évolution de l'intrigue.

Bien qu'il semble que Gershwin n'ait pas pleinement compris quel lièvre il avait levé, la leçon n'était pas perdue pour Mamoulian. Mais avant que l'un ou l'autre ait eu l'occasion d'exploiter ces enseignements, Gershwin mourut et Mamoulian retourna à Hollywood. Pendant qu'il répétait pour une représentation de son *Concerto pour piano*, Gershwin s'écroula. On diagnostiqua une tumeur maligne du cerveau et Gershwin ne reprit jamais connaissance après son opération. Il mourait à trente-neuf ans. John O'Hara eut ces mots : « George est mort le 11 juillet, mais je ne suis pas forcé de le croire si je ne veux pas. »

Durant les années trente, Oscar Hammerstein eut toujours l'obsession de la tâche qu'il avait choisie : apporter du sérieux à la comédie musicale, mais il ne parvint qu'à écrire des échecs qui lui donnèrent encore moins satisfaction qu'au public. Avec Jerome Kern, il avait projeté d'écrire une comédie musicale tirée d'une pièce du début des années trente, signée Lynn Riggs et intitulée *Green Grow the Lilacs* (« Verts Poussent les Lilas »), qui parlait de la colonisation du territoire de l'Oklahoma. Hammerstein était attiré par cette célébration des vertus simples incarnées dans l'installation d'un nouvel État ; Kern ne fut pas intéressé et le projet fut abandonné.

La pièce de Riggs avait été primitivement montée par la Guilde du Théâtre de New York. Quand vint 1940, la Guilde sombrant vers la banqueroute décida, soit de faire revivre nombre de ses anciennes productions, soit d'en

Sur le plateau de *Shall We Dance*, George Gershwin joue pour Astaire et Rogers, tandis que le chef de ballet Hermes Pan, le metteur en scène Mark Sandrich, Ira Gershwin — fumant la pipe — et l'orchestrateur Nathan Shilkret observent. Astaire, quoique le plus souvent son propre chorégraphe, dépendait presque toujours de Pan pour coordonner, répéter et critiquer les numéros. *Au centre :* Cole Porter et le metteur en scène Sidney Lanfield entourent Rita Hayworth sur le plateau de *You'll Never Get Rich,* l'un des films d'Astaire sans Rogers. *En bas :* Irving Berlin, Astaire et Rogers.

vendre les droits. Elle s'adressa à Richard Rodgers et lui demanda de monter un spectacle avec son partenaire de longue date Lorenz Hart. Hart était malade et n'avait pas envie de tenter le coup. La Guilde fut déçue mais fit venir Hammerstein et signa avec Mamoulian pour la mise en scène.

Dès le départ, le têtu Mamoulian fit des histoires. Dans son contrat, il stipula que la production qu'il avait en tête ne serait pas une comédie musicale conventionnelle. « J'ai essayé d'exprimer mes idées sur la danse, la musique, et les paroles. Et évidemment, ils ont dit : " Parfait, parfait, vous n'avez qu'à faire ce que vous pensez être le mieux ". » Après une semaine de répétitions, la chorégraphe Agnes De Mille avait fait préparer la première séquence de danses pour l'inspection de Mamoulian. Tout le monde fut enthousiasmé, sauf Mamoulian. « Je l'ai vu. Et j'ai dit " Agnes, ça ne va pas du tout. C'est du ballet. Premier point : la scène ne sera pas vide. Deuxième point : les premiers rôles doivent être dedans. Troisième point : enlevez le ballet et faites-en davantage une expression populaire américaine. " Alors, évidemment, elle en a été malade. »

La fonction de la danse dans le spectacle n'était pas le seul problème. Rodgers grommela qu'il était impossible pour ses personnages de chanter pendant qu'ils évoluaient sur la scène. Pourquoi ne pourraient-ils pas venir jusqu'au devant de la scène comme d'habitude et « présenter » les chansons au public ? Seul Hammerstein sembla avoir compris Mamoulian, espérant que ses textes profiteraient de l'insistance de ce dernier. « Faites-nous un dialogue avec des rythmes et des rimes, lui avait dit Mamoulian. Quand les émotions seront prêtes, alors nous passerons à une chanson. »

Mais lorsqu'on en vint aux répétitions complètes, Mamoulian fut traité en vaurien. « A peine si mes amis et mes associés me parlaient encore, se souvient-il. Tout le monde dit aujourd'hui quel bonheur a dû être *Oklahoma !* En fait, ce fut l'expérience la plus pénible de toute ma vie. J'ai perdu près de huit kilos. » La première à New Haven faillit être la dernière. Après la représentation, Mamoulian vit un groupe entourant Rodgers, De Mille et Hammerstein, l'ignorant tous manifestement. « Finalement, ils ont dit : " Nous avons essayé de raisonner avec vous, essayé de vous dire que

personne ne veut de cette pièce musicale à prétentions intellectuelles, soi-disant intégrée. Il n'y a pas d'attractions spéciales, pas de filles qui dansent, rien. Cela va faire un bide désastreux. " » Mamoulian rentra chez lui.

De nouveau d'après Mamoulian, à deux heures du matin, le téléphone sonna et on l'invita à l'enterrement. La Guilde du Théâtre voulait que l'on remette de l'ordre dans ce sac de chiffons. Mamoulian : « Étais-je le grand metteur en scène de Hollywood, revenant pour prouver que j'étais le meilleur de tous ? me suis-je demandé. J'ai décidé de me fier à mon intuition. J'ai dit : " Je sais que vous avez tous joué gros là-dedans, et pour bien vous montrer que je ne suis pas par caprice une vaine lubie, je vais vous promettre que si je me trompe — et que vous êtes tous dans le vrai — plus jamais, jamais, je ne ferai de mise en scène sur les planches. " » Face à une affirmation aussi catégorique, l'opposition se calma. Richard Rodgers travaillait pour la première fois avec un nouveau parolier ; Agnes De Mille avait en vue sa première chance à Broadway ; la Guilde était au bord de la faillite. Le fils de Hammerstein, William, se souvient que le contrat de Mamoulian comportait les mots « comme je l'entends ». Et c'était tout.

Le spectacle partit pour Boston — les locations étaient insignifiantes. Juste à côté, Mary Martin faisait salle comble avec des attractions et des danseuses à profusion.

La première d'*Oklahoma !* à New York, le 31 mars 1943, aurait pu elle aussi être la dernière. On avait donné des billets exonérés à des kyrielles d'amis, mais la salle n'était tout de même qu'à moitié pleine. Le lendemain matin pourtant, après une série de chroniques dithyrambiques, il se forma devant les guichets une queue qui resta une caractéristique constante pour les cinq années à venir. Le spectacle dura 2 212 représentations, la plus longue série jamais réalisée sur une scène de Broadway à cette date-là. Au-dessus du théâtre, l'affiche de publicité du spectacle énonçait les noms de Rodgers, Hammerstein et Mamoulian en grosses lettres. Il n'y avait pas de « vedettes » dans la distribution et la Guilde du Théâtre n'avait qu'une ligne en bas qui disait : « Supervisé par la Guilde du Théâtre — Theresa Helburn et Lawrence Langner. » Après la première soirée, Walter Winchell vit des peintres travaillant sur l'affiche et supposa qu'ils ajoutaient les noms d'une jeune équipe heureuse. En fait, ils caviardaient la mention de la Guilde – pour la repeindre en dix fois plus gros que l'original. Hammerstein considéra ce succès prolongé avec une loufoquerie typique. Il prit une page d'annonce dans *Variety,* dressant la liste de ses récents bides, et ajoutant : « Je l'ai déjà fait et je peux le refaire ! » Mamoulian, pour sa part, ne souffla mot.

Comparé à celui de *Show Boat* ou de *Porgy and Bess,* le thème d'*Oklahoma !* était trivial. Sur le plan théâtral, cependant, c'était une œuvre éclatante d'invention. Mamoulian explique : « Il faut vous rappeler que la musique, la danse, comme les répliques et l'action dramatique, font chacun un élément vital quoique distinct dans le théâtre. Quand vous allez voir une pièce, pourtant, il vous manque la musique. Allez voir un opéra, il vous manque les répliques. Vous entendez un récitatif et vous remerciez le ciel que ce soit en italien ou en allemand, que très peu de gens comprennent. S'il y en avait plus, ils seraient rentrés chez eux depuis des années tellement les mots sont stupides. Alors vous commencez à vous dire : Pourquoi ne pas combiner tout ça ? Pourquoi ne pas viser un théâtre total ? La diversité est une bonne chose : comédie boulevardière, drame sérieux, tragédie, farce, belle musique. Mais pourquoi ne pas assembler tous ces genres ? Normalement, avant, on avait une scène dramatique, des gens discutant, pas mal de dialogue de boulevard. Et puis tout à coup, il y en avait un qui se levait et qui se mettait à chanter. Convention, soit, mais ridicule. Ou une autre scène, de comédie peut-être, où soudain boum ! un danseur fait le tour de la scène. C'est idiot. Mais supposez qu'on ait une scène dramatique avec une émotion croissante où *rien* ne puisse s'ajouter aux répliques parlées, sinon une chanson ? »

Dans *Oklahoma!,* l'insistance de Mamoulian sur l'Art, et la capacité extraordinaire de Rodgers et Hammerstein à le fournir, donnèrent des résultats. On ne pouvait enlever aucune des principales chansons du spectacle sans rendre l'histoire inintelligible. Chaque chanson faisait progresser l'intrigue ou la compréhension d'un personnage. Jusqu'alors, il était de coutume – comme dans le music-hall – de commencer les spectacles par un gros « numéro de production » pendant que les retardataires se glissaient dans leurs fauteuils ou développaient bruyamment leurs chocolats.

Oklahoma ! s'ouvre sur un solo, hors scène. Sur scène, une fille fait du beurre à la baratte. Dans le fond, on entend un jeune homme qui chante – sur un rythme de valse – *Oh What a Beautiful Morning* (« Oh ! quel beau matin »). Le public de la première fut sidéré et écouta dans un silence absolu.

Hammerstein a parfaitement reconnu l'apport de son prédécesseur, l'ancien partenaire de Richard Rodgers : « S'il n'y avait pas eu Larry Hart, a-t-il dit, aucun de nous ne se serait senti libre d'écrire des paroles de tous les jours. Il prenait la façon de parler des gens et il les mettait dans ses textes de chansons. Ça n'a l'air de rien, mais au début des années vingt, personne ne l'avait jamais fait. » Stephen Sondheim dit : « La plupart des artistes de rock n'ont pas la moindre idée de qui était Lorenz Hart. Ils ont tendance à penser qu'ils ont le brevet de l'expression de soi. Foutaises ! »

Après *Oklahoma!,* Mamoulian retourna à Hollywood. Un metteur en scène de cinéma, comme lui européen d'origine, Ernst Lubitsch, lui déclara : « C'est la première comédie musicale que je vois sur scène, où les gens ne soient pas complètement idiots. » Mais Hollywood, bien entendu, se débrouilla pour gâcher cette réussite. Lorsque Mamoulian vit une des premières séquences du film tiré d'*Oklahoma !* : « Cela me fendit le cœur : c'était un western de piétons, avec quelques chansons collées. Totalement naturaliste, et sans style. On avait ignoré les leçons de l'intégration. » D'ailleurs, elles n'avaient jamais été assimilées. De toute façon, Hollywood savait toujours quand il était sur un bon coup. Évidemment que les films étaient bons ; n'y avait-il pas des milliers de personnes

---

Aucun interprète – ni, à cet égard, de compositeur, parolier ou metteur en scène – n'eut un aussi fort impact sur le film musical que Fred Astaire et Ginger Rogers. Ils travaillèrent avec les Gershwin, avec Porter, avec Kern et Fields, avec Irving Berlin. Ils dansaient audacieusement *(en haut, à gauche)* dans *Swing Time* ; romantiquement *(en haut, à droite)* dans le *Cheek to Cheek* de Berlin de *Top Hat* (« Chapeau Claque ») ; et de manière grandiose *(en bas)* dans *Flying Down to Rio* (« Vol vers Rio »), leur premier film. Quelqu'un, on dit que c'est Katharine Hepburn, les a un jour qualifiés de « parfaite association » : elle lui donnait du sexe, et il lui donnait de la classe ».

qui allaient les voir ? Et, évidemment que la musique était merveilleuse : les chansons à tubes des années trente et du début des années quarante ne provenaient-elles pas à quatre-vingt-dix pour cent des films ?

Certains compositeurs étaient allés à Hollywood parce que l'industrie du cinéma représentait un débouché important de plus pour les nouvelles chansons, surtout avec le déclin du théâtre pendant les premiers temps de la Dépression. Porter, Kern et les Gershwin avaient tous gagné l'Ouest en pensant aux occasions que promettait Hollywood. « Je ne pense pas qu'ils le faisaient rien que pour l'argent, dit Stephen Sondheim, encore que c'était un avantage de toucher un cachet à l'avance au lieu d'avoir à attendre que votre spectacle sur scène devienne un succès. Je crois qu'ils le faisaient pour l'expérience et parce que travailler à Hollywood voulait dire que vos chansons avaient une chance d'être très largement répandues. »

Mais pour beaucoup, Hollywood fut une

expérience frustrante. « Dans une production scénique, dit E. Y. Harburg, l'auteur a le droit de discuter et de conseiller le metteur en scène. Mais dans un film, l'auteur n'a aucun droit. En fait, metteur en scène et producteur peuvent vous exclure du plateau — et ils le faisaient. » Harburg ajoute, parlant d'Hollywood : « Ils divisent les États-Unis en rednecks * et en cerveaux, Midwest, et Sud et Est, les bouseux et les futés. Et puis ils établissent une '' moyenne ''. Quatre-vingts pour cent de l'argent venait de chez les bouseux — il fallait qu'ils fassent plaisir aux bouseux pour récupérer leur argent. »

Il était inévitable que la manie de tout mettre sur le marché, qui avait infecté Tin Pan Alley, parvînt jusqu'à Hollywood avec ses protagonistes véreux. Il était également inévitable que le genre revue du théâtre musical dût trouver son accomplissement ultime avec les Grands Manitous du cinéma. On a accusé Hollywood de

presque tout en son temps, y compris de la mort du music-hall. Mais ce fut Hollywood, avec sa prédilection pour le frivole, qui préserva temporairement cette tradition. Les comédies musicales des années trente, quarante, et du début des années cinquante, comportaient souvent des re-créations romantiques du music-hall ; Busby Berkeley faisait film après film avec une intrigue extrapolée de ce genre de spectacle ; Bing

---

Le gracieux Astaire eut pour seul rival le sportif Gene Kelly, né à Pittsburgh en 1912, ici, dans le *Broadway Melody* tiré de la comédie musicale la moins embarrassante de Hollywood : *Singin' in the Rain* (en haut, à gauche).

Pour finir, la « petite » comédie musicale hollywoodienne fut remplacée par des monstres encombrants ; la conversion de la scène à l'écran était tout ce qui comptait ; elle était au mieux maladroite, au pire déformante *(en bas, à gauche)* : une scène de la version filmée d'*Oklahoma !* Le décor peint du fond n'aurait pu tromper le citadin le plus myope.

Ci-dessous : Damn Yankees, sur scène, où semble-t-il, peu d'efforts furent faits pour créer l'illusion d'un vrai terrain de base-ball.

---

* Littéralement « cou rouge » : désigne les petits Blancs paysans du Sud, généralement puritains, racistes et réactionnaires.

Crosby et Bob Hope faisaient des variétés à la petite semaine dans leurs films de « tournées » ; dans le premier film de Gene Kelly, *For Me and My Gal,* et dans son plus grand *Singin' in the Rain* (« Chantons sous la Pluie »), il fait jouer des chanteurs et danseurs. Hope avait commencé sa carrière au music-hall ; de même Jolson et W.C. Fields, les Marx Brothers et Fred Astaire. Tous apportèrent un répertoire de music-hall et des techniques de revue, qu'ils étaient en mesure de présenter sur film de manière très étudiée et techniquement très au point. La seule présence de Mae West était la preuve que le burlesque à Hollywood était encore en vie. Les anachronismes du théâtre musical — parmi lesquels cette passion pour les provinces balkaniques dont les films de Jeanette MacDonald et Nelson Eddy offrent l'exemple — ont survécu au pays des nuages et de la loufoquerie longtemps après que Broadway les eut abandonnés.

Compositeurs et metteurs en scène subissaient encore les séductions du genre, en plus de cela, même si c'était généralement pour leur malheur. Ken Russell parle de la destinée de son film léger *The Boy Friend.* « Il n'entrait pas dans la fente voulue des deux heures pour les salles, dit-il. Mais au lieu de me demander des coupures — que j'aurais faites parce que je savais que c'était trop long — les distributeurs enlevèrent tout simplement la bobine n° 9. Ce qui voulait dire enlever tout un passage du développement de l'intrigue, comprenant deux titres entiers. Et après ça ils raccourcirent chaque titre. Et après ça ils ont dit : " Ce n'est pas une très bonne comédie musicale, hein ? " Évidemment que non. La MGM y avait fichu le bordel, et c'est pourquoi à présent ce n'est pas une très bonne comédie musicale. Les firmes de cinéma préfèrent dépenser deux millions de dollars en réceptions de lancement pour des gens qui n'ont rien de mieux à faire, que de les consacrer à équiper leurs salles avec des sonos correctes pour que les films puissent être convenablement appréciés. »

Depuis le succès du film *Tommy,* dit Russell, « Je vois bien ces emmerdeurs d'Hollywood qui n'ont seulement jamais entendu parler de musique rock. Beverly Hills en est probablement bourré à l'heure qu'il est. Ils ont six scripts chacun et ils n'ont pas la plus vague idée de qu'en faire, sinon les manger. » Lorsque Hollywood s'empara du spectacle de Leonard Bernstein *On the Town* (« Sur la Ville ») on ne retint que quatre de ses chansons et on introduisit des auteurs pour composer une fournée de substituts. La version hollywoodienne du *Pal Joey* de Rodgers et Hart avait laissé tomber trois chansons et ajouté trois autres tirées tout droit de *Babes in Arms* et de *On Your Toes.*

Bien qu'*Oklahoma !* eût utilisé la danse comme moyen de développer l'intrigue, il n'avait pas été le premier dans ce cas : *Slaughter on Tenth Avenue* (« Meurtre sur la 10e Avenue ») dans *On Your Toes,* avait une chorégraphie de George Balanchine (le spectacle parlait d'un danseur de ballet, et donc nécessitait des séquences de ballet). Mais cela aida pour de bon à prouver qu'une communication était possible à travers la danse sur une scène de comédie musicale, possibilité plus tard mieux exploitée par *Oklahoma !* et *On the Town. The Most Happy Fella* de Frank Loesser (1956) contenait presque toute son intrigue à l'intérieur des

---

Tandis que Rodgers et Hart écrivaient des spectacles « urbains » raffinés, Rodgers et Hammerstein furent plus bucoliques. Ils préférèrent le territoire indien *(Oklahoma !)* et les foires cantonales *(Carousel)* ; en fait, tout ce qui faisait écho aux vertus domestiques et provinciales. *The Sound of Music (ci-dessus)* montrait Mary Martin dans les Alpes ; *South Pacific (à droite)* l'emmenait très loin en kilomètres, sinon en valeurs émotionnelles.

passages musicaux. Arthur Laurents, qui écrivit le livret de *West Side Story* (1957), voulait replacer tout le dialogue, et c'est exactement ce que le compositeur Leonard Bernstein, son parolier Stephen Sondheim et le chorégraphe Jerome Robbins accomplirent à l'occasion. Sondheim dit : « Arthur avait écrit pour le dialogue un livret dont Jerry Robbins ne savait pas quoi faire. Arthur disait : '' Supposez qu'un Jet arrive en scène et que deux Requins l'attaquent et qu'ensuite quatre Jets attaquent deux Requins et qu'ensuite six Requins l'attaquent et qu'ensuite quatre Jets attaquent deux Requins et qu'ensuite six Requins attaquent quatre Jets et qu'ensuite on fasse monter ça jusqu'à ce qu'il y ait liberté pour tous. Ceci posera le décor pour une bonne part de l'action à suivre. '' Bernstein et moi avons été d'accord, et le prologue tout entier — qui dure sept minutes, mais nous a pris trois mois à écrire — a été conçu avec des paroles complexes. Arthur a dit ensuite qu'il avait le sentiment que tout le truc pourrait avoir plus de portée *sans* les paroles. Alors il a écrit un scénario et Jerry l'a exploité et c'est ainsi que le prologue de *West Side Story* a pris naissance. On vous raconte quand même l'histoire, comme nous en étions tous convenus, mais sans qu'un seul mot ne soit ni chanté ni dit. Mais, à la fin de la septième minute, on vous a exposé la chose entièrement, et tout cela par la danse. »

Vers les années soixante, la comédie musicale — à Broadway, sinon à Hollywood — apparaissait solide comme genre artistique vital et en progrès, autant que viable comme proposition commerciale. *Hair*, en 1967, sembla une évolution naturelle ; il alliait la forme intégrée à un nouveau langage musical. En fait, il faisait reculer la montre de quarante ans. A certains égards resucée de l'un des plus populaires spectacles de l'histoire musicale américaine, *Hellzapoppin'* (créé à la scène en 1939), *Hair* était une revue. Cela fut un succès à cause de sa musique éclatante, mais aussi parce que la revue était un genre artistique si vieux qu'il en paraissait neuf ; Rodgers et Hammerstein et la maturation du théâtre musical avaient donné cette assurance. *Hair*, qui avait l'air sidérant parce que depuis vingt-cinq ans les publics s'étaient accoutumés à des comédies musicales qui leur racontaient une histoire, parle d'un jeune homme qui fait son entrée dans l'armée. Ou quelque chose comme ça. Et il y a des nus à la

fin du premier acte. Le seul rapport entre les chansons, c'est que les gens qui les ont écrites les aimaient bien. Elles disent peu de l'intrigue, du personnage ou de l'action. Pour ce qui est de la danse, elle était spontanée — ce qui, bien sûr, était le propos de la culture de la jeunesse. Ou aurait dû l'être. Ou quelque chose comme ça. Galt MacDermott, son compositeur, ne se fit guère d'illusions sur sa philosophie : « Ça m'a simplement amusé, dit-il. Les gars qui l'ont écrit avaient une attitude qui était originale. Il y avait pas mal de prêchi-prêcha dedans, que je n'ai pas pris trop au sérieux. Le rapport à la sexualité, à la race et à la dope a semblé légère-

A gauche : Rex Harrison et Julie Andrews (alors âgée de vingt et un ans) dans *My Fair Lady* (1956).

Ci-dessus, en haut : Zero Mostel célébra sa rentrée, après avoir été sur la liste noire du spectacle, dans *Fiddler on the Roof* (« Un Violon sur le Toit », 1964). *Ci-dessus :* Hello, Dolly ! avec Pearl Bailey dans le rôle de Carol Channing pour la production « entièrement noire ».

ment provocateur sur le moment, mais aussi légèrement ridicule. »

Quoique *Hair* n'eût en rien fait avancer la comédie musicale en tant que genre, il eut bien d'autres conséquences, plus durables peut-être. Son producteur, Joseph Papp, était resté insensible à tout ce qu'implique Broadway. « Je n'ai jamais été proche du théâtre musical dans mon enfance, dit-il. En fait, je savais à peine qu'il existait. Je viens d'un quartier très pauvre, et la musique que je connaissais le mieux était celle de la rue, et puis peut-être quelques chansons de films. Broadway était tout à fait étranger à ma classe : Broadway voulait dire argent, alors nous n'y pensions seulement jamais. »

Papp n'était pas plus intéressé par la musique rock avant que James Rado et Gerome Ragni lui eussent apporté les douze feuillets d'un script et

qu'il eût suggéré d'y faire mettre de la musique par MacDermott. Mais là où *Show Boat* était la sophistication d'un thème, et *Oklahoma !* la sophistication d'une technique, *Hair* était simplement ce que les spectateurs de Broadway espéraient trouver dans la musique rock : un peu de saleté, un peu de déviance, mais tout cela au fond bien gentil et comme il faut. En soi, cela

---

En haut à gauche : brouillon de Peter Arno pour l'affiche de *The Pajama Game. Au centre :* une « roue de la fortune » dans le bureau actuel de Harold Prince. Chaque section de la roue contient les titres de deux de ses productions. New York ayant dû faire place à l'exotisme lui-même a retrouvé une seconde jeunesse ces dernières années. Joseph Papp *(en haut à droite)* fut responsable de *Hair (en bas, à gauche)* et de *A Chorus Line (à droite).* Dans l'un, les comédiens exposaient leurs corps ; dans l'autre, fut-il déclaré, leur psychisme.

n'avait aucun rapport avec la comédie musicale. Mais cela procurait l'impression que la jeunesse avait apporté à la comédie musicale cette vigueur mal élevée qui seule pouvait revigorer cette tradition que l'on voyait cafouiller. Malheureusement, cela s'avéra une illusion.

Ceci était dû pour une part au fait que les conditions économiques pour monter une comédie musicale étaient devenues un véritable cauchemar. Il y a bien plus de spectacles qui doivent fermer après moins d'une semaine qu'il n'y en a qui atteignent le moindre succès. Pour une fois, les exigences excessives du personnel de scène, des acteurs et des musiciens ont paralysé leur action. Le *Chicago* de John Kander et Fred Ebb, par exemple, nécessitait treize musiciens sur la scène ; la Fédération américaine des Musiciens exigea que l'on engage vingt-six de ses membres dans ce spectacle. Ainsi, chaque soir, treize musiciens se faisaient payer pour garder un silence total. La seconde création à Broadway du *Candide* de Leonard Bernstein, qui était prévue pour douze musiciens, impliquait une restructuration de la salle, qui réduisait considérablement le nombre des fauteuils disponibles. Mais, comme le nombre des musiciens requis par le contrat syndical est déterminé par le nombre de fauteuils *d'origine* de la salle, encore une fois, treize musiciens oisifs touchèrent un cachet entier pour leur « travail » de la soirée.

Bob Fosse, qui a mis en scène *Chicago*, dit : « Le spectacle est revenu à neuf cent mille dollars à produire — on peut faire un film à ce prix. Et quand vous regardez *Chicago*, vous vous demandez : où sont passés les neuf cent mille

dollars ? Admettons qu'il y en avait cent mille dus à un ajournement. Mais quand j'ai fait mes débuts de metteur en scène il y a dix ans, on pouvait faire le même spectacle pour trois cent mille. » Harold Prince, autre éminent producteur-metteur en scène de Broadway, affirme que cela devient de plus en plus difficile de trouver des commanditaires : « Cela s'assouplit quand vous avez eu à votre crédit quelques spectacles qui ont marché, mais vous êtes constamment obligé de battre la campagne pour trouver de nouveaux investisseurs. » *Follies,* l'une des plus somptueuses productions de Prince, a fait l'objet d'un culte et s'est joué 522 fois. Il a perdu 650 000 dollars. Tout le monde avait supposé qu'il rapportait. Jusqu'au moment où il a fermé.

« Le problème avec les producteurs traditionnels de Broadway, m'a dit Joseph Papp, c'est qu'ils sont coincés par leur propre tradition et finissent par commettre des erreurs. Ils vont essayer de reproduire quelques succès, ou tenter un truc qui attirera le spectateur. Mais ils ne savent rien, ils ne savent vraiment rien. » *Hair* a connu la réussite, mais non parce que c'était une comédie musicale révolutionnaire — ce n'en était pas une — ni parce qu'il a changé la nature du public de Broadway — il n'en a rien fait. Le public de Broadway est d'âge et de classe aussi moyens qu'il l'a toujours été. Les changements sociaux et économiques vont ensemble, selon Papp, et le théâtre doit toujours refléter l'esprit d'une classe donnée à une période donnée s'il veut avoir quelque validité. Et quelque vente de billets.

Le temps du swing

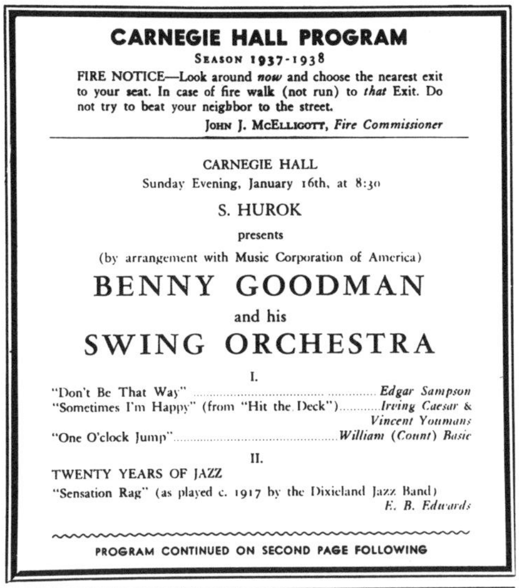

CARNEGIE HALL PROGRAM

SEASON 1937-1938

FIRE NOTICE—Look around *now* and choose the nearest exit to your seat. In case of fire walk (not run) to *that* Exit. Do not try to beat your neighbor to the street.

JOHN J. McELLIGOTT, *Fire Commissioner*

CARNEGIE HALL

Sunday Evening, January 16th, at 8:30

S. HUROK

presents

(by arrangement with Music Corporation of America)

BENNY GOODMAN

and his

SWING ORCHESTRA

I.

"Don't Be That Way" .... *Edgar Sampson*

"Sometimes I'm Happy" (from "Hit the Deck") .... *Irving Caesar &*
Vincent Youmans

"One O'clock Jump" .... *William (Count) Basie*

II.

TWENTY YEARS OF JAZZ

"Sensation Rag" (as played c. 1917 by the Dixieland Jazz Band)
E. B. Edwards

PROGRAM CONTINUED ON SECOND PAGE FOLLOWING

« **C**e qu'il y a avec le jazz, dit Artie Shaw, c'est que les musiciens blancs ont très vite appris que c'était un moyen de fuir l'ennui. Nous jouions les plus misérables chansons de Tin Pan Alley. Des trucs comme *Marie Lou* — vous ne pouvez pas imaginer cette chanson, c'est un tel tissu d'âneries ! Des airs comme *Ain't She Sweet, There She Goes, on Her Toes* — tous les foutus titres que vous voudrez — *Five Foot Two, Eyes of Blue*. Ce genre de chansons ; horrible. *If You Knew Susie,* une musique atroce. Peu importait la qualité. Mais c'était ce que nous devions faire. Alors pour survivre, quand personne ne regar-

---

Danseurs de *jitterbug* à la Foire Internationale de New York, 1939.

dait ou quand le leader allait aux cabinets, nous improvisions pour voir ce que nous pouvions tirer de cette saloperie. Ce fut le commencement de notre jazz. »

Quand vint le début des années trente, Tin Pan Alley avait gratté son jazz et son ragtime jusqu'au fond. Les ventes de disques avaient chuté de cent millions en 1927 à seulement six millions en 1931. Même le mot « jazz » n'était plus en faveur. Le « jazz » qui avait accompagné les années vingt semblait peu approprié après l'effondrement de Wall Street ; la Dépression appelait des sons plus doux et plus apaisants.

En fait, comme nous l'avons vu, les vrais jazzmen n'avaient jamais quitté leur habitat souterrain. Mais la Dépression put garantir qu'un nombre considérable de musiciens de « jazz » blancs, pour lesquels l'emploi devenait soudain limité, se joignent à eux. Les conditions étaient souvent périlleuses, surtout dans la mesure où le gangstérisme offrait une clientèle risquée. « Nous voyions s'amener ces bandits, et nous courbions l'échine, dit Harry James. " Au Triangle Club ", un soir, le patron a pris une balle dans l'estomac, mais nous avons continué à jouer. Après quoi, il a marché plutôt plié. » Woody Herman dit qu'il a pris une balle dans la jambe le premier soir qu'il jouait, adolescent, dans un groupe à Chicago. Mais pour soulager la frustration de la Dépression, et pour échapper à la musique que produisait Tin Pan Alley, les musiciens blancs s'attroupèrent partout où les jazzmen noirs faisaient leur musique. « Chaque fois que j'avais une semaine libre, se rappelle Artie Shaw, j'allais à Chicago m'asseoir aux pieds — littéralement aux pieds — de ces gars, sur le rebord de l'estrade, et je regardais ces mecs comme Louis Armstrong faire leurs trucs. » Shaw lui-même eut un pied à l'étrier quand il décrocha un engagement avec Red Nichols, chef d'orchestre blanc qui travaillait à New York dans le centre-ville. Mais il passait tout son temps de loisir à Harlem, à écouter des musiciens noirs tels que Willie « The Lion » Smith.

L'attrait du jazz noir pour ce nombre croissant de musiciens blancs qui souhaitaient jouer dans ce style était évident. « Le jazz noir était moins compassé, dit Shaw, moins influencé par l'héritage des Blancs qui, consciemment ou non, avaient été élevés avec Palestrina, Mozart ou Beethoven. Les musiciens noirs n'étaient pas obligés de savoir lire la musique. Mais ce que les musiciens blancs apportèrent au jazz, ce fut une

sorte de discipline et d'entraînement — et, bien sûr, une acceptation sociale. »

L'industrie musicale blanche avait besoin d'un apport de sang neuf, les musiciens blancs avaient besoin d'un style neuf qui les satisferait autant que leur public. Les orchestres noirs de

Benny Goodman n'inventa sans doute pas la musique, mais il la popularisa ; ses accompagnateurs (parmi lesquels Harry James, Lionel Hampton et Gene Krupa) dirigèrent à leur tour leurs propres orchestres à succès. *Ci-dessus* : Goodman avec Artie Shaw (assis).

En haut, à droite : Goodman au « Steel Pier » d'Atlantic City, en 1936, avec Helen Ward ; Harry James est accroupi à côté de Goodman. *En bas, à droite* : une foule en délire au « Paramount Theatre » de New York, 1939.

Chicago, dans une tentative pour se faire reconnaître à leur manière, avaient commencé à interpréter des succès du jour dans un style « jazz ». Mais il y avait peu d'espoir que de tels arrangements, par Fletcher Henderson ou Benny Carter ou qui on voudra, puissent atteindre une large audience, sauf par le truchement d'un orchestre blanc. Une compagnie européenne demanda à John Hammond, alors jeune directeur artistique et passionné de jazz, de trouver un orchestre qui procurerait à l'industrie musicale blanche son prochain bon filon. Hammond et son employeur, la firme de disques Decca, étaient convaincus de l'existence d'un marché — en Europe comme en Amérique — pour les orchestres de danse blancs jouant des succès, mais avec la gaieté, la syncope et la pulsion du jazz. La demande de Hammond fut satisfaite par un jeune clarinettiste peu sûr de lui, indécis, mais particulièrement doué, Benjamin David Goodman.

Goodman était musicien de métier depuis l'âge de treize ans. Son premier solo sur disque, dans un morceau intitulé fort à propos *He's the Last Word* *, révéla un maître de la technique. Lui aussi avait eu quelque formation classique ; il se sentait aussi à l'aise en jouant des concertos pour clarinette qu'en improvisant du jazz. Comme Shaw, il joua chez Red Nichols et eut plus tard quelque succès au sein de l'orchestre de Ben Pollack au « Venice Ballroom » de Los Angeles. Sa première expérience de leader, toutefois, survint quand on lui demanda de mettre

---

Ci-dessus : Earl Hines fit onze ans de scène au « Grand Terrace » de Chicago, de 1929 à 1940. Hines lui-même, né en 1903 à Duquesne (Pennsylvanie), joue depuis avec un petit groupe qui tourne onze mois par an.

A droite : le Gramercy 5 d'Artie Shaw, l'orchestre dans l'orchestre, emprunta son nom à un central téléphonique. A côté de Shaw, Roy Eldridge, premier trompettiste de jazz après Louis Armstrong.

---

* Littéralement : « c'est lui le dernier mot », « rien à ajouter après lui ».

sur pied un groupe pour accompagner le chanteur de variétés Russ Colombo. Le groupe comprenait le pianiste Joe Sullivan et un jeune batteur du nom de Gene Krupa. « C'était, dit Goodman, un assez bon petit orchestre de jazz. » Ce fut Hammond qui pressa Goodman de réunir un combo pour se produire régulièrement, selon les mêmes lignes directrices.

L'orchestre, constitué de cinq cuivres, quatre saxos, une guitare rythmique, une contrebasse et un piano (plus Goodman, bien entendu, à la clarinette), fut dûment formé pour un engagement au Music-Hall de Billy Rose à New York en 1933. Goodman en a gardé le souvenir d'une période difficile : « C'était assez dur d'entrer là-dedans et de faire jouer ce groupe, de leur faire faire exercices et répétitions. Parfois des musiciens ne venaient tout bonnement pas. C'était très décevant. » En fait, l'orchestre eut son congé au bout de deux mois — mais pas avant qu'il eût gagné une audition pour une émission de radio sur une des grandes chaînes, patronnée par la National Biscuit Company. Intitulée *Let's*

Dance, l'émission dura vingt-six semaines et la musique fut très avivée par le nouvel arrangeur de Goodman, le chef d'orchestre noir Fletcher Henderson. « Les arrangements étaient uniques », dit Goodman. En fait, Henderson avait utilisé les mêmes arrangements — sur des morceaux comme *King Porter Stomp, Sugarfoot Stomp* ou *Down South Camp Meeting* — dans son propre orchestre dix ans plus tôt.

Quand s'acheva l'emploi à la radio, très peu de choses aurait pu laisser prévoir que le succès était imminent pour Goodman. Il assura un contrat au Roosevelt Hotel de New York, occupant un poste habituellement dévolu aux Royal Canadians de Guy Lombardo avec leur « musique la plus douce de ce côté-ci du paradis ». Le premier soir, on donna ses quinze jours à l'orchestre Goodman.

Le groupe partit en tournée vers l'ouest, où il rencontra une indifférence totale. « Nous sommes arrivés à Denver, Colorado, m'a raconté Goodman, et ce fut absolument la catastrophe. Il n'y avait quasiment personne

Ci-dessus : Ella Fitzgerald, et l'extraordinaire batteur Chick Webb. Ella, née à Newport News (Virginie) en 1918, régna avec Webb comme roi et reine du « Savoy Ballroom » de Harlem, jusqu'à la mort de Webb en 1939. Ella « hérita » de l'orchestre et le maintint dans l'état pendant trois ans avant de voler de ses propres ailes.

Page suivante, sens des aiguilles d'une montre à partir d'en haut à gauche : Ivie Anderson, qui chanta chez Duke Ellington ; son premier enregistrement en 1932 fut *It Don't Mean a Thing (If It Ain't Got That Swing)* ; Maxine Sullivan, qui a chanté avec Benny Carter ; Dinah Washington, plus chanteuse de blues que chanteuse d'orchestre ; Billie Holiday, en 1954 : « Je ne pense pas que je chante, avait-elle dit à Nat Shapiro et à Nat Hentoff ; j'ai l'impression de jouer du cor. »

dans la salle et les gens voulaient des valses. Bon, nous ne savions pas jouer des valses, alors il nous fallait continuer à jouer ce que nous pouvions. » La tournée fut un échec. Quand l'orchestre en arriva à son dernier engagement — au « Palomar Ballroom » de Los Angeles, en août 1935 — l'attitude de ses membres, selon Goodman, fut de se dire : Eh bien, qu'est-ce qu'on a à perdre ? Presque effrayés d'avoir à jouer, ils décidèrent de se laisser aller avec ce qu'ils avaient de mieux. « A partir de l'instant où je les ai fait attaquer, dit Goodman, les gars se sont plongés dans un des meilleurs moments de musique que j'avais entendus depuis notre départ de New York. »

Personne ne saura jamais ce qui, en une soirée, transforma une tournée lugubre en un triomphe réputé avoir instauré toute une époque. La musique n'était pas nouvelle. D'autres groupes blancs, en particulier celui des frères Dorsey, avaient essayé de marier le jazz avec une formation de grand orchestre ; d'autres groupes s'étaient même servi des arrangements de Henderson. « Je ne sais pas ce qu'il y a eu, dit Goodman, mais la foule est entrée en transes, et puis... boum ! » Goodman, ce soir-là du mois d'août au « Palomar » avait, selon les mots de Duke Ellington, « fait ce qu'il fallait au moment qu'il fallait devant les gens qu'il fallait ».

De retour à New York après une tournée nationale et une autre série à la radio, cette fois-ci le *Camel Caravan* de Chicago, l'Orchestre de Goodman descendit à l'hôtel Pennsylvania. La direction, sans aucune aménité, demanda aux musiciens de baisser le ton. Mais « lorsque des foules commencèrent puis continuèrent à venir, nous n'entendîmes plus guère de commentaires sur l'orchestre qui jouait trop fort ». Le groupe fut engagé pour l'attraction scénique régulière du « Paramount Theatre », se produisant sur les planches à partir de dix heures et demie du matin entre chaque séance de projection. Lorsque les musiciens arrivèrent pour une répétition de sept heures du matin, le premier jour, ils trouvèrent deux cents jeunes gens qui faisaient déjà la queue au guichet. Pendant toute la durée de la première séance du film, on entendit des bruits agités et des sifflets en provenance de l'auditorium. Et lorsque le groupe finit par émerger, prenant son essor sur une scène qui montait lentement, le bruit, selon Goodman, fut « comme Times Square le soir de la Saint-

Sylvestre ». Comme ils se lançaient dans un de leurs arrangements « à tout casser », avec Gene Krupa qui s'envoyait à coups de fouets en transpirant frénétiquement à la batterie et Harry James qui grimpait en l'air à la trompette, l'effet fut explosif.

Le succès de Goodman encouragea une débauche d'orchestres de danse : Bob Crosby, avec son parfum de Dixieland, Woody Herman et son « Orchestre Qui Jouait le Blues », Shaw, James, et Krupa, allaient tous en leur temps avoir leur propre groupe. Tous avaient un point commun : pour la première fois, ils apportaient à l'Amérique entière une musique qui était d'origine noire, de conception noire et d'âme noire. Goodman, quoique blanc, était trop bon musicien pour se mêler d'un héritage noir qu'il connaissait bien et respectait ; et avant peu de temps, il fit quelques pas pour s'assurer que des Noirs puissent partager sa bonne fortune. La rapidité de son succès populaire empêcha (pour quelque temps) Tin Pan Alley d'affadir et de priver de ses tripes une musique qui avait de l'énergie, de la vitalité et de l'optimisme. Goodman fut le père de la première interpénétration saine entre les cultures noire et blanche. La presse décida. Goodman était le Roi, le Roi du Swing.

Aujourd'hui, Goodman voit avec désinvolture l'origine du terme « swing ». Pendant ce désastreux voyage vers Denver, dit-il, un reporter l'approcha. « Il voulait savoir comment nous appelions le groupe. Alors j'ai dit : " Benny Goodman et son Orchestre ". Le reporter a été horrifié et a dit : " Vous ne pouvez pas faire ça. " Et il a énuméré les noms d'autres groupes comme Fred Waring et ses Pennsylvanians ou Guy Lombardo et ses Royal Canadians, ou Coon Saunders et son Cheval Nocturne. Ça ne pouvait pas être seulement Benny Goodman... Alors Gene Krupa, qui se trouvait à côté de moi, a dit : " Pourquoi tu ne l'appellerais pas le Swing Band ? " Alors j'ai dit très bien, on n'a qu'à l'appeler le Swing Band. Ça me fait une belle jambe. »

Mais comme l'avoue Goodman lui-même, les mots « swing » ou « swinging » n'étaient pas réservés au jazz. La valse viennoise, jouée au bon endroit et dans les bonnes conditions, swingue indéniablement. La musique tzigane ou le reel écossais aussi. Même les chanteurs et musiciens noirs des églises et chapelles du renouveau — qui condamnent le rag, le jazz et le blues, y voyant l'œuvre du démon — swinguent énormément quand ils sont possédés par l'esprit. Le critique Henry Pleasants dit que le swing était comme de voler : la sensation était très comparable à celle qu'on éprouvait lorsqu'un avion, à l'époque d'avant les réacteurs, s'arrachait soudain au sol après avoir vrombi jusqu'au bout de la piste. Le swing a toujours été physique, et toujours intimement lié à la danse : les musiciens apportaient les crêtes mélodiques bien connues sur une fondation rythmique régulière dont les danseurs se servaient comme d'un cadre à leurs propres improvisations. Le swing fut de la sorte la source d'inspiration de la plupart des danses en vogue de l'époque moderne, du jitterbug au jive. Mais, comme le fait remarquer Artie Shaw : « Nous ne nous bornons pas à dire : " Écoute ça, c'est chouette. " Il faut que nous y

mettions un nom. C'est le penchant des hommes pour les étiquettes. Nous ne disons pas : " C'est un bien bel oiseau ", nous l'appelons un loriot. L'oiseau ne sait pas qu'il est un loriot. Tout ce qu'il sait, c'est qu'il a des ailes, qu'il vole, et qu'il swingue. » Le swing n'était pas un genre, comme le jazz. C'était un style, un état d'esprit.

La nouvelle du succès de Goodman parvint de l'autre côté de l'Atlantique où, en Angleterre tout au moins, les orchestres de danse étaient déjà en vogue quelques années avant le passage de Goodman au « Palomar ». Les meilleurs d'entre eux — Bert Ambrose, Lew Stone, Jack Hylton — se considéraient plutôt comme supérieurs à leurs homologues « sweet bands » des Etats-Unis. Cependant, en dépit de l'enthousiasme considérable pour le jazz de la part des musiciens européens, il n'y avait pas de tradition de jazzmen du cru pour allumer l'étincelle de vie chez ces orchestres. En outre, il était inconcevable que les hôtels élégants de Londres ou de Paris, qui employaient les grands orchestres, accueillent des hordes de fans du swing mal vêtus. Bert Ambrose répondit un jour à la demande d'un morceau écrite sur un billet d'une livre par un refus sec — écrit sur un billet de cinq livres.

Mais même si l'Europe n'eut pas sa propre folie du swing, elle apporta bien sa contribution à l'ère du swing. Dès la fin des années vingt, l'Europe en savait déjà plus long sur le jazz que l'Amérique. L'immense popularité des disques

Ci-contre : Benny Goodman accompagne « Liltin' », Martha Tilton à Atlantic City en 1938.

A droite : Les Andrews Sisters. Tilton comme les Andrews devinrent célèbres pour leurs versions respectives de *Bei Mir Bist Du Schoen.* L'une comme les autres étaient certes caractéristiques du swing, mais la comparaison s'arrêtait là.

de jazz venus d'Amérique – dont beaucoup, soit dit en passant, comportaient un mélange de musiciens noirs et blancs impensable sur la scène américaine – avait donné essor à une nouvelle discipline : la critique de jazz. En 1932, quelque temps avant que Krupa eût trouvé le nom du groupe de Goodman, un avocat belge passionné de jazz, Robert Goffin, produisit un livre intitulé *Aux Frontières du Jazz*. Deux ans plus tard, le Français Hugues Panassié publia un ouvrage intitulé, dans un curieux franglais, *Le Jazz Hot*. Tous deux tentaient de définir le jazz et d'esquisser les grands traits de ce qu'on savait de son histoire.

Journaux et périodiques emboîtèrent le pas et, au bout de peu de temps, des cohortes de fans de jazz européens commencèrent à s'entasser dans des caves bientôt connues sous l'appellation de « hot clubs » ou de « rhythm clubs ». C'est là que, nantis de liasses de revues, de disques et d'opinions passionnées, ils pratiquaient leur culte. « Le vrai jazz », insistaient-ils, n'avait absolument rien à voir avec les excès commerciaux du swing. Ils préféraient les « jam sessions » au cours desquelles des groupes de musiciens improvisaient des heures durant, peut-être sur un classique bien connu, jouant « comme ils le sentaient » et « pour l'amour de l'art ».

Goodman et d'autres en prirent bonne note. Goodman, au moins, avait toujours adoré ces moments de riche improvisation en petits groupes. Dès 1929, il avait enregistré en trio, et

il conservait toujours un « orchestre dans l'orchestre », même avec ses plus grands ensembles. Presque tous les groupes de swing suivirent son exemple : Tommy Dorsey avec son Clambake Seven, Bob Crosby avec ses Bob Cats, Artie Shaw avec son Gramercy Five. Le trio et le quartette de Goodman furent cependant les plus intéressants, à cause de leur personnel.

Le trio avait commencé par une rencontre fortuite avec le pianiste noir Teddy Wilson. Goodman s'était assis pour faire le bœuf avec Wilson et cela sonnait bien. Cela sonna mieux encore quand Gene Krupa se joignit à eux, et le trio fit deux disques. Il joua aussi comme une annexe à l'orchestre de Goodman pendant des émissions de radio depuis le « Congress Hotel » de Chicago. Peu après, l'orchestre se trouvait en Californie. Teddy Wilson emmena Goodman et Krupa écouter un de ses amis, Lionel Hampton, qui, encouragé par son chef d'orchestre Louis Armstrong, avait maîtrisé un nouvel instrument connu sous le nom de « vibraharp ». Comme s'en souvient Hampton : « A un moment je joue, et puis voilà Teddy qui joue du piano. Une minute plus tard, Benny s'est assis à côté de moi avec sa clarinette et environ une autre minute plus tard, Gene est à la batterie. » Le Goodman Quartet.

La combinaison était historique parce que Goodman amena son quartette noir et blanc en plein milieu de la scène, balayant ainsi des années de tabous raciaux. Non sans ironie, Goodman se rappelle : « Lorsque certains directeurs d'hôtels s'en apercevaient, ils venaient illico regarder s'il y avait une mauvaise réaction. Mais quand ils y trouvaient de bonnes affaires et l'endroit en ébullition, ils étaient *parfaitement* d'accord pour suivre. » Là encore, les autres groupes imitèrent l'exemple de Goodman. En un rien de temps, Woody Herman, Charlie Barnett et Artie Shaw avaient tous des musiciens noirs dans leurs groupes. « Des gérants et des directeurs de salles m'ont souvent menacé, dit Woody Herman, de me déchirer mon contrat si je n'avais pas un orchestre tout blanc comme la neige. »

Les pop stars des années trente n'étaient pas chanteurs, comme les idoles actuelles, mais instrumentistes. La plupart des « big bands » étaient bourrés à craquer de musiciens de jazz auxquels on avait auparavant refusé d'ouvrir les portes. Ils pouvaient désormais non seulement jouer la musique qu'ils voulaient, mais aussi se

faire extrêmement bien payer pour leur peine. Mais cette acceptation se payait. La plupart des orchestres jouaient cinquante semaines par an. Plus l'orchestre était populaire, plus il lui fallait se déplacer. Woody Herman se souvient que l'on accueillait avec enthousiasme la nouvelle d'un contrat d'une ou deux semaines : « Cela

représentait une chance de pouvoir faire laver son linge », encore que les engagements prolongés impliquaient plusieurs spectacles par jour, parfois comme attraction scénique dans un cinéma. Les grands manitous du cinéma qui avaient racheté Tin Pan Alley avaient encore trouvé là un moyen de plus pour tirer de l'ar-

Ci-dessus, à gauche : Billy Eckstine sortit des rangs de l'orchestre de Hines pour créer le sien, où il jouait de la trompette et du trombone à coulisse et chantait. D'une popularité déconcertante, le groupe d'Eckstine fut la première formation de swing dite moderne : ses membres, à un moment ou à un autre, incluent presque tous les créateurs du bop, dont Charlie Parker, Dizzy Gillespie, Miles Davis et Art Blakey. *A droite :* les Pied Pipers de Tommy Dorsey, avec Jo Stafford et Frank Sinatra.

Ci-contre : Miss Peggy Lee, 1941.

Page suivante, à gauche : Frank Sinatra et Nat King Cole, en 1946. Sinatra gagnait 75 dollars par semaine à chanter pour Harry James en 1939, lorsque Dorsey le fit signer ; dès 1943, il avait supplanté Bing Crosby comme chanteur le plus célèbre du monde. A la date où fut prise cette photo, il était en solo — le premier chanteur de variétés à prendre cette direction —, vedette de cinéma et probablement millionnaire en dollars. Cole fut un personnage important de la 52ᵉ Rue au début des années quarante, jouant du piano (du blues surtout) et conduisant un trio avant de parvenir au succès national en tant que chanteur. *A l'extrême droite :* Jimmy et Tommy Dorsey en 1934, avant que des dissensions personnelles et musicales ne les entraînent à se séparer et à mener des orchestres distincts: Quoique tous deux fussent populaires, Tommy avait un sens beaucoup plus aigu des affaires.

gent et de la promotion avec leurs produits. Benny Goodman : « Les films étaient atroces en règle générale. Mais quand nous avions joué plusieurs jours dans un cinéma et bourré la salle, la direction du cinéma se payait une publicité dans le journal du coin pour dire les bonnes affaires que rapportait le *film.* »

Les prestations dans les cinémas n'étaient jamais des vacances. Les orchestres jouaient cinq ou six fois, de dix heures du matin jusqu'à une heure du matin, sept jours par semaine. Buck Clayton m'a expliqué comment même cet accord était exploité : « Nous commencions, mettons, par une prestation d'une heure le matin. Puis, s'il y avait foule, ils ne mettaient qu'un film court, disons quarante minutes. C'est là qu'on sortait à toute vitesse prendre le petit déjeuner. Après quoi, c'était sans relâche toute la journée. Si les queues étaient longues, ils raccourcissaient les films. Vous aviez de la veine si vous aviez une demi-heure pour le dîner. Vous n'aviez jamais le temps de vous détendre et de vous amuser. Vous n'aviez tout bonnement le temps pour rien. »

Et puis, il y avait les fans. Hurlants pour la plupart. Artie Shaw les détestait. « Une fois, pendant une prestation à Philadelphie, on

m'informa le premier jour de notre engagement qu'il y avait eu une telle baisse d'assiduité dans les écoles de Philadelphie que la Direction de l'Éducation s'était plainte officiellement auprès de la police. Après le premier concert, j'ai voulu quitter ma loge pour aller prendre un peu l'air. Le portier m'a dit de ne pas m'aventurer dans la rue. Je lui en ai demandé la raison. Il a entrebâillé l'entrée des artistes pour que je puisse regarder dehors. La rue entière était bourrée de gamins. La circulation était immobilisée et il y avait une demi-douzaine de policiers à cheval pour essayer de disperser cette horde de jeunes gens en furie. »

Benny Goodman commença à avoir les mêmes mésaventures. « Toute personne qui aurait vraiment voulu le genre d'adulation que nous recevions eût été insensée. Nous n'avons jamais encouragé ce bruit-là. En fait, nous ne voulions pas jouer si les gens faisaient du bruit. Nous disions : " Nous commencerons à jouer quand vous serez plus calmes, alors fermez-la. Vous ne pouvez pas nous écouter en faisant tout ce bruit. " Les jazzmen eux-mêmes, en outre, n'étaient pas les artistes mûrs et aguerris que leur gloire ultérieure et durable pourrait laisser supposer. Benny Goodman n'avait que vingt-

six ans quand il décrocha la timbale au « Palomar » ; Artie Shaw n'en avait que vingt-quatre alors que son succès lui rapportait trente mille dollars par semaine.

Les agents et les managers trop zélés n'arrangeaient rien à cette confusion. L'événement qui fut par la suite considéré comme le paroxysme de l'époque du swing, par exemple, démarra comme une acrobatie. En 1938, l'attaché de presse de Goodman entrevit la possibilité d'acquérir pour l'orchestre un peu de « classe » (et, bien entendu, plus de publicité) en organisant un concert officiel. Goodman estima que c'était une idée folle : ils étaient un orchestre de danse.

Quand les orchestres faisaient vendre des places dans les cinémas. Plus tard, les firmes cinématographiques allèrent jusqu'à mettre les orchestres *dans* les films. On eut une *Benny Goodman Story*, une *Glenn Miller Story* et les *Fabulous Dorseys*, entre autres nombreux « biopics » à base de swing. *A gauche, au centre :* Woody Herman et son « Orchestre Qui Jouait Le Blues », en 1938. Six ans plus tard, Herman formait son premier « Thundering Herd ». *En bas :* Bob Crosby (troisième en partant de la gauche) et les Bob Cats, en 1941. *En haut :* dans la production de 1941, *Les Nuits de Las Vegas*, Frank Sinatra (troisième en partant de la gauche), Buddy Rich (à côté de l'actrice Constance Moore, au centre), et Tommy Dorsey (en face de Moore, derrière les machines à sous).

Mais l'attaché de presse insista tant et si bien que Goodman finit par donner son accord. On persuada Sol Hurok, l'imprésario, de mettre son nom dans cette entreprise ; sa contribution effective résida dans une lettre inquiète à Goodman pour lui demander de s'assurer que les gars se conduiraient le mieux possible. Son souci était compréhensible : après tout, l'orchestre s'apprêtait à faire Carnegie Hall.

Le swing était arrivé. L'orchestre joua fort bien ; Goodman conduisit une jam session comportant des vedettes de chez Ellington et Basie, et le public dansa dans les bas-côtés. Mais, comme le dit Goodman : « Nous avions déjà ce genre d'auditoire au Paramount. » Le groupe fit encore deux concerts, dont un second à Carnegie Hall toujours en 1938, mais Goodman était bien décidé : « Je ne pensais tout bonnement pas que ma musique devait se jouer dans une salle de concert. Alors j'ai dit c'est terminé. Je vais jouer pour la danse. »

Le concert de Carnegie Hall mit en lumière le dilemme du swing. Le comportement du public, surtout dans cet environnement austère, prouva que la musique était faite pour la danse. La combine de Carnegie Hall en persuada plus d'un que la raison d'être de cette musique, au fond, c'était de rapporter de l'argent. A peine quelques mois après les débuts de Goodman à Carnegie Hall, Artie Shaw quitta la scène au milieu d'un engagement et s'embarqua pour des vacances au Mexique – pour ne jamais revenir, déclara-t-il. Le *New York Times* s'en fit l'écho : « Tout commentaire qui pourrait nous parvenir se perdrait dans le coup de théâtre shakespearien de l'exode de M. Shaw : le genre d'adieu spectaculaire et irrévérencieux à son travail et à ses anciens associés, dont même l'esprit le plus réservé doit rêver de temps à autre, incendie magnifiquement irréfléchi de tous les ponts derrière lui. » Pendant des mois, la presse musicale s'était repue des tirades de Shaw contre la corruption du métier de la musique, contre les exigences voraces des agents. Mais personne n'était tout à fait préparé à l'apparente irrévocabilité du geste de Shaw.

Aujourd'hui, Artie Shaw n'est plus certain d'avoir eu raison. « Nous jouions dans des salles de danse, mais nous faisions des concerts, m'a-t-il dit. J'ai battu les records au vieux « Palomar ». Nous avions presque dix mille personnes là-dedans : je suis sûr que ça dépassait la limite légale. On aurait pu traverser la salle en marchant sur la tête des gens. Personne ne dansait. Par ailleurs, je voulais faire des concerts, mais mon agent n'en tenait aucun compte. Et quand les orchestres parvinrent dans les théâtres où le public *pouvait* s'asseoir et écouter, celui-ci n'en a rien fait. Ils criaient, hurlaient, et dansaient. En fait, nous jouions de notre mieux quand ils étaient calmes. Notre seul souci, c'était que tout le monde la ferme et nous laisse jouer. Le seul cas où ça ne me plaisait pas de jouer, c'était quand le public était dans mes jambes, quand ils faisaient un tel boucan qu'on ne pouvait pas s'entendre jouer. »

Les interminables stations debout ; les fans en transes ; l'impossibilité de modifier un morceau d'un spectacle à l'autre parce que le public insistait pour réentendre exactement la même chose que la fois d'avant : « *Begin the Beguine* est un bien joli morceau, m'a dit Shaw. Mais quand vous l'avez joué cinq cents fois de suite, ça devient un peu monotone. Si vous en êtes réduit à emballer ce que vous faites comme une marchandise, et amené à le vendre à un vaste auditoire, alors les choses sont graves pour vous. J'ai décrété que si je ne laissais pas tomber, je serais incapable de vivre en paix avec moi-même. Au début, je pensais que je ne pourrais pas abandonner. J'avais des engagements fermes : il y en avait à peu près pour un million de dollars de contrats. Mon avocat m'a dit que je serais poursuivi à mort si je partais. Je lui ai fait entendre que la folie pourrait me servir de défense. " Quel genre de folie ? " Ma réponse a été : " Si un brave jeune Américain sort en marchant sur un million de dollars, vous n'appelez pas ça de la folie ? " »

Shaw ne fut pas le seul chef d'orchestre à abandonner. Goodman arrêtait et redémarrait ses orchestres presque aussi souvent. Un moment, il avait des ennuis avec son dos et cela le mit hors jeu quelques mois ; plus d'une fois, dit-il, « je voulais tout simplement briser la routine ». Dans cette course aux combinaisons qui rapportaient le gros lot, les instrumentistes vedettes se négociaient comme plus tard les footballeurs : Dave Tough passa de Dorsey à Goodman, Bud Freeman de Goodman à Dorsey, Buddy Rich de Shaw à Dorsey. Gene Krupa puis Harry James quittèrent Goodman pour former leurs propres orchestres.

Se voyant refuser son unique qualité d'ensemble, la musique elle-même commença à changer. Le succès de Goodman était tel que ce qu'il jouait commença à perdre toute souplesse : les fans voulaient les arrangements qu'ils connaissaient. Les meilleurs orchestres, comme celui de Goodman, avaient toujours eu des répétitions rigoureuses, mais en ménageant le temps et l'espace pour des improvisations débridées. Maintenant, on en était à répéter les improvisations. Artie Shaw : « Je ne pouvais supporter d'avilir ma musique pour qu'elle puisse être comprise par un public de masse qui ne savait pas ce que je faisais. Et finalement, il vous faut descendre au niveau des gens pour qu'ils comprennent et restent avec vous. Votre agent et votre manager et votre attaché de presse et votre fan-club vous diront que vous devez faire des compromissions. Alors la musique devient de la soupe, et quand elle devient de la soupe, vous êtes fichu. La musique est une chose et les affaires en sont une autre, conclut Shaw, et " Swing " est devenu rien de plus qu'une autre étiquette qu'on donne au marché de masse de la musique populaire. »

Tin Pan Alley se précipita à la soupe. Les big bands allaient swinguer plus haut que jamais. À la radio, les grandes firmes de cigarettes —Chesterfield, Lucky Strike, Old Gold — faisaient des pieds et des mains pour engager les orchestres dans les émissions qu'elles patronnaient. Entre-temps, les réseaux CBS, Mutual et NBC se battaient pour avoir le droit de retransmettre les concerts dans les hôtels et les auditoriums. Les orchestres dominaient les ondes. L'industrie du disque n'avait jamais vu une telle explosion. Les ventes furent les plus fortes depuis dix ans. En 1941, un disque atteignit le million d'exemplaires, une ânerie avec un arrangement immaculé qui parvint à une popularité internationale dépassant de loin tout ce que Goodman avait jamais atteint. Le titre était *Chattanooga-Choo-Choo*, et l'orchestre celui d'un tromboniste de « jazz » sans caractère, Glenn Miller.

Miller avait reçu une bonne formation. Comme Goodman, il avait joué avec Ben Pollack. Mais il était toujours resté dans l'ombre d'instrumentistes plus doués, comme Jack Teagarden. Quand il finit par monter son propre orchestre en 1939, il s'arrangea pour que toutes les photos de presse le montrent avec un trombone à portée de la main. Mais il prenait rarement un solo devant son orchestre et ne se mesurait jamais avec les improvisations ardentes qui étaient caractéristiques de son rival Tommy Dorsey. Pas plus que son orchestre ne maîtrisa jamais le style exubérant et extroverti qui mettait à genoux les auditeurs de Benny Goodman. Longtemps avant de devenir commandant dans l'armée américaine, Miller avait imposé à ses musiciens une discipline quasi militaire, au point d'exiger qu'ils arborent une hauteur réglementaire de mouchoir dépassant de leur pochette de veste quand ils entraient en scène.

Mais le mélange sirupeux de clarinette et saxophone fait par Miller, quoique antithèse du jazz ou du swing, était exactement ce que les marchands se sentaient à l'aise pour vendre : c'était facile à emballer, et éminemment respectable. Quand Miller partit pour l'armée en 1942, sa place de choix à la radio alla à Harry James. Finis les solos de jazz de haut vol qui avaient fait balancer l'orchestre Goodman. *You Made Me Love You*, chantait et jouait le groupe de James avec un soupir de mélancolie qui sem-blait la négation de tout ce qu'il avait exploré six ans plus tôt avec Goodman.

James eut un coup de chance. Peu après avoir démarré son propre groupe en 1939, il entendit à la radio un jeune homme qui chantait avec un groupe local. Impressionné, il prit sa voiture le lendemain pour aller trouver le chanteur. « Non, lui dit le patron du routier d'où avait été diffusée l'émission ; nous n'avons pas de chanteur. Mais nous avons un serveur qui joue le rôle de présentateur et qui chante... un peu. » Harry James signa sur-le-champ avec le jeune homme, après une vaine tentative pour le convaincre de prendre un pseudonyme : James ne pensait pas que le public se souviendrait un jour de quelqu'un s'appelant Frank Sinatra.

Mildred Bailey, qui fut la femme du vibraphoniste Red Norvo, chantant au « Café Society » de Barney Josephson.

Malheureusement pour James, son orchestre ne marchait pas assez fort pour retenir l'ambitieux jeune homme. En dépit de rapports excellents avec James, Sinatra partit au bout de quelques mois chez Dorsey – « le gentleman sentimental du swing » – dont le phrasé suave au trombone devait avoir une si grande influence dans la formation du style de Sinatra. Mais James décréta que pas un orchestre qui se respecte ne saurait se passer d'un chanteur « crooner ». La plupart des orchestres de l'époque du swing avaient eu des chanteurs ; les vocaux d'Helen Ward, par exemple, avaient été un élément considérable dans l'attrait du premier grand orchestre de Goodman pour un

vaste public. Mais aux tout débuts, les chanteurs avaient dû compter sur leur coffre pour toucher leur auditoire. Bessie Smith, Sophie Tucker, et même Al Jolson avaient peut-être leurs instants d'intimité, mais jamais ils ne chantonnaient. S'ils l'avaient fait, ils eussent été inaudibles.

Rudy Vallee fut le premier chanteur de variétés à apporter de l' « intimité » à ses prestations. Mais à la même période, il y avait un autre chanteur – travaillant comme Vallee avec Paul Whiteman – qui perfectionnait l'art de chanter dans un micro, sur un ton confidentiel : Harry « Bing » Crosby. « A l'époque où cela a commencé, explique celui-ci, tous ceux qui chantaient avec l'orchestre restaient toujours assis avec l'orchestre. Et en général ils jouaient d'un instrument. Par exemple, dans l'orchestre Whiteman de la fin des années vingt, il y en avait trois qui chantaient : Johnny Fulton, qui était un excellent tromboniste ; Charlie Gaylord, qui était très honnête au violon ; et Skin Young, qui pouvait faire des tours de passe-passe sur une guitare et s'envoler avec. » Crosby avoue qu'il

---

L'orchestre de Count Basie, en 1954, embarque pour la Suède. Au premier plan, deuxième en partant de la gauche, Lester Young. L'organisation de Basie, malgré les inévitables changements de personnel et de style, joue encore aujourd'hui. Le *New Yorker* a commenté un de leurs concerts de 1976 en remarquant l'excellente acoustique de la salle où jouait Basie ; puis il laissait tomber l'acoustique comme étant hors de propos : « L'orchestre de Basie *est* une sono. »

ne savait jouer de rien : « Mais il fallait que je tienne un instrument, alors ils m'ont donné un truc qu'ils appelaient un " packhorn " : c'est une espèce de pavillon ; ça ressemble un peu à un cor anglais, seulement on s'en sert dans les fanfares. Enfin bref, j'ai trouvé l'embouchure, alors dans certains des grands arrangements j'en glissais quelques petits coups — oumpah ! — généralement pas dans le ton. Whiteman vit cela d'un très mauvais œil, et finit par me donner un violon avec des cordes en caoutchouc. Je suis devenu assez expert à bidonner là-dessus, j'avais une très bonne technique à l'archet. Ils ont trouvé mon coup d'archet excellent, même si je n'étais pas très fort pour les *pizzicati*. »

Crosby passa un an et demi au « Cocoanut Grove » de Los Angeles avec Whiteman et chanta par la suite avec Beiderbecke, Ellington, et Armstrong. Mais, comme il dit : « La radio fut le facteur déterminant de ma carrière. Si vous passiez régulièrement sur un des réseaux de radio, peu importe si vous étiez bon ou pas ; si vous étiez audible, ça devait marcher pour vous. » Les orchestres rendirent possibles les carrières des chanteurs et de la sorte ils délimitèrent leur territoire pour la décennie suivante. Mais bientôt survint la bataille entre l'ASCAP et la BMI ; sans licence pour diffuser de la musique en direct, bien des stations de radio usèrent de disques. En signe de représailles, l'American Federation of Musicians — sous la houlette de choc de James Caesar Petrillo — lança un ordre de grève, affirmant que le syndicat avait droit à collecter un cachet sur chaque disque programmé. Les chefs d'orchestre contestèrent ce mouvement avec un certain désespoir. Mais à partir d'août 1942, ils se virent interdire l'entrée des studios d'enregistrement.

La grève s'étira sur plus d'un an, et pendant cette durée, les firmes de disques ne pouvaient se payer le luxe de cesser d'enregistrer. Alors elles se retournèrent vers les seuls musiciens qui n'étaient pas membres du syndicat : les chanteurs. Les chœurs remplacèrent les accompagnements instrumentaux ; les « crooners » émergèrent de leur relatif anonymat ; des trios et des quartettes comme les Andrews Sisters et les Ink Spots marquèrent des points. Les Andrews Sisters étaient particulièrement rompues à l'imitation de tous les instruments de l'orchestre. Tandis que croissait leur popularité, les vieux enregistrements faits par ces chanteurs avec des orchestres avant la grève étaient réédités, avec le nom du chanteur promu en haut de la liste. L'un des premiers grands tubes de Sinatra, par exemple, fut une chanson qu'il avait enregistrée en 1939 quand il débutait chez Harry James, *All or Nothing at All*.

La grève s'acheva en octobre 1943 ; le syndicat déclara que son règlement entraînerait un surcroît de trois millions de dollars « pour l'avancement de la culture musicale ». Mais l'initiative était perdue : la plupart des firmes de disques préférèrent des orchestres maison. Ils étaient plus sûrs, même s'ils n'étaient rien d'autre. Des directeurs musicaux comme Nelson Riddle prenaient leurs solos avec le reste de l'orchestre, ne fût-ce que pour prouver qu'un « leader » était superflu.

Quelques orchestres survécurent. Dans les studios d'enregistrement, les petits groupes de Goodman continuèrent de comporter des musiciens de jazz de premier plan ; les critiques s'entendent pour dire que certaines formations de Goodman au milieu des années quarante étaient, musicalement, les meilleures qu'il ait eues. Mais en 1946, comme en un geste concerté de reddition, Harry James, Tommy Dorsey, Woody Herman, Les Brown et Jack Teagarden, tous dissolvaient leurs groupes (Goodman l'avait déjà fait en 1944, mais avec lui rien n'était permanent). Un an plus tard, Louis Armstrong — qui avait été la source d'inspiration de tant d'entre eux — lui aussi tourna le dos aux big bands qu'il avait conduits pendant des années, et en revint aux formations plus réduites de sa jeunesse à La Nouvelle-Orléans. « Presque tout le monde, m'a dit Woody Herman, descendit sous terre. Bien des gens dans notre métier s'étaient fait beaucoup d'argent. A présent, l'argent était plus dur à rentrer. Alors ils travaillaient un bout de temps, et quand ça devenait difficile, ils se reposaient. » A la fin 1947, Petrillo frappa encore : « Personne ne peut attendre d'un musicien qu'il joue à son propre enterrement », déclara-t-il. Plus jamais le jazz et les loisirs populaires de masse n'allaient se trouver en termes aussi intimes.

To Don Redman a fine
Pal Wishing you Luck & Success
In What Ever you do or go
Sincerely Deek
4 Ink Spo
Hoppy
NBC
Deek
Chas
Kenny

9
Le rhythm'n'blues

people of one of the grandest mineral regions on this continent should not fail to establish a school of mines.

The peaks of the Cumberland, the Clinch and the Smoky, furnish

Berry Gordy travaillait jadis à la chaîne dans une usine de Detroit. Il dirige à présent une entreprise de show business noir multimillionnaire, ce qui prouve que pour échapper au ghetto, il faut battre l'homme blanc à son propre jeu. Comme fondateur et responsable d'une marque de disques et d'un style connus sous le nom de Motown, Gordy est à l'origine de l'éclosion d'une myriade d'artistes noirs — parmi lesquels les Supremes, Martha and the Vandellas, les Miracles, les Marvelettes, Stevie Wonder et les Temptations — dont le succès financier est presque incommensurable.

Ce bouleversement complet des destinées de la musique noire n'a cependant pas été réalisé sans des risques considérables pour les Noirs. Gordy révéla pour la pre-

---

Les Ink Spots, 1936.

mière fois sa formule en 1959. Il suffisait de prendre un air simple et répétitif, des paroles un peu naïves, de les envelopper d'un accompagnement impersonnel et bien carré et d'ajouter la timidité de chanteurs noirs sexy et policés : le succès était garanti. Mais pas tout à fait. Son premier groupe important, les Supremes, fit pas mal de bides avant *Where Did Our Love Go ?* qui les consacra. On appelait cela de la « soul » (âme) ou sous son aspect moins politique, du « rhythm and blues ». « Ce n'est pas de la musique, a dit un jour Mitch Miller, des disques Columbia. C'est une maladie. »

Gordy insista sur le fait qu'un conditionnement réussi devait tenir compte de l'habitation, de la coiffure, du maquillage, des vêtements et de la vie privée de ses employés. Il prépara méticuleusement ses artistes à l'amour international : « Notre relation s'apparentait à un mariage », a dit un jour Diana Ross, la grande prêtresse de Gordy, alors que par tous les pores de sa peau sortaient les « tubes » — sept disques d'or, rien qu'en 1967. Dans leur petit ensemble bien propre, les Supremes poussaient leurs « ouhs » et leurs « aaahs » avec une parfaite harmonie. Arborant des perruques laquées et des sourires à bon marché, elles confirmèrent — avec Berry Gordy et son usine à musique de Detroit — l'achèvement de l'émasculation de la musique noire. Vidé de sa substance, profané et finalement laissé à l'abandon, le blues perdit — grâce à frère Gordy — le peu d'authenticité qui lui restait.

La victoire de Gordy n'était pas inévitable, bien que peut-être méritée. La musique de grand orchestre qui avait fait ses preuves avec le swing blanc, avait apparemment séduit. Pourtant, un nombre croissant d'artistes noirs s'appliquaient à créer une musique et une sonorité qui soient vraiment à eux. Ils trouvèrent la source de cette musique dans le blues, le jazz et le ragtime. Mais la sonorité avait changé au contact de ce nouvel environnement urbain. Dans sa forme rurale, le blues avait été un testament personnel, un exorcisme. Mais en ville, la méditation individuelle était noyée dans le brouhaha. Pour s'adapter à ce vacarme, le blues était devenu bruyant et insolent. La musique permettait encore qu'on parle de soi, mais sa fonction première était de distraire.

Une fois de plus, c'est Chicago qui servit de déclencheur. A la fin des années quarante, les beaux jours de la Prohibition et de la guerre des gangs étaient finis depuis longtemps. Mais dans des clubs comme le « Roosevelt », le « Checker-board », le « Queen Bee » et dans une centaine d'autres bouges, le blues urbain se faisait entendre. Les chanteurs solistes de blues rural étaient remplacés sur la scène par des groupes bruyants avec piano et guitares amplifiées, soutenus par une rythmique implacable. De temps en temps, il arrivait que le chanteur essayait de faire un petit commentaire social — le récit de ses malheurs et de ses ennuis — comme dans le blues traditionnel. Cependant, l'expression

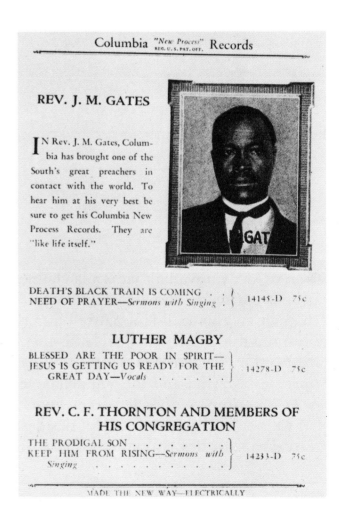

Columbia "New Process" Records

REV. J. M. GATES

IN Rev. J. M. Gates, Columbia has brought one of the South's great preachers in contact with the world. To hear him at his very best be sure to get his Columbia New Process Records. They are "like life itself."

DEATH'S BLACK TRAIN IS COMING . . |
NEED OF PRAYER—*Sermons with Singing* . | 14145-D 75c

LUTHER MAGBY

BLESSED ARE THE POOR IN SPIRIT—|
JESUS IS GETTING US READY FOR THE | 14278-D 75c
GREAT DAY—*Vocals* . . . . . . |

REV. C. F. THORNTON AND MEMBERS OF HIS CONGREGATION

THE PRODIGAL SON . . . . |
KEEP HIM FROM RISING—*Sermons with* | 14233-D 75c
Singing . . . . |

MADE THE NEW WAY—ELECTRICALLY

d'une réelle angoisse avait disparu. L'intensité n'y était plus. Un jeune homme, venu de Dallas, résumait ce nouvel esprit. T-Bone Walker, l'un des premiers chanteurs de blues à se servir d'une guitare amplifiée sur disque, était une sorte de Cab Calloway du blues. « En jouant, raconte un ancien directeur de boîte de Chicago, Walker sautait à la corde avec les fils, faisait le grand écart ou encore se pavanait comme une meneuse de revue. » Il tenait sa guitare derrière la nuque, la ramenait entre les jambes, puis en s'accroupissant commençait à la faire pivoter contre son bassin. Il était clair que pour lui la guitare électrique représentait le sexe.

« Les Noirs n'ont jamais su s'ils retourneraient se coucher le soir en assez bon état pour survivre un jour de plus, dit Jerry Wexler, ancien producteur des disques Atlantic. Après tout, ils vivaient dans une culture très dangereuse et hostile. Ils n'avaient pas le temps de s'arrêter aux nuances de comportement ou de moralité qui étaient les critères de la société blanche, anglo-saxonne et protestante. »

Dans les ghettos, la musique devint la Parole, et la Parole se propagea. Dans chaque ville, de nouvelles maisons de disques poussaient comme des champignons recouverts de vinyl. La plupart devaient se faire connaître sous le nom d' « indépendantes » ; elles étaient tout à fait distinctes des grandes maisons de disques nationales qui s'étaient introduites auparavant dans le ghetto. Les « indépendantes » appartenaient pour la plupart à des Noirs et étaient contrôlées par des Noirs. Leurs marchés étaient locaux. Beaucoup opéraient dans les garages ou dans les caves. Leurs « producteurs » dirigeaient leurs affaires depuis le siège arrière de leur voiture. Sans charges ni projets réels, de telles compagnies pouvaient se permettre des coups de poker. L'échec d'un disque signifiait pour elles tout au plus la perte de quelques centaines de dollars, quelques milliers pour les plus grandes. En conséquence, les Indépendantes pouvaient prêter l'oreille à quiconque tenait une guitare ou ouvrait la bouche. Pour eux, vendre cinq cents disques était un succès extraordinaire.

Ces petites boîtes de disques vivaient tout près de leur public à elles — et développèrent rapidement leur flair dans la recherche du succès. Si ça se vendait, on remettait ça. Si ça ne marchait pas, tant pis. Beaucoup de boîtes fermaient boutique, mais quelques-unes s'implantèrent, parmi lesquelles, « Specialty » à Los Angeles et surtout « Chess » à Chicago. Bientôt, la nouvelle de leur activité atteignit New York. Certaines des grandes maisons de disques avaient déjà une branche particulière qui s'occupait de la musique noire — Bluebird, par exemple, était une sous-marque de RCA ; sa seule fonction dans les années trente avait été d'enregistrer du blues. Se consacrant principalement aux styles ruraux (mais ayant enregistré aussi la musique plus rude et plus extravertie de Sonny Boy Williamson et Washboard Sam), Bluebird avait eu le plaisir de voir ses disques remporter un certain succès auprès des Noirs du

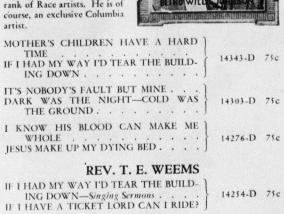

Columbia "New Process" Records
REG. U. S. PAT. OFF.

BLIND WILLIE JOHNSON

THIS Race artist's singing of Sacred Songs and Hymns is remarkable for its simplicity and melody. It's the sort of singing that grips you and holds you, having a strain of the spiritual in it. Blind Willie Johnson usually plays his own accompaniments on a guitar.

The demand for his recordings, places him in the front rank of Race artists. He is of course, an exclusive Columbia artist.

MOTHER'S CHILDREN HAVE A HARD TIME / IF I HAD MY WAY I'D TEAR THE BUILDING DOWN	14343-D	75c
IT'S NOBODY'S FAULT BUT MINE / DARK WAS THE NIGHT—COLD WAS THE GROUND	14303-D	75c
I KNOW HIS BLOOD CAN MAKE ME WHOLE / JESUS MAKE UP MY DYING BED	14276-D	75c

REV. T. E. WEEMS

IF I HAD MY WAY I'D TEAR THE BUILDING DOWN—Singing Sermons / IF I HAVE A TICKET LORD CAN I RIDE?	14254-D	75c
THE DEVIL IS A FISHERMAN—Sermons with Singing / GOD IS MAD WITH MAN—	14221-D	75c

MADE THE NEW WAY—ELECTRICALLY
[22]

Réclames pour des « Race Artists » (artistes jouant une musique réservée aux Noirs). Jusqu'en 1955, certaines maisons de disques ne faisaient jamais figurer d'artistes noirs dans leurs catalogues ; il était impensable qu'un public blanc puisse être intéressé.

Sud. D'autres marques furent lancées à l'échelle nationale, dans le but spécifique d'enregistrer cette nouvelle musique plus agressive, qui surgissait à présent du ghetto. La plus aventureuse de ces marques fut « Atlantic Records », fondée par les fils de l'ambassadeur de Turquie, les frères Ertegun, et soutenue par Jerry Wexler.

« C'était vraiment très simple, explique Wexler, nous enregistrions de la musique noire, jouée par des artistes noirs, destinée à être vendue à des Noirs. » Wexler fut de plus en plus embarrassé par l'appellation discriminatoire — « race music » (musique raciale) — donnée à cette musique à la fin des années quarante. Toute une série d'euphémismes remplaça ce terme : les maisons de disques produisaient des séries « Sépia », par exemple, ou des séries « Ébène ». « Certains d'entre nous, de la rubrique musicale du *Billboard*, où je travaillais à l'époque, raconte Wexler, pensaient que c'était un peu odieux. Nous commençâmes alors une petite campagne pour imposer une nouvelle idée. Rhythm and Blues fut notre appellation, et elle fut adoptée. En fait, cela n'expliquait pas grand-chose quant à la nature de la musique. Elle n'était pas particulièrement rythmique et n'était presque jamais du vrai blues — comme celui qu'on avait abandonné dans les États ruraux du Sud. Bien sûr, rhythm and blues était aussi un euphémisme qui voulait dire musique des Noirs. »

L'enregistrement était souvent un travail d'amateur. Un ingénieur et un producteur arrivaient dans une petite ville du Sud ou du Middle West et faisaient circuler le bruit qu'ils étaient du métier tout en faisant le tour des clubs locaux où ils espéraient trouver de la musique inédite. La plupart n'avaient pas une grande connaissance des techniques d'enregistrement et de l'électronique. Ils se contentaient d'installer quelques micros et espéraient que tout irait pour le mieux. Pratiquement, tout le monde était enthousiaste — d'abord les musico-logues amateurs, ensuite les hommes d'affaires. Beaucoup de leurs premiers succès dépendirent de rencontres fortuites. « Nous avons eu de la chance, raconte Wexler, nous avons trouvé par hasard des artistes comme Ray Charles, Joe Turner, LaVern Baker, Ruth Brown et Clyde Mc Phatter, qui font tous partie des plus grands artistes noirs de cette époque. Leurs disques étaient assurés d'un minimum de ventes, ce qui nous donna une sécurité financière suffisante pour faire d'autres enregistrements. »

Mais surtout, Wexler et ses collègues découvrirent un nombre ahurissant de musiciens inédits, inconnus à l'extérieur de leur ghetto d'origine. Des « hurleurs » comme Joe Turner et Bullmoose Jackson ; des chanteurs de charme comme Clarence Brown ; des guitaristes virtuoses comme B. B. King ; des chanteurs de grand orchestre comme Billy Eckstine. Chaque ville, chaque ghetto avait ses héros, mais Chicago restait leur Mecque à tous. Le succès des disques Chess attira des hommes venus de partout et spécialement du Sud, comme Little Walter, Elmore Jones, Muddy Waters et par la suite Howlin' Wolf.

Comme lors des premières migrations, des musiciens furent aussi attirés à La Nouvelle-Orléans, où la sonorité était plus douce et plus décontractée. Jimmy Reed et Fats Domino arrivèrent du nord de la Louisiane, Bobby Bland du Texas. La chasse aux artistes devint féroce à Chicago comme à La Nouvelle-Orléans. « Nous parcourions tout Chicago, raconte Wexler, bien que ce fût le territoire des disques Chess. Il n'était pas rare pour nous d'envisager d'attraper quelqu'un sous le nez de Leonard Chess. De toute façon, il est venu à New York et il nous a fait la même chose. »

Quels que soient le lieu et les variations régionales, Wexler et Chess entendaient une seule et même voix. A quelques exceptions près, les musiciens qu'ils dénichaient étaient arrogants et tapageurs, vantards et rabelaisiens. Howlin' Wolf s'arrêtait tout d'un coup, faisait signe à la plus belle fille de la salle et criait : « Branle-la-moi, chérie » et elle le faisait.

Leur musique était profondément différente des gentilles plaisanteries de la musique populaire blanche. Cette différence était en partie émotionnelle. « Les petites jeunes filles blanches ont une influence énorme sur les ventes de disques et sur la marche à suivre, explique Jerry Wexler. Une jeune Blanche de la banlieue qui

---

Du Gospel ? *En haut* : Les Fisk Jubilee Singers firent leur première tournée de concerts en 1871. L'Université Fisk, fondée à Nashville en 1866, continue aujourd'hui à entretenir un chœur. *En bas, à gauche* : Sister Rosetta Tharpe s'est produite partout dans le Sud. Elle chanta quelquefois à New York dans les années trente, en particulier au cours d'une série de concerts au « Cotton Club » de Harlem de 1938 à 1940. *En bas, à droite* : Mahalia Jackson, née à La Nouvelle-Orléans en 1911, la plus célèbre des chanteuses solistes de gospel.

par hasard tombe sur un disque de Big Bill Broonzy, ou sur le disque de Leroy Carr dans *In the Evening When the Sun Goes Down,* voit l'image de ce Noir énorme et menaçant, en bleu de travail, tout trempé de sueur sous les bras. Une telle image ne fait pas partie de sa conscience. Elle en a peur et, à cause de son éducation blanche bien correcte, elle a du mal à y voir quelque chose de sympathique, alors elle le rejette. »

Pour la première fois, le public blanc restait à l'écart. Autrefois, les chefs d'orchestre comme Lucky Millender, Tony Bradshaw ou Erskine Hawkins avaient été violents. Mais maintenant des projecteurs multicolores éclairaient des musiciens habillés de manière grotesque. Les chanteurs de blues criaient et les chanteurs de ballades pleuraient ; les tambours tonnaient comme s'ils venaient de la jungle, tandis que dans un comportement frénétique, presque rituel, des instrumentistes comme Illinois Jacquet grondaient jusqu'au paroxysme. Empoignant son saxophone ténor, le plus sexuel de tous les instruments, Jacquet se penchait lentement en arrière, la tête touchant le sol, son instrument droit devant lui, et enchaînait des riffs déchirants, le plus fort et le plus haut possible. Bien que le talent de beaucoup de ces nouveaux artistes fût limité, leur musique avait de la force, du venin et un sens irrésistible de l'engagement.

Inévitablement, cette agressivité et ces provocations à peine déguisées commencèrent à blaser les gens. Cette musique était brutale et le machisme sexuel qui s'en dégageait, répétitif. Ces hommes d'affaires blancs qui s'étaient égarés dans un domaine spécifiquement noir

Les Staple Singers *(ci-dessus, tout en haut)*, le Golden Gate Quartet avec leur manager *(ci-dessus)* et les James Cleveland Singers *(ci-contre)* sont parmi les groupes de gospel qui quittèrent l'église pour la salle de concert. Roebuck « Pop » Staple, qui tient une guitare sur cette photo, cueillait le coton dans le Sud étant enfant. Il trouva le succès à Chicago comme interprète, arrangeur et homme d'affaires.

Page suivante : Si les Mills Brothers *(à gauche)* jouèrent une forme « blanchie » de gospel dans les années trente, les Shirelles *(au centre)* et les Drifters *(à droite)* furent un quart de siècle plus tard deux groupes de variétés très gominés. Comme pour de nombreux autres groupes du début, la terminologie prête à confusion : il y eut trois groupes différents qui se firent appeler les Drifters, chacun interprétant les chansons bien connues du groupe ; un seul peut prétendre être de la lignée des Drifters d'origine, les autres aucunement.

s'aperçurent que le marché arrivait à saturation. Au début des années cinquante, on exigea une sonorité plus subtile. On avait besoin d'une forme musicale qui insufflât du style à ce bruit débridé qui avait fait se trémousser Chicago. La musique noire possédait une telle forme, pour le moins inattendue, la musique d'église.

Le blues et le gospel avaient toujours entretenu des relations difficiles. Tous les deux avaient des racines similaires. La plupart des chanteurs de blues professionnels ou amateurs se vantaient généralement d'avoir eu une expérience de chanteur d'église et ils mettaient souvent des chansons quasi religieuses à leur répertoire. Témoigner sa reconnaissance au Seigneur marquait un moment d'abandon; manifester son émotion à l'église était un signe de dévotion. Chanter du gospel était le summun de cette dévotion, l'expression figurée de la communication avec le Seigneur. Les vedettes du gospel étaient passées maîtres dans l'art de cette communication. Ils étaient aussi éloquents et aussi rigoureusement entraînés que les prédicateurs. Ils répétaient soigneusement. Leurs effets étaient calculés jusqu'au dernier frisson. Ils avaient beau avoir l'air possédé en hurlant et en pleurant, leurs harmonies étaient parfaites et ils ne manquaient jamais une mesure. La passion était devenue un style et une nécessité.

Le Rhythm and Blues, tout en rudesse et en tripes, resta, malgré la virtuosité de certains de ses interprètes, une musique peu raffinée. Le gospel, par contre, ajoutait de la finesse à la passion. Tout chanteur de rhythm and blues désireux d'introduire une note de bon goût dans son tour de chant commençait à imiter ses frères d'église. Le style de Ray Brown, par exemple, devait visiblement beaucoup au blues rural, mais il était exprimé d'une voix aiguë, pleine d'une émotion et d'une couleur outrées, propre au pur gospel.

Non seulement le gospel donna confiance au rhythm and blues, mais il l'aida aussi à alimenter ses sonorités. A part de rares solistes comme Mahalia Jackson ou Sister Rosetta Tharpe, c'étaient des groupes qui remplissaient les églises noires de toute l'Amérique : les Dixie Hummingbirds, le Golden Gate Quartet, les Five Blind Boys du Mississippi, ou encore les Soul Stirrers. C'étaient des interprètes versatiles, leur répertoire allait des ballades lentes aux cris de joie adressés à Dieu. Bien que leur « message » (si cela en était un) restât visiblement religieux, leurs disques commencèrent à se vendre aussi bien que ceux des chanteurs de rhythm and blues les plus bruyants et les moins sophistiqués.

Les Ink Spots avaient déjà fait une incursion dans le marché blanc et avaient gagné de l'argent en offrant de douces harmonies et des sonorités joyeuses. Ayant été les premiers à remporter un succès notoire, ils avaient acquis parmi leurs frères de couleur un statut presque mythique. Mais c'est Billy Ward, un Noir, professeur de gospel à New York, qui réussit la première synthèse fructueuse quand il décida en 1950 de

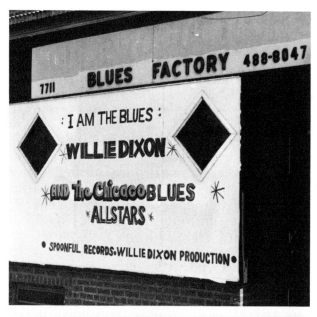

former un groupe composé de ses meilleurs élèves. Ward n'avait pas lésiné sur le chanteur qu'il avait choisi pour diriger le groupe : Clyde McPhatter. McPhatter refusa de se contenter d'une simple imitation et menaça de s'en aller. Ward fut forcé d'accepter sa voix haute et fluide de ténor et une base harmonique solide et serrée, les deux éléments se répondant comme dans les anciens chants de travail des plantations. Ward appela le groupe les Dominoes et ils enregistrèrent leur première chanson, *Sixty Minute Man*.

Elle fit sensation et fut tout de suite n° 1 au Hit Parade. Soudain, des dizaines d'autres groupes s'aperçurent que du gospel avec du rhythm and blues, c'était la poule aux œufs d'or. Certains groupes avaient des noms absurdes d'animaux ou d'oiseaux : les « Spaniels » (les épagneuls), les « Flamingoes » (les flamants roses), les « Penguins » (les pingouins) ; ou encore les « Moonglows » (les rayons de lune) et les « Clovers » (les trèfles). Le plus grand ne fut pas les Dominoes, mais le groupe qui plus tard acquit Clyde McPhatter, les « Drifters ». Ils chantaient *Money, Money* (« de l'argent ») et ce n'était pas par hasard.

La sonorité du gospel, auréolé de paroles séculaires, fournit une alternative de bon goût aux gémissements apparemment grossiers et certainement inacceptables de chanteurs tels que Howlin' Wolf. Bien qu'ayant quitté l'église, ils acquièrent un vernis de respectabilité religieuse. La spontanéité fit place à des projets précis. Le nouveau rêve consista non seulement à sortir du ghetto mais à en sortir avec élégance et sophistication. La réalité, un mélange répugnant de misère, d'ignorance et d'oppression, les stigmates du passé honteux : tout était oublié.

On exhuma *Red Sails in the Sunset* et *Smoke Gets in Your Eyes,* des chansons à l'eau de rose. Ces groupes devinrent le symbole de l'adolescence romantique. Ils gueulaient des airs de danse absurdes. Comparés à Eddie Fisher ou à Perry Como, bien sûr, ils avaient l'air encore excentriques. Mais à l'encontre de T-Bone Walker ou d'Illinois Jacquet, ils ne représentaient aucun danger réel. La jeune Blanche de banlieue pouvait dormir tranquille.

Juste au moment où les jeunes Noirs étaient soucieux de paraître raffinés, les jeunes Blancs devinrent désireux de paraître un peu plus audacieux que leurs parents. En 1953, un groupe s'inspirant du gospel, qui enregistrait pour une petite marque indépendante, répondit à ces deux besoins. Avec Sonny Til, comme chanteur ténor, les Orioles sortirent leur plus grand tube, *Crying in the Chapel*. La chanson empruntait sa mélodie à la musique country ; les sentiments qu'elle exprimait étaient du plus pur Tin Pan Alley. Mais le groupe était noir et son style aussi. D'autres qui avaient atteint les sommets du Hit Parade blanc, comme les Mills Brothers, Nat « King » Cole et les Ink Spots avaient caché leur négritude dans une musique coulante. *Crying in the Chapel* abandonnait ce subterfuge. Malgré tout son raffinement, la sonorité était dure et noire ; on ne pouvait s'y tromper. Selon les règles en vigueur la chanson n'aurait pas dû troubler le marché du disque blanc. Pourtant, elle se vendit à plus d'un million d'exemplaires. Les jeunes Blancs étaient accrochés.

Pendant un temps, les grandes maisons de disques montrèrent peu d'énergie (ou d'engouement) pour engager et promouvoir des artistes noirs originaux. A la place, ils lancèrent sur le marché toute une série ennuyeuse d'imitateurs blancs. Jerry Wexler, dont la compagnie, Atlantic Records, prenait de l'importance, raconte : « Beaucoup d'artistes noirs étaient écœurés par la façon dont les grandes boîtes commercialisaient la musique qu'ils avaient créée. Certains d'entre nous ressentaient la même chose. Nous obtenions de bonnes ventes, quoique locales, avec notre rhythm and blues authentique, mais les grandes maisons conquéraient un vaste marché simplement en faisant copier notre production par des artistes blancs. Ils disaient "couvrir", mais en fait, ils copiaient bel et bien nos chansons. Ils faisaient venir Patti Page ou les Fontaines et prenaient une chanson d'un de nos artistes comme Ivory Joe Hunter ou Ruth Brown ; ils l'enregistraient avec un orchestre de studio blanc, se précipitaient jusqu'à une station de radio blanche et immédiatement la lançaient sur les ondes. Leurs ventes étaient considérables. Pendant ce temps-là, nous étions limités aux stations de radio noires car les stations blanches ne passaient pas de disques noirs. Ils nous disaient : "Apportez-nous un arrangement blanc." Mais évidemment, nous n'avions aucun artiste blanc. »

Le marché blanc du disque essaya de désinfecter la musique. Les paroles furent nettoyées et le rythme assagi. *Roll With Me, Henry* (« Viens rouler avec moi, Henry ») devint *Dance With Me Henry,* dans sa version arrangée. Mais les jeunes Blancs en voulaient davantage. La plus grande partie de la musique blanche était destinée à leurs parents : les chanteurs de charme, les grands orchestres, les ballades romantiques et les rares innovations.

Bientôt, de nouveaux noms apparurent — Perry Como, Eddie Fisher, Dean Martin, Vic Damone — mais aucun d'eux n'était très différent de Bing Crosby, qui lui-même datait d'avant la guerre. Un seul donna un avant-goût de la tempête qui s'annonçait : le Millionnaire de la larme, le Nabab du Sanglot, Johnnie Ray.

Ce jeune homme frêle et tourmenté, originaire d'Oregon, prétendait être tombé sur le crâne à l'âge de dix ans. Cela avait transformé ce garçon joyeux et grégaire en un introverti solitaire, bourré de tics nerveux. De plus, cet accident l'avait rendu presque sourd. Pour se rénover l'esprit, Ray se mit à chanter. Mais la

Le blues devenu gospel. *Page de gauche en haut :* un des nombreux petits clubs qui fleurissent encore dans les quartiers Ouest et Sud de Chicago. C'est dans ces endroits-là qu'on put entendre les premières touches de gospel dans les voix rauques et bruyantes des bluesmen urbains. Mais il fallut des producteurs blancs comme Jerry Wexler *(ci-dessus)* pour développer ce qui était essentiellement une musique noire. Les Disques Atlantic de Wexler établirent leur réputation en enregistrant des bluesmen urbains dans les années cinquante, mais ces sonorités furent plus directement exploitées par les groupes noirs eux-mêmes : les Miracles *(page de gauche, au centre)* et les Platters *(page de gauche en bas)*

tension du tour de chant semblait l'éprouver au-delà de sa résistance émotionnelle : chaque fois qu'il montait sur scène, il finissait en pleurs. Si c'était un truc, cela marchait bien. Les gens s'attroupaient pour voir si les larmes étaient vraies. Ray titubait en haletant, il suffoquait en prononçant les mots, et se frappait la poitrine ; il tombait à genoux et semblait s'étrangler de passion, puis il pleurait jusqu'à ce que le public soit satisfait. C'était ce que le public réclamait, dit-il aujourd'hui, c'est pourquoi il le faisait.

Son public était féminin : des mères de famille, des ménagères, des écolières. Son répertoire consistait principalement en de traditionnelles ballades languissantes. Il fit revivre le concept de mise en scène. Il introduisit l'excès auprès du public blanc. Bien que comparativement maladroit et dissonant, son numéro avait tout du gospel. Ray gagna une fortune. Il ameutait les foules ; on criait sur son passage et on lui arrachait ses vêtements. Tout ça, reconnaît-il, sans qu'il sache chanter : « Je n'ai pas de talent et je chante comme une casserole. Je suis une sorte d'épagneul humain. Les gens viennent voir à quoi je ressemble. Je les fais ressentir, je les épuise, je les détruis. »

« Je ne voulais pas être chanteur, m'a dit Ray, je voulais être acteur, et le seul moyen que j'avais de rester en contact avec le métier, c'était de bluffer. C'est ce que je fais aujourd'hui, vingt ans plus tard. »

Et l'histoire de son plus grand succès ? « Beaucoup de gens se trompent en pensant que j'ai écrit *Cry*. Cette chanson a été écrite par un chansonnier noir de Pittsburgh, du nom de Churchill Coleman. La façon dont je l'ai enregistrée et dont je la chantais sur scène est cependant différente de ce qu'il a écrit. Nous avons improvisé dans le studio quand nous avons

commencé à l'enregistrer, et le résultat ne fut pas ce qu'il avait en tête. »

Dès 1952, l'animateur de Radio Cleveland, Alan Freed, s'était aperçu que les imitations ne faisaient que renforcer les désirs d'authenticité. Dans un magasin de disques du centre de la ville, il avait regardé un tas de teenagers blancs danser frénétiquement au son de disques noirs. Il comprit que quelque chose de nouveau et de puissant se préparait et il se mit à faire figurer du rhythm and blues dans ses émissions de radio. Mais il évita soigneusement de présenter la musique comme du rhythm and blues, l'expression étant devenue aussi significative que « race music » auparavant. A la place, il l'appela rock and roll.

La progression de Freed fut d'une rapidité étonnante. Au bout de quelques semaines de sa nouvelle formule, il devint l'animateur n° 1 de Cleveland. Puis il fut acheté par WINS, une des plus importantes stations de New York, dont le nombre d'auditeurs, des Blancs en grande partie, surpassa bientôt celui de tous ses concurrents. Au cours de l'un des spectacles en direct qu'il produisit – dans un stade où la foule atteignait trente mille personnes – une émeute éclata et la police chargea. Le rock and roll était sur orbite.

Rock and roll était le mot de passe le plus séduisant que la jeunesse blanche ait trouvé jusque-là. Mais la musique manquait de forme et d'identité. Il lui manquait surtout un leader blanc. Une petite maison de disques indépendante appelée Essex (jusque-là obscure) décou-

A gauche : Au début des années soixante, les Supremes – anciennement les Primettes – établirent la réputation de Berry Gordy et de Motown. *(De droite à gauche) :* Diana Ross, Mary Wilson (toujours membre des Supremes mais avec deux autres partenaires), et Cindy Birdsong, qui remplaça la troisième Supreme d'origine, Florie Ballard, après une dispute en 1967. Ballard mourut dans la misère à Detroit en 1975. Cette photo a été prise peu de temps avant que Diana Ross chantât seule. Leurs dix premiers disques furent des échecs ; les douze suivants des « Numéro 1 » au Hit Parade.

En haut à droite : Aretha Franklin, fille d'un pasteur de Detroit, fut découverte par John Hammond et éduquée par Jerry Wexler. Au début des années soixante, elle fit une série de disques de rhythm and blues aux accents de gospel, mais dans les années soixante-dix, elle se dirigea vers un style de gospel personnel. « L'église, m'a-t-elle dit, a sans aucun doute toujours été ma route. Quelques-uns des plus grands noms du spectacle sont sortis de l'église. » *En bas à droite :* Lightnin' Hopkins, né au Texas en 1912, une personnalité secrète, omniprésente depuis quarante ans.

vrit un ancien chanteur de country (encore plus obscur) qui avait vaguement fait du Rhythm and Blues. Bill Haley fit un disque pour Essex et l'appela *Crazy Man Crazy*.

Haley était un péquenot. Aux yeux de n'importe quel Noir, il était peu assuré et fébrile. Pourtant, pour le monde blanc, il fit l'effet d'une bombe. On n'avait jamais encore lancé quelque chose de si frénétique, de si juvénile, de si violent. Pour les jeunes, il était un appel aux armes.

Ils achetèrent son disque et le hissèrent au Hit Parade. Les grandes maisons de disques furent forcées de céder. En 1954, Decca racheta à Essex le contrat de Haley et lui laissa enregistrer deux chansons : *Shake, Rattle and Roll* et *Rock Around the Clock*, toutes les deux sentant la sueur et le sexe. La décence semblait une cause perdue.

Pour du rhythm and blues, le résultat était pitoyable. *Shake, Rattle and Roll* avait déjà été un succès grâce au Noir Joe Turner, qui avait placé l'action de la chanson dans l'alcôve. Haley l'avait transportée dans la cuisine ; il avait assagi le rythme et expurgé les paroles, mais comparé à ses autres concurrents blancs, il était le dur des

---

En haut à gauche : Johnnie Ray, profondément influencé par le gospel. *Ci-dessus :* deux visages de James Brown, chanteur de gospel et rocker.

Ci-contre : Paul Butterfield, un des quelques rares interprètes blancs de blues à être apprécié unanimement par les artistes noirs.

Page de droite, en haut à gauche : Sam Cooke commença dans un groupe de gospel, les Soul Stirrers, et devint un des premiers chanteurs noirs à avoir du succès auprès des amateurs blancs de rock and roll. Il fut tué par balle dans un motel de Los Angeles en 1964.

En haut au centre : Illinois Jacquet, qui alla du blues au jazz moderne des années soixante, en passant par le swing avec Count Basie et Lionel Hampton. *En bas à gauche :* McKinley Morganfield Waters, né à Rolling Fork dans le Mississippi en

  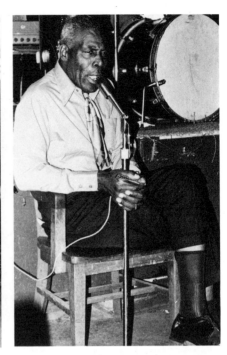

1915. Muddy Waters raconte : « Toute ma vie, j'ai eu des ennuis avec les femmes... J'ai écrit beaucoup à leur sujet. Puis après avoir cessé d'avoir des ennuis avec elles, j'ai senti dans mon cœur que quelqu'un aurait toujours des ennuis avec elles, et alors j'ai continué à écrire ces blues. » Chester Arthur Burnett (*en haut à droite*), né à Aberdeen dans le Mississippi en 1910, est un homme qui avait toujours des ennuis. On voit ici Howlin' Wolf, peu de temps avant sa mort, mais toujours autant lui-même. Jusqu'à sa mort le « Wolf » (le loup) resta en contact avec le Mississippi, où il passa quarante ans de sa vie, et avec le quar-

tier Ouest de Chicago, où il s'établit plus tard. Plus que tout autre, Howlin' Wolf préserva le sentiment du blues pendant un demi-siècle. *En bas à droite* : Bo Diddley, né à McComb dans le Mississippi en 1928, un jeune violoniste du sud de Chicago qui devint vedette de rock par l'intermédiaire du blues. « Je ne voyais aucun Noir jouer du violon, c'est pourquoi j'ai cessé d'en jouer. » De l'époque où, adolescent, il jouait de la guitare dans les rues de Chicago, Bo m'a dit : « Si vous ne saviez pas jouer comme Muddy Waters, vous ne pouviez pas trouver d'engagement car Muddy avait mis Chicago dans son sac. »

durs. Les jeunes l'accueillirent comme le libérateur et se massèrent partout où il allait. En un an, Bill Haley et ses Comets vendirent presque cinq millions de disques. La morale était inéluctable : si les artistes comme Haley ou Johnnie Ray provoquaient une telle émotion, qu'arriverait-il si quelqu'un de moins inhibé surgissait ?

Ce n'est peut-être pas un hasard si Memphis, qui avait jadis donné au blues ses buts et ses directions, jouait aujourd'hui un rôle prédominant dans le triomphe du rhythm and blues. A la fin des années quarante, un ingénieur du son, du nom de Sam Phillips, avait enregistré des grands orchestres dans un hôtel de la ville, le Peabody. Il avait trouvé ennuyeux le travail et la musique : « Ils étaient très bons, dans un sens, dit-il, mais je ne voyais pas beaucoup de créativité en eux. J'étais né et j'avais grandi dans une ferme du Sud, en Alabama, et j'avais toujours vécu à côté des Noirs et de leur musique. J'appréciais leurs rythmes, leur sincérité, et l'amour

---

En haut à gauche : Aveugle depuis l'âge de sept ans, admirateur du boogie, du Grand Ole Opry, de Nat King Cole, de Big Boy Crudup et du toujours présent Muddy Waters ; plus tard influencé par Billy Eckstine et Dizzy Gillepsie : Ray Charles, qui peut dire sans choquer : « Je n'ai jamais voulu être ce que l'on appelle célèbre, mais j'ai toujours voulu être un grand artiste. » *En haut à droite :* en 1969, au Ann Arbor Blues Festival *(de gauche à droite) :* B.B. King, Big Mama Willie Mae Thornton, interprète originale de la chanson de Lieber et Stoller *Hound Dog ;* Junior Wells, Roosevelt Sykes. *En bas :* Junior Wells, B.B. King, Bobby Bland, et Buddy Guy. Une des curiosités du monde du blues est que les mêmes artistes peuvent jouer plusieurs nuits de suite pour un public de quelques Noirs de passage dans les boîtes crasseuses de Chicago et se retrouver le lendemain, comme ici, au « Avery Fisher Hall » de New York. Leurs tournées au Japon, en Europe et en Afrique remplissent les stades.

de la vie tel qu'ils l'exprimaient dans leurs chansons. Je décidai d'ouvrir un petit studio d'enregistrement à Memphis. Je savais que certains musiciens noirs allaient à New York ou à Chicago, mais que la plupart ne pouvaient pas se permettre d'aller si loin et qu'il n'y avait aucun endroit sur place pour enregistrer leur musique. J'ouvris boutique au 706 Union Avenue. Bientôt le bruit circula qu'un Noir ou qu'un Blanc pouvait venir y enregistrer sans se faire dépouiller.

« Ce ne fut pas long avant que B. B. King, Roscoe Gordon, Rufus Thomas et d'autres soient dans le studio. Il y a même des musiciens qui commencèrent à venir du Mississippi et de l'Arkansas comme Howlin' Wolf, Jackie Benson et Ike Turner. Je les proposai à différentes maisons de disques indépendantes et reçus des réponses enthousiastes. Mais je n'étais pas vraiment satisfait. J'étais convaincu qu'on pouvait faire davantage.

« J'avais entendu cette musique — dans ma tête et dans mon cœur — et je voulais absolument que d'autres l'entendent aussi. J'ai horreur des imitations. Mais, ayant vécu très près des Noirs, j'étais tout à fait persuadé qu'un Blanc, un Blanc du Sud, pouvait se rapprocher de la même musique, des mêmes sentiments. Il y avait encore beaucoup de haine entre les races dans le Sud, mais la musique était le seul terrain où les Blancs et les Noirs étaient plus proches que les gens ne le pensaient. Je sentais que si seulement je pouvais trouver un artiste blanc qui puisse mettre le même sentiment et la même spontanéité dans ses chansons, qui puisse trouver en lui cet abandon total des artistes noirs, j'aurais alors l'occasion et les moyens d'offrir aux autres cette musique que j'avais entendue.

Alors arriva Elvis Presley.

10 La musique country

La musique qui fut, entre autres, une des sources d'inspiration d'Elvis Presley était diffusée par un nombre croissant de stations de radio puissantes qui s'étaient ouvertes un peu partout dans le Sud au cours des années vingt et trente. La plus proche station « country » n'était qu'à cent soixante kilomètres au nord-ouest de chez Presley, à Nashville, Tennessee. Au début des années trente, les ventes annuelles de postes de radio pour tous les États-Unis atteignaient un total proche du milliard de dollars. Il est

Deux amuseurs publics du comté de Rockingham en Caroline du Nord, vers 1860.

vrai que le Sud avait le plus faible taux de possesseurs de radios, la moyenne étant réduite par une forte population à bas revenus. Mais à la date où naquit Presley, une maison sur trois dans le pays possédait un récepteur.

Dès le départ, les musiciens régionaux avaient eu la nette préférence des auditeurs ; ainsi, WBAP à Fort Worth avait présenté pour sa soirée inaugurale une heure et demie de « square-dances », dirigées par un vétéran sudiste et violoneux d'« old time », le capitaine M. J. Bonner. L'émission avait provoqué une extraordinaire réaction du public ; la station fut submergée de coups de téléphone, de lettres et de télégrammes pour en réclamer davantage. Moins de trois ans après, WSM, qui émettait de Nashville, avait suivi une même route. Et le 28 novembre 1925, après une bien brave émission intitulée *Musical Appreciation Hour,* le directeur de la station WSM, George D. Hay, annonça : « Vous venez d'écouter un programme de musique du Grand Opry ; et maintenant, vous allez écouter de la musique du Grand *Ole* Opry. » Alors un violoneux de quatre-vingts ans, Uncle Jimmy Thompson, et sa nièce, la pianiste Mme Eva Thompson Jones, jouèrent pendant plus d'une heure devant un vieux micro au carbone d'occasion. Hay demanda si le vieux violoneux commençait à se fatiguer. « Vous voulez rire, répondit Thompson, un homme ne s'échauffe pas en une heure. Je viens de remporter un concours de violoneux de huit jours à Dallas, Texas, et voici mon ruban bleu pour le prouver. » Il assura qu'il connaissait mille morceaux, et avait l'air bien décidé à les jouer tous. Avant la radio, personne au-dehors des régions rurales où elle était née ne savait qu'une telle musique existait. Et bien peu étaient au fait de l'étendue de sa survivance.

« Survivance » est peut-être le terme approprié si l'on considère ce qui est arrivé à toutes les autres formes de musique américaines. Dans le Sud, où la vie elle-même était une lutte continuelle, on évitait d'innover et on méprisait l'étranger. Seules la famille, l'Église et la communauté villageoise procuraient force et espoir. Tandis que le Nord s'était laissé gagner par l'obsession du progrès et du modernisme, le Sud était demeuré dans un archaïsme méfiant et inébranlable. Sa musique avait été préservée et chérie longtemps après qu'ailleurs on l'ait oubliée. Les vieux hymnes, reels et ballades, s'étaient transmis d'une génération à l'autre

Ci-dessus, en haut : bal de campagne à Denison (Texas) au début du siècle. *Ci-dessus :* violon, style « country ».

Page de droite : La Carter Family originelle. Alvin Pleasant Carter, sa femme Sara (autoharp) et sa belle-fille Maybelle (guitare). Sara et A.P. se marièrent en 1915, divorcèrent en 1936 mais continuèrent à se produire ensemble jusqu'au début des années quarante. « Mother » Maybelle organisa plus tard, avec ses filles, une seconde génération de Carter artistes. June Carter a épousé Johnny Cash, et fait maintenant partie du groupe de celui-ci.

comme s'ils étaient inscrits sur des tablettes. George Hay s'est souvenu qu'en moins de quelques semaines après les débuts d'Uncle Jimmy Thompson, « nous avons été assiégés par d'autres violoneux, joueurs de banjo, guita-

ristes, et par une dame qui jouait sur une vieille cithare ».

Eck Robertson (en haut, à gauche), né à Amarillo, au Texas, vers 1880, fut à peu près sûrement le premier à enregistrer. Il devait encore gagner un concours de violoneux en 1962. A droite : Jimmie Rodgers (ici avec Will Rogers). En bas, à gauche : Rodgers avec la Carter Family. Bien qu'ils se soient rencontrés lors d'enregistrement chez Ralph Peer en août 1927, il n'est pas prouvé qu'ils se soient vraiment connus. Le style de vie de Rodgers devait être difficilement compatible avec l'image respectable des Carter.

Les tout premiers colons blancs sur la côte est américaine se distrayaient avec les chansons qu'ils avaient apportées d'Angleterre, d'Écosse, du Pays de Galles ou d'Irlande. Plus tard, en voyageant vers le Sud et l'Ouest, ils avaient découvert les vallées isolées et les collines boisées des monts Appalaches et Ozark. Retrouvant l'image de leur pays, ils s'arrêtèrent dans l'ouest du Kentucky et du Tennessee, et dans le nord-est de l'Arkansas.

Lorsque les colons montagnards se réunissaient un soir pour partager un peu de musique, ils ne répétaient pas les ballades anciennes de Grande-Bretagne mot pour mot. Ils les adaptaient pour raconter la vieille époque des pionniers en Amérique, oubliant souvent où les chansons avaient trouvé leur origine. Jean Ritchie, qui a passé toute sa vie à étudier le dulcimer et à collecter des vieilles chansons dans le sud des Appalaches où elle est née, dit : « Il n'y a pas si longtemps, un jour où je jouais *Barbara Allen*, l'une des plus anciennes ballades britanniques, un vieillard qui était venu du comté voisin m'écoutait et il m'a dit : "Eh bien, j'ai connu ces gens de votre chanson. Ils habitaient sur le coteau juste en face de chez moi." »

Les instruments étaient primitifs, parfois rien de plus que des copies approximatives de ceux qu'ils avaient laissés dans leur pays d'origine. Le dulcimer n'était qu'une simple boîte avec des cordes qu'ils accordaient de façon à évoquer le bourdon d'une cornemuse. L'arc à une corde, placé contre la bouche de l'interprète pour qu'elle fasse caisse de résonance avec la corde grattée au moyen d'une plume, était encore répandu dans les monts Smokey à la fin du XIXe siècle. Le banjo — souvent simple peau tendue sur une gourde, avec des cordes en crin de cheval — et le violon complétaient la famille ; la guitare était quasi inconnue. Le violon procurait la mélodie et le rythme, un joueur tapant sur les cordes avec des bâtonnets tandis qu'un autre manœuvrait l'archet. La façon d'accorder était également uniforme, de nouveau rappelant grossièrement le son des cornemuses, bien que divers modes d'accords aient contribué à maintenir l'isolement. Sur le territoire Oklahoma, par exemple, un accord en mineur dénommé Cherokee était très apprécié des violoneux. Mais si ces mêmes violoneux se rendaient dans les monts Ozark, personne ne pouvait jouer avec eux ; le mode d'accord y était différent.

Le contenu des chansons était une nécessité, et la mort la seule certitude. Dans la conclusion de son étude qui fait autorité sur la country music commerciale *(Country Music, U.S.A.)*, Bill C. Malone écrit que, pour pouvoir préserver les styles divers que l'on nomme aujourd'hui country music, « il faut aussi préserver la culture qui leur a donné le jour, une société caractérisée par l'isolement culturel, le racisme, la misère, l'ignorance et les principes religieux essentiels ». « Cousin » Minnie Pearl, connue aussi sous le nom de Sarah Ophelia Colley Cannon, et comédienne vedette du Grand Ole Opry pendant trente-cinq ans, m'a dit : « La musique country parle de problèmes quotidiens auxquels tout le monde peut s'identifier. Il y en a qui parlent de tavernes à bière et de foyers brisés et de divorces, d'autres, d'incidents ordinaires et quotidiens. Lorsque les gens entendent cette musique, ils ont le sentiment qu'ils appartiennent à la musique et que la musique leur appartient. »

La musique dans les collines était l'affaire de la communauté — réunions sur le perron, bals et pique-niques — et jusqu'à la Guerre civile la communauté était repliée sur elle-même. Puis au sein de cette société arriva crânement le « medicine show », la plus grande, la plus enthousiasmante distraction que l'Amérique rurale eût jamais connue. Entre 1870 et la Première Guerre mondiale, chaque village ou hameau de l'Amérique rurale fut visité par des charlatans qui refilaient des remèdes miraculeux à tous les maux, depuis les cors au pied jusqu'à l'impuissance. Entre les tirades pour vendre, ils offraient des numéros de variétés allant des monstres aux ménestrels au visage noirci. La musique était un très sûr moyen d'attirer la foule, alors ils engageaient des musiciens.

Être payé pour faire de la musique était particulièrement attrayant pour les fermiers des collines, et il ne fallut pas longtemps pour que des musiciens venus de la campagne se bousculent un peu partout en ville. Ils s'aperçurent que des hommes politiques étaient prêts à les payer pour mettre de l'ambiance dans leurs rassemblements, que des réunions de société avaient besoin de musique pour danser, et qu'en jouant sur les trottoirs après une réception du samedi soir, ils pouvaient gagner gros. Il manquait à la musique un nom ; c'était juste de la musique du Sud, blanche et rurale. Celui qui en jouait, selon un rédacteur du *New York Journal* en 1900, était « un citoyen blanc libre et sans contrainte... Un gars des collines... sans moyens apparents, qui s'habille comme il peut, parle comme il veut, boit du whisky quand il en trouve, et tire un coup de revolver quand la fantaisie l'en prend ».

Entachée par la vie urbaine, la musique s'étendit aux peines de cœur et au culte, au sang et au stupre, à l'amour et à la vengeance — tout

cela, vu à travers une brume larmoyante, un souvenir du chien fidèle qui attend à la grille de la ferme avec une mère avenante et émue aux larmes à la table du dîner. Fidèle à son passé, la musique apportait le témoignage du péché avoué, de l'ivrognerie guérie, de la moralité rachetée, de la pénitence exigée. La mort — généralement précoce et imméritée — était au rendez-vous. C'était un mélange aussi fort et « bien du cru » que le whisky fabriqué au clair de lune qui servait à le lubrifier.

La radio réduisit aussi l'isolement des campagnes. Comme leurs prédécesseurs, les marchands de remèdes, les annonceurs qui achetaient de l'espace sonore firent appel aux musiciens des collines pour remplir les trous entre les publicités. C'est ainsi que les centaines de stations de radio locales dispersées dans tous les États du Sud dans les années vingt et trente amenèrent les musiciens de « hillbilly » au contact d'un public extérieur à leur voisinage immédiat. On les payait peu, et ils étaient engagés ou remerciés sans distinction. Mais un emploi de radio amenait une clientèle, et des artistes comme le violoneux Eck Robertson du Texas, le banjoïste Charlie Poole de Caroline du Nord, et le groupe des Skillet Lickers de Georgie, se ménagèrent de solides réputations

---

dans le Sud. Eck Robertson, avec un cran caractéristique, signa le tout premier enregistrement de hillbilly grâce au simple expédient consistant à faire le voyage jusqu'à New York, investir les bureaux de la Victor Talking Machine Company et exiger de faire un disque. Sa version de *Arkansas Traveller* se vendit à quelques exemplaires, et ce fut tout. C'est seulement lorsque Ralph Peer, découvreur de talents chez OKeh Records, qui avait précédemment enregistré la chanteuse de blues Mamie Smith, se laissa convaincre de s'aventurer jusqu'à Atlanta, que l'affaire consistant à enregistrer de la musique rurale blanche démarra pour de bon.

Le choix pour cette expérience se porta sur Fiddlin'John Carson, qui avait déjà dépassé la cinquantaine. Peintre en bâtiment le jour et bouilleur de cru la nuit, Carson interpréta deux de ses chansons dans un hangar de location sur Nassau Street, à Atlanta, devant un Peer affolé, qui qualifia la voix de Carson de « plus-que-parfaitement atroce ». Également consterné par la naïveté des chansons de Carson (avec des titres comme *The Little Old Log Cabin in the Lane* (« La Petite Cabane en Rondins dans l'Allée ») ou encore *The Old Hen Cackled and the Rooster's Gonna Crow* (« La Vieille Poule Caquetait et le Coq Va Chanter »), l'homme du Nord ne pouvait se résoudre à leur donner un numéro de catalogue. Il refusa de laisser diffuser les cinq cents exemplaires qui en furent pressés hors des environs immédiats d'Atlanta. Mais au bout d'un mois à peine, Peer dut en faire encore cinq cents. Quand l'année s'acheva, le disque s'était vendu à tant d'exemplaires que l'on expédia Carson à New York pour avoir sa signature sur un contrat. « On dirait qu'il va falloir que j'arrête de faire de la gnôle, déclara Carson à ce moment-là, et que je commence à faire des disques. »

A partir de là, ce fut le schéma bien connu. Les grandes compagnies écumaient le Sud, s'abattant sur tous les musiciens qu'elles pouvaient trouver. Les enregistrements étaient ce qui se faisait, et comme les découvreurs et les techniciens du Nord ne savaient pas ce qu'ils enregistraient — et n'aimaient pas cela de toute façon —, ils enregistraient n'importe qui se présentant avec un banjo ou un violon à la main. Le résultat était surtout une ignorance crasse, mais on parvenait à des ventes modestes sur le Sud et cela suffisait. Au nord de la ligne Mason-Dixie, on continuait à considérer cette musique

comme inculte et vulgaire. Elle n'avait même pas de nom, jusqu'au jour où un groupe bigarré (dirigé par Al Hopkins) enregistra chez Ralph Peer. Ils étaient venus en ordre dispersé depuis la Caroline du Nord et la Virginie, avec l'espoir de faire fortune. Quand la séance fut terminée, Peer demanda le nom du groupe. « Appelez-nous n'importe comment, lui aurait dit Hopkins. Nous ne sommes jamais qu'un groupe de *hillbillies.* » Alors Peer, en homme d'affaires avisé, les inscrivit sous le nom de « The Hill Billies ».

Au milieu du déchet, il y avait quelques excellents enregistrements. Certains des plus talentueux artistes de hillbilly choisissaient d'enregistrer des chansons traditionnelles plutôt que leurs propres compositions ; *Barbara Allen, Cumberland Gap* et des ballades britanniques du même genre ressortaient constamment, toujours rendues plus sentimentales et toujours entachées de piété. Un chanteur de variétés en

En haut : les Washboard Wonders, en 1936, avec un assortiment complet d'instruments « country ».

Page de droite : Extrait de *Radio Digest* en 1926, montrant le groupe qui créa le nom de Hill Billies.

mal de succès, du nom de Vernon Dalhart, préfigura la forme de ce qui allait advenir. Pour commencer, il ne s'appelait pas Vernon Dalhart. C'étaient là les noms de deux villes de son État natal, le Texas ; il les avait adoptés pour faire une carrière de ténor d'opérette à New York avant la Première Guerre mondiale. Son vrai nom était Marion Try Slaughter, bien qu'il eût déjà enregistré sous une série de pseudonymes. Venu de Jefferson (Texas), il n'avait pas les qualifications pour adopter le style d'un hillbilly. Mais il convainquit la firme Victor de le laisser réenregistrer deux vieilles ballades déjà mises sur la cire par Henry Whitter : l'une, un standard intitulé *The Wreck of the Old 97* (un récit d'accident mortel sur la ligne de chemin de fer du Sud), l'autre, une triste histoire ayant pour titre *The Prisoner's Song* — écrite, insistait-il, par son cousin (c'était faux), avec une nouvelle musique due à un cadre de chez Victor. On y entendait ces vers immortels : « Si j'avais des ailes d'ange / par-dessus les murs de cette prison je m'envolerais. »

Les ventes dépassèrent tout ce qu'on pouvait imaginer. Dalhart donna à Victor son plus grand triomphe sur disque de cire à cette date : on en pressa en moins de deux ans presque six millions d'exemplaires. Mais là où les artistes authentiques de country glorifiaient leur côté rustre, les pseudo-chanteurs de hillbilly comme Dalhart constataient que si l'on appliquait les techniques professionnelles à ce genre de musique, la fortune était à leur porte. Dalhart était fade, truqué et suffisant. Comme d'innombrables stars à sa suite, il était distant de son public. Avec le succès de *The Prisoner's Song,* le désastre devint une condition essentielle au succès. Les auteurs de chansons inventèrent des déraillements de trains, des coups de grisou dans les mines de charbon, des mères effondrées et des petits enfants assassinés. Au milieu du carnage, Dieu regardait, clément mais impassible, montrant du doigt un monde meilleur à ceux qui souffraient. La Mort submergea le marché.

Et puis survint la Dépression. Les ventes des disques chutèrent. La radio, dorénavant largement répandue, acquit une importance encore plus grande. Comme le déclara William Ivey, directeur de la Country Music Foundation : « Il était très important pour un artiste de country en herbe d'asseoir sa carrière au moyen de la radio. S'il pouvait passer dans une émission de

"Hill Billies" Capture WRC

Boys from Blue Ridge Mountains Take Washington With Guitars, Fiddles and Banjos; Open New Line of American Airs

MODERN improvements make slow progress in the hill country of the South. During the World war it was discovered that some of the more remote communities were living much as they did a century ago.

But Radio has taken hold of the primitive inhabitants with amazing alacrity. It's effect on the development of their education and communication with the outer world promises benefits untold. They are learning a new language. They are discovering America as it is today. To some who were born and have grown old within a few miles of the homes of their fathers it is a revelation. They scarcely associate it as being in reality a part of their own world. They do not all have receiving sets but there is one in the general store and they come from far and near to hear the concerts. The storekeeper in many instances has made it possible for individual families to own their own receiving sets.

A few weeks ago Radio Station WRC at Washington, D. C., broadcast a concert by an organization called "The Hill Billies." The response was astounding.

Letters and post cards arrived from the mountains of Tennessee, from the hills of Kentucky and the Carolinas and the Blue Ridge counties of Maryland and Virginia. Phone calls, local and long distance, demanded favorite numbers, and repeats, and what not.

* * *

A VOICE with a distinct Georgia drawl asked that they play "Long Eared Mule," and added the significant remark: "You-all caint fool me, ah know where them boys come from. They's Hill Billies for suah. They ain't nobody kin play that music 'thout they is bawn in the hills and brung up thar."

And he was right. The Hill Billies are really boys from the ranges that skirt the east coast states. They are six keen-eyed, ruddy-cheeked youths who have captured the

rhythms of the hills, and who, with fiddles and other stringed instruments, present the classics of the country entertainments.

There isn't a bar of jazz in the Hill Billy music. There isn't a note of weird modern harmony or anti-harmony, nor is there a single skip-stop syncopation. And yet the Hill Billy music, with its "Sally-Ann" rhythm and its "Cinday" swing, starts feet to tapping unrestrainedly and unashamed. It is the folk music of America, to which the backwoods youth and the farmer boys "hoe it down" on rough-plank dance floors.

The Hopkins boys, the nucleus of the organization, form a vocal quartet, which, although of debatable value as to timbre of voices and blending of tone, is of indisputable predominance in volume and exactness of harmony. All four are natural baritones, but somebody has to sing tenor and somebody has to growl bass, and that's that. Joe Hopkins, now first tenor, until recently sang deep bass, but had to change because Elmer, who had been first tenor, contracted a cold and couldn't carry higher than baritone. When they "cut loose," as they say, one is reminded of their native habitat, and feels that "the strength of the hills is theirs also." WRC experimented with transmission for some time, and finally decided that the only way to keep them from "blasting" the microphone was to put them outdoors and hide the mike in a closet.

* * *

THOSE Hopkins boys, Al, Elmer, John and Joe, come from down Ash county way in No'th Ca'lina. For several years they have been "tank-towning" the South, playing for church and fraternal entertainments and dances, with Elvis Alderman (of Carroll county, Vi'ginia, suh) fiddling along with them. Carroll, if you must know, is the county in which the famous Allen gang, feudists extraordinary, lives and has its being, and takes occasional pot-shots at unsociable neighbors.

Below is the famous gang of Hill Billies who took nation's capital by storm. They are, from the left: A. E. Alderman of Carroll county, Virginia; Al, John and Joe Hopkins of "No'th Ca'lina," and "Fox-Hunt" Charlie Bowman of Tennessee. Every one of 'em from the "mountings" and born with the lingo.

Behold here a real Hill Billy, "Fox-Hunt" Charlie Bowman (above) who lives in a log cabin back in the hills ten miles from Mountain City, Tenn. Charlie came to town for a fiddlers' contest and the Hopkins boys from North Carolina were so pleased with his performance they induced him to join the Hill Billies gang.

radio, cela lui offrait la possibilité de faire chaque semaine la promotion de son prochain passage sur scène, et celle de n'importe lequel de ses disques. La radio en direct était vitale. » Les émissions de radio qui marchaient apportaient tranquillité et espérance. Elles cherchaient à recréer le bonheur des vieilles communautés montagnardes et, en particulier, les square-dances du samedi soir, chères à la vie villageoise. La première qui eût un certain impact dans les années vingt aurait été le *National Barn Dance* de WLS émis depuis Chicago, patronnée par celui qui était alors le Plus Grand Magasin du Monde : Sears, Roebuck & Cº. Le *National Barn Dance* servait à faire la promotion des artistes publiés et engagés sous contrat par Sears, qui vendait des disques en même temps que des articles à usage domestique. Son premier présentateur fut George Dewey Hay, ancien collaborateur d'un journal local. Après avoir institué le *Barn Dance,* il fut bientôt tenté de monter à Nashville.

En dimension, l'Opry était similaire à ses rivaux : le Louisiana Hay Ride de Shreveport et, plus tard, le Big D Jamboree de Dallas et le Town Hall Party de Los Angeles, mais l'Opry se prenait plus au sérieux. George Hay prévint clairement qu'aucune nouveauté n'était acceptable avant d'avoir reçu l'imprimatur de l'Opry. Cependant, le succès de popularité de l'Opry fut en grande partie dû à l'artiste qui domina le spectacle pendant ses quinze premières années d'existence, Uncle Dave Macon. Propriétaire et directeur d'une puissante compagnie de transports, il était d'un naturel absolu comme artiste. Avant l'Opry, il jouait gratuitement avec son fils Dorris dans les bals locaux ; on dit qu'il avait été surpris le jour où, ayant demandé pour plaisanter quinze dollars après avoir joué dans une réception, on l'avait payé sur-le-champ. Son apparence frappait. On aurait pu le prendre pour un hillbilly endimanché, ou pour un curé de campagne un jour de congé. Il portait toujours un petit sac noir où il mettait (disait-il) une Bible et une fiole de Jack Daniel's.

Macon ne rejoignit pas l'Opry avant l'âge de cinquante-six ans, mais il se mit en devoir d'y jouer avec le même entrain qui caractérisait ses prestations en privé. A l'occasion, il fallait le retenir de donner son spectacle en entier devant les clients d'un hôtel qu'il connaissait, de crainte qu'ils n'aient gratuitement ce pour quoi ils avaient déjà acheté des billets. Un producteur de disques d'Hollywood dans les années trente, envoyé à Nashville pour regarder ce phénomène, déclara : « Je n'ai jamais rencontré homme plus naturel de toute ma vie. Il prie quand il faut, jure quand il faut, et ses blagues sont bougrement charmantes. Il saute sur les talons, rugit comme un taureau dressé ; on l'appelle " the Dixie Dewdrop * ". »

Certains virent dans l'Opry (à juste titre, s'avéra-t-il) une tentative ne visant qu'à la commercialisation d'une tradition folklorique anglo-saxonne relativement pure, représentée avec la plus grande influence par la Carter Family. Ils ne firent jamais d'apparitions à l'Opry, quoiqu'ils se soient bien produits plus tard dans certaines grandes stations de la frontière mexicaine. Eux aussi priaient quand c'était le moment ; d'aucuns ont dit qu'ils priaient à tout moment. A coup sûr, leur musique avait des relents évangéliques. Ils étaient de la plus stricte éducation chrétienne, de Poor Valley, en Virginie. Leur famille habitait le même endroit depuis le xviiiᵉ siècle. Alvin Pleasant (A.P.) Carter, son épouse Sara et sa belle-sœur Maybelle Addington Carter étaient tous des instrumentistes accomplis. Ils firent beaucoup pour préserver les chansons traditionnelles à travers l'« âge d'or » de la musique hillbilly (entre la naissance du Grand Ole Opry et la Seconde Guerre mondiale) et devinrent un point de ralliement pour la pureté. Ils étaient dévots, austères, nobles, et représentaient la quintessence du Sud. Ils étaient également sobres, mortellement dignes — et rusés.

Pendant des années, ils s'étaient produits dans des réunions d'église et dans des écoles avant que quiconque se soit inquiété de les enregistrer. A.P., qui arborait des gilets très dignes, chantait la basse (son père avait tenu le violon pour un « instrument du diable »). Sara jouait de l'autoharp et chantait la première voix. Musicalement, le véritable talent était Maybelle, dont le style mélodique complexe donna au groupe ce son reconnaissable et aida à promouvoir la guitare comme instrument dominant du hillbilly. Ils partaient rarement en tournée loin de chez eux, surtout après que Ralph Peer, qui travaillait maintenant pour la Victor Talking Machine Compagny, les eut initiés aux facilités de l'enregistrement, le 1ᵉʳ août

---

* Littéralement : « La goutte de rosée du Vieux Sud. »

1927, à Bristol, sur la frontière entre le Tennessee et la Virginie. D'après Sara, ils enregistrèrent plus de trois cents chansons pendant les dix années suivantes et furent parmi les premiers à utiliser les nouveaux procédés électriques grâce auxquels la reproduction du son fut considérablement améliorée. A.P. fut aussi l'un des premiers à s'assurer des droits d'auteur pour sa musique. Il déposa *Wabash Cannonball* et *I'll Be All Smiles Tonight,* qu'il n'avait pas écrits, *Wildwood Flower,* ainsi que plusieurs autres mélodies traditionnelles. Jusqu'alors chansons du domaine public, celles-ci étaient désormais possédées — et, comme on l'admet généralement, transmises — par A.P. Carter. Des chanteurs de folk tels que Huddie (Leadbelly) Ledbetter et Woody Guthrie ont reconnu leur dette envers un groupe qui préserva pour quelque temps encore ce qui, sans eux, aurait peut-être été perdu.

Le même week-end où la Carter Family joua pour Ralph Peer, un ancien artiste à la figure noircie, également détective privé, arriva jusqu'à Bristol, répondant à une annonce de Peer qui cherchait des talents. Le groupe de musiciens avec lequel il avait répété arriva avant lui, décida d'auditionner pour son propre compte, et poursuivit jusqu'à un modeste succès sous le nom de Tenneva Ramblers ; Jimmie Rodgers, qui avait vingt-neuf ans, fut forcé de chanter tout seul dans un entrepôt désaffecté.

Le disque qui en résulta lui rapporta un chèque de droits d'auteur de vingt dollars.

Chez Victor on pensait que Rodgers méritait un nouvel enregistrement, et on l'invita à Camden (New Jersey) vers la fin de l'année. Il apporta une de ses propres chansons, *T for Texas.* Par la forme, elle ressemblait au blues ; par le style, elle ne s'éloignait guère de la plupart de la musique hillbilly. Mais à la fin du troisième vers, Rodgers élevait la voix d'une octave et commençait à faire un yodel. Le son devait faire de lui la vedette de hillbilly la plus renommée de sa génération.

Ernest Tubb m'a dit : « Je voulais chanter comme Jimmie Rodgers. C'était mon idole. C'était l'idole de Hank Snow et l'idole de Bob Wills. En fait, si vous vérifiez le cas de presque tous les chanteurs country depuis une bonne quarantaine d'années, je dirais que quatre-vingts pour cent d'entre eux ont été inspirés,

---

A gauche : Hank Snow, né en Nouvelle-Écosse au Canada en 1914, prouva que la musique country n'était pas l'apanage exclusif des États du Sud. *A droite :* les frères Monroe en 1936. Bill *(à droite)* et Charlie *(à gauche)* ont joué ensemble depuis le milieu des années vingt jusqu'à la retraite de Charlie dans sa ferme du Kentucky, après la Seconde Guerre mondiale. Au milieu des controverses sur le « bluegrass », on admet généralement que Bill Monroe, inventeur du terme même, est le musicien qui a le mieux perpétué non seulement le style, mais le principe.

directement ou indirectement, par Jimmie Rodgers. » Cela peut passer pour une assertion exorbitante, s'agissant d'un homme dont la carrière a duré moins de six ans, et qui — mis à part son yodel — avait une voix terne et une technique très faible à la guitare. Mais Rodgers fit passer la musique hillbilly du stade de distraction rurale, méprisée et quasi familiale, à ce qu'elle est aujourd'hui. Il refusa d'entériner la légende selon laquelle le Sud était aussi pur et droit que jadis. Les traditions de la ferme, du village et de la chapelle existaient surtout en tant que souvenirs, tandis que le monde réel continuait dans les bars et les taudis de location, le long des voies ferrées, devant les entrées d'usines. Après Jimmie Rodgers, la ville et sa course à l'argent et aux plaisirs devinrent une part essentielle de la musique.

Bien que son influence fût colossale, la vie de Rodgers fut malheureuse : une saga de crises, de maladies, de trahisons et de ratages. Il était né en 1897 à Meridian (Mississippi). Son père travaillait dans les chemins de fer ; sa mère était morte alors qu'il n'était encore qu'un nourrisson. Pendant toute son enfance, il fut ballotté d'une branche de la famille à l'autre, trop chétif

---

A gauche : Jimmy Driftwood, né en 1907, chanteur, violoneux, guitariste, banjoïste et folkloriste, conduit un char à bœufs rempli de musiciens ruraux ; parmi eux *(avant-dernier à droite)*, Bookmiller Shannon, l'un des plus fins banjoïstes de l'Arkansas. Driftwood est surtout connu pour sa chanson *Battle of New Orleans*, mais son grand mérite est d'avoir préservé la musique des premiers colons américains. *A droite :* Roy Acuff (violon) à l'époque de ses débuts sur WSM.

pour l'école. Quand il atteignit quatorze ans, il suivit son père sur les voies ferrées et devint serre-frein.

Il était fréquemment trop malade pour travailler dans le train, alors il apprit le banjo et la guitare pour pouvoir gagner un peu plus d'argent en jouant dans les bals. En 1920, il se maria. Quelques jours après il s'effondra d'une double pneumonie. Quelques années plus tard, devenu père de deux filles, il s'aperçut qu'un salaire de serre-frein ne suffisait pas à nourrir sa famille. C'est ainsi qu'en 1924 il se noircit le visage pour se joindre à un medicine show, grattant son banjo par tout le Kentucky et le Tennessee. Mais parvenu à Noël, il n'avait plus un sou. Il mit son banjo au clou pour pouvoir payer son billet de retour chez lui — juste à temps pour l'inhumation de sa fille cadette.

Il fut de nouveau abattu, cette fois, par la tuberculose. Il passa trois mois en sanatorium, et quand il fut rétabli, il partit de chez lui et forma un trio de bal pour travailler dans les écoles, les tavernes, les restaurants routiers, les granges, n'importe où l'on voulait bien de lui. Il dilapidait son argent plus vite qu'il ne le gagnait, et faisait une proie rêvée pour un arnaqueur. Il jouait dans « la cambrousse, au violon, dans les trous perdus et les basses-cours », dormait à la dure, sautait dans les trains de marchandises et vivait en « hobo ». L'état de ses poumons s'aggrava. On le jeta en prison pour vagabondage.

Sa rencontre avec Ralph Peer changea peu de chose, sinon que peu après l'enregistrement il gagna deux mille dollars par mois. Malgré cela il était souvent ruiné et endetté, se faisant continuellement rouler. Il faisait des variétés et des chansons de cow-boy, des blues dilués, des ballades sur les « hoboes » et les chemins de fer, accompagné par des violoneux de la campagne, des guitares hawaïennes, des ukulélés et des scies musicales, des ensembles à cordes, des siffleurs, et même une fois par Louis Armstrong et Earl Hines. Son yodel n'était pas original non plus ; d'autres chanteurs en avaient enregistré avant lui. C'était un numéro de music-hall très courant depuis les années 1870, date où divers groupes suisses en tournée dans le Midwest l'avaient popularisé.

Pourtant, et sans une once d'affectation, Rodgers combina tous ces éléments pour en faire un son qui était unique. Il enregistra plus de cent titres différents au rythme de deux par mois, le style demeurant identique d'un bout à l'autre. Il prenait la plus bête des ritournelles pour la faire sonner comme si elle venait du plus profond de sa souffrance. Dans ses chansons il buvait, jouait de l'argent, se faisait prendre au piège par des prostituées, et se cachait dans les trains de marchandises. Il n'en rêvait pas moins d'une petite chaumière, avec des entrelacs de roses et de souvenirs parfumés. Il commettait des péchés et on en commettait contre lui, et il n'oubliait jamais sa mère.

Son art résidait dans une simplicité, une honnêteté limpide. Rien de ce qu'il chantait n'était frelaté. Si sentimentales que fussent ses chansons, il croyait à chacune de leurs paroles et emmenait son public avec une décontraction facile. Après tout, il était l'un des leurs. Son épouse, Carrie, écrivit plus tard sur lui dans *My Husband Jimmie Rodgers* : « Ceux que la misère avait frappés, atteints par la maladie et les mécomptes les plus insupportables, savaient qu'il y avait là un gars qui comprenait, qui "était passé par là". »

Pour la naissante industrie du hillbilly, la vie de Rodgers devint le schéma type pour le vedettariat. La réussite apporta les récompenses habituelles ; il escamota ses dettes à Kerrville (Texas), où il fit construire une demeure pour cinquante mille dollars, «The Blue Yodeler's Paradise». Il acheta des costumes princiers et une escouade de voitures, voyageant avec des

profiteurs et des sangsues à qui il tendait des billets de cinquante dollars à la demande. Mais sa santé se dégradait insensiblement. Les tournées et les séances d'enregistrement continuelles l'épuisaient. Ses notes de soins semblaient interminables, et il finit par être forcé de vendre « Yodeler's Paradise ». Quand vint 1933, il était à l'évidence mourant. En mai, il se rendit du Texas à New York pour une dernière séance d'enregistrement destinée à laisser quelque avoir pour sa famille. Il était si faible qu'il fallut installer une couchette dans le studio pour qu'il pût se reposer entre chaque prise. Il mourut deux jours plus tard, seul dans une ville étrangère. Il n'avait que trente-cinq ans.

Si Rodgers apporta au hillbilly une touche de réalité, il l'entraîna aussi sur la voie de l'imaginaire et d'un romantisme sans vergogne. Pour sa santé, il s'était installé sur les plateaux secs du centre du Texas, où il avait pu assouvir une très vieille passion (qu'il avait en commun avec nombre de jeunes Américains) pour l'Ouest. Rodgers faisait collection de bottes de cow-boy, de chapeaux comme des barils, d'éperons, de selles, et de revolvers. Il adorait poser pour des photos avec sa panoplie de cow-boy complète, et il enregistra une kyrielle de chansons d'orientation western. Il n'était pas le premier chanteur à agir ainsi. Mais ce fut Rodgers qui indiqua le chemin de ce mélange de country et de western.

Il ne fallut pas longtemps pour qu'il suscitât un troupeau d'imitateurs. Un jeune homme, qui faisait des imitations de Rodgers depuis des années au *National Barn Dance* de WLS et se présentait désormais comme le « cow-boy chantant de l'Oklahoma », se rendit à Hollywood l'année suivant la mort de Rodgers, espérant un rôle dans l'un des feuilletons-western musicaux d'aventures, avec Ken Maynard en vedette. Maynard chantait dans ses films, mais il avait eu peu d'impact. Jusqu'alors, son nouveau partenaire, Gene Autry, n'avait pas fait mieux, lui qui avait un jour peint un écriteau sur la porte de sa loge, déclarant qu'il était « le plus grand bide de l'Amérique ».

Après le premier film d'Autry, pourtant, les réactions des fans furent sensationnelles ; son second film, *The Phantom Empire*, fit de lui une star. En moins de deux mois, les cow-boys chantants envahissaient tous les plateaux de cinéma : les Riders of the Purple Sage, les Lone Star Cowboys, les Cowboy Ramblers, tous équipés par la horde d'auteurs de chansons fraîchement

débarqués de Tin Pan Alley. Autry lui-même était un acteur médiocre et un musicien routinier, mais il avait une bonne dentition, un aspect assez plaisant, il savait monter à cheval et l'on pouvait compter sur lui pour maintenir la réalité sordide hors de ses films. Il était synonyme d'aventure, de liberté et d'occasions à saisir. Cela se trouvait être exactement le remontant qu'il fallait à une Amérique éprouvée par les troubles économiques.

Les Slye Brothers et leur cousin Leonard venaient de Duck Run, dans l'Ohio. Avec leurs parents, ils avaient fait le dur chemin pour sortir du « Bol de Poussière » vers la Californie pour chercher du travail. Leonard — qui devint Roy Rogers — avait connu divers emplois, de camionneur à cueilleur de fruits itinérant, avant de chanter (avec deux amis) dans une émission d'une heure pour amateurs, produite par l'une des stations de radio de Los Angeles appartenant à Warner Brothers. Ils interprétèrent une chanson intitulée *The Last Roundup*, qui impressionna tant les hommes de chez Warner qu'ils les engagèrent tous trois dans l'équipe à trente-cinq dollars par semaine, « davantage d'argent que nous n'en avions jamais rêvé, dit aujourd'hui Rogers. Les premières histoires sur la conquête de l'Ouest étaient enthousiasmantes, poursuit Rogers, surtout pour les enfants. Les histoires étaient bâties autour des cow-boys et de leurs actes héroïques, des épreuves qu'ils avaient endurées, et des hors-la-loi dont ils avaient triomphé. Oui, c'était du roman ». Plus tard, quand son producteur eut vu le film musical *Oklahoma !* à New York, on lança Rogers dans une série interminable de films bien propres qui n'avaient pas plus le goût du Sud ou de l'Ouest que Mickey Mouse. Mais le réalisme n'était pas leur propos. « Nous avons fait des longs métrages sur l'Oklahoma, sur le Wyoming, sur l'Idaho, sur l'Utah, dit Rogers, et puis nous avons commencé à faire des films pour la télévision. Généralement, un tous les cinq jours. »

Le procédé était bien connu. Les films, et les chansons qu'ils contenaient, pillaient un art populaire, le rendant inoffensif et profitable. Ils nettoyaient le hillbilly et faisaient de lui un cowboy ; au lieu d'une rigolade paysanne, il devenait un idéal mythique. La vérité se perdait ; mais l'argent se récoltait. La musique, une musique blanche, était saccagée et, à partir de là, l'histoire de la musique hillbilly commerciale — ou du « Country and Western », comme on l'a nommée depuis — n'est plus que celle d'un déclin.

Conséquence de la folie cow-boy, le centre de la musique country se transféra du Kentucky, de l'Arkansas et du Tennessee vers le sud-ouest où, depuis le début des années trente, une chaîne de puissantes stations de radio avait fleuri le long de la frontière mexicaine. Le Mexique avait pris ombrage d'une décision bilatérale de la part des États-Unis et du Canada, visant à se partager la totalité de l'espace des grandes ondes de radio. On avait changé la loi mexicaine, en conséquence, pour permettre aux stations de ce pays une puissance en watts bien plus élevée qu'il n'était autorisé aux États-Unis. Les marchands américains étaient ravis et, en 1930, un aigrefin du nom de J.R. Brinkley créa la station XER comme cheval de Troie pour son opération retorse grâce à laquelle la puissance perdue serait récupérée. La station développait cinq cent mille watts et on pouvait l'entendre dans toute l'Amérique. Et ce que l'Amérique entendit, ce fut un déluge de remèdes médicinaux entrecoupés de musique.

Les annonceurs publicitaires des radios formèrent des orchestres pour faire la promotion de leurs produits : parmi eux, Garrett Snuff, Royal Crown Cola, Crazy Water Crystals. Il y avait des chansons cow-boy et du jazz de Louisiane, de la musique espagnole du Mexique, du blues rural noir du nord du Mississippi, du gospel de l'Oklahoma, et des ballades du Tennessee, presque tout conçu pour la danse. « Imaginez une salle de danse le samedi soir à Norman, ou à Muskogee, dans l'Oklahoma, se souvient J.R. Goddard, critique new-yorkais. Il pouvait y avoir douze cents personnes entassées dans la salle, dont certaines avaient roulé deux cent cinquante kilomètres pour venir au bal. Il y avait des Baptistes endurcis, des ouvriers du

En haut : Roy Rogers eut le bonheur de partager le premier rôle avec un animal. *En bas, à gauche :* le premier cow-boy chantant de Hollywood, Gene Autry. *En bas, à droite :* Autry et sa collection de bottes. Il possède aussi une station de radio et une équipe de base-ball, les California Angels. *Au centre :* Webb Pierce au bord de sa piscine à Nashville. Né près de West Monroe en Louisiane, Pierce gagna une audience considérable dans cet État avant de rejoindre Nashville. *Au centre, en bas :* Bob Wills. Quoique né dans le comté de Hall au Texas, Wills se sentait plus chez lui sur scène qu'à cheval. On le voit ici avec Arthur Satherley, qui travailla une courte période avec Edison au perfectionnement de l'enregistrement, avant de passer plus de quarante ans sur les routes comme découvreur de talents.

pétrole, et des fermiers avec leurs mulets. Ils sortaient tout droit de la Dépression, de l'isolement rural de la pire espèce, commençant tout juste à connaître l'électricité chez eux. »

La popularité de ce son donna naissance, à la fin des années trente, à encore un autre type de

En haut, à gauche : Lester Flatt *(à droite)* joua quelques années chez les Bluegrass Boys de Bill Monroe avant de former un duo avec Earl Scruggs *(à gauche)* en 1948. Assez suivis par le public du folk comme du country, ils se séparèrent en 1969. *En bas, à gauche :* Bill Monroe et ses Bluegrass Boys en concert à Chicago. *Au centre, en haut :* Loretta Lynn, de Butcher's Hollow (Kentucky), fut décrite par *Newsweek* comme « une fille qui ne sait pas assez bien lire pour passer l'écrit du permis de conduire ». Connue depuis les années soixante, elle possède aujourd'hui trois maisons d'édition, une chaîne de boutiques d'habillement et une agence artistique. *En haut, à droite :* Merle Haggard, né à Bakersfield en Californie, est l'auteur de la chanson préférée de Richard Nixon, *Okie from Muskogee. En bas, à droite :* Les Everly Brothers, avec Wesley Rose, en 1957. Don et Phil faisaient partie de l'émission de radio de leurs parents sur KMA à Shenandoah (Iowa), depuis l'âge de huit et six ans respectivement. Mais leur succès commercial vint de ballades comme *Bye-bye Love* (1957, édition Acuff-Rose), et non de la musique country.

musique country. Comme la musique la plus commerciale du moment s'appelait le swing, ce tout nouvel emballage vint à être connu sous le nom de « western swing » ; le plus apprécié des nouveaux orchestres fut celui de Bob Wills et ses Light Crust Doughboys, plus tard rebaptisés Texas Playboys. « Wills était habillé de manière conservatrice en chemise blanche empesée, rappelle Goddard, mais il portait toujours une paire de bottes à cent dollars et un chapeau de cow-boy à cent dollars. Il avait acheté un car pour transporter son orchestre, un car avec à l'avant une tête de taureau aux longues cornes. Les gens n'avaient jamais rien vu de semblable. Wills pouvait produire un style visuel autant qu'un style musical. C'était une sorte de héros du peuple, mais un héros approchable qui donnait à ces gens des raisons de vivre et d'espérer. »

Même le Grand Ole Opry n'avait jamais rien vu de tel que Wills. Minnie Pearl dit : « C'était la première fois que nous voyions quelqu'un s'amener dans un énorme car — tout le monde en a un, de nos jours, mais Bob Wills fut le premier. Et quand il vint à l'Opry, c'était la première fois qu'un orchestre se présentait sur notre scène avec une garde-robe western complète, des instruments amplifiés et violons dédoublés. Et je me souviens que Roy Acuff, l'une de nos vedettes les plus respectées de l'Opry, m'a dit : " Ils gâchent l'Opry en nous amenant ces instruments amplifiés. " Mais les gens ont eu le coup de foudre, surtout quand Wills et son chanteur, Tommy Duncan, ont interprété *San Antonio Rose*. »

Les instruments amplifiés qui inquiétaient Acuff devaient avoir un effet durable. Ils étaient d'abord arrivés sur le devant de la scène dans les bouges connus sous le nom de « honky-tonks » qui avaient surgi à travers les bidonvilles du sud-ouest pendant l'explosion du pétrole des années trente. La semaine, ils passaient de la musique sur des juke-boxes. Mais les week-ends, on y fourrait un orchestre en direct ; les orchestres s'aperçurent de la nécessité de l'amplification pour se faire entendre au-dessus de la mêlée. La musique qu'ils jouaient était au niveau des bagarres et des beuveries qui emplissaient ces bicoques : *Stompin' at the Honky-Tonk* paraissait plus approprié que *Poor Old Mother at Home*.

La Seconde Guerre mondiale accéléra ces changements. Avant 1941, la musique hillbilly, rurale, western ou honky-tonk avait à peine pénétré le Nord. Les artistes enregistraient presque toujours dans le Sud, et même si l'on projetait des films de cow-boys dans toute l'Amérique, l'impact commercial de la musique country était relativement faible. La guerre ouvrit la dernière brèche. A la faveur des deux grandes querelles de l'industrie musicale (la guerre entre l'ASCAP et la BMI, et la grève de l'American Federation of Musicians), Roy Acuff et l'auteur-compositeur Fred Rose estimèrent que le moment était opportun pour lancer leur propre maison d'édition, exclusivement vouée à la musique country, non point à New York, mais à Nashville.

Tandis que l'Amérique entrait en guerre, la conscription précipita des dizaines de milliers d'hommes hors de leurs maisons dans le Sud pour les éparpiller à travers toute l'Union. Le son des guitares et des accents du Sud se répandirent. En 1945, les hillbillies étaient partout. Un concours de popularité pour élire le plus grand chanteur du monde, organisé par la chaîne de radio des forces armées à Munich, attira trois mille sept cents votants. Roy Acuff gagna avec six cents voix de plus que Frank Sinatra. Il était un symbole national. Fils d'un prêtre baptiste, il était de son propre aveu un piètre violoneux de country. Mais sa chanson *The Great Speckled Bird* résumait tout ce pourquoi se battaient les Américains : la mère, le foyer et Dieu. Quand les Japonais lancèrent leur attaque sur Okinawa (c'est du moins la version nashvillienne de l'histoire), on leur avait inculqué le summum du cri de guerre anti-américain : « Au diable Roosevelt, au diable Babe Ruth, au diable Roy Acuff ! »

Acuff n'alla pas au diable, mais rentra chez lui, à Nashville. Mais Acuff avait beau battre tous les records d'affluence à ses concerts, Nashville être infesté de maisons d'édition rivalisant avec Acuff-Rose, et la popularité de l'Opry Show augmenter régulièrement, la ville quant à elle demeurait inconsciente de cette mine d'or. Ernest Tubb, non sans exagération peut-être, dit : « La première fois que je suis entré à l'Opry en 1943, Roy était le plus important artiste en country. Mais il n'y avait pas de magasins qui vendaient des disques de musique country. En fait, si vous entriez dans l'un ou l'autre magasin pour demander un disque de country, on vous riait au nez. On ne vendait que de la musique pop, c'est-à-dire la musique faite à New York. » C'est ainsi que Tubb ouvrit sa propre boutique de disques.

Nasville apprenait vite. La musique hillbilly avait maintenant une audience nationale, Nashville donnerait donc à la nation ce qu'elle voulait. La musique country était un commerce depuis vingt ans, mais son organisation était encore hasardeuse. L'âge de l'innocence s'achevait à présent. Tin Pan Alley renaissait — avec un accent du Sud et une paire de bottes cow-boy. Les tubes se fabriquaient à la douzaine. Les paroles étaient truffées de références au Sud, à la vie rurale, ou à n'importe quoi de mauvais goût. Après le traumatisme de la guerre, l'Amérique voulait une musique qui nasillait et gazouillait dans un style facile à faire descendre. Dans une telle ambiance, le terme « hillbilly » avait une résonance vulgaire. Le respect se mesurait à la longueur d'une Cadillac, à la profondeur et à la forme d'une piscine, au nombre de costumes cow-boy qu'un homme possédait. Le terme approuvé était « country and western », ou simplement « country ».

Ceux qui luttaient pour maintenir la musique pure, pour empêcher qu'elle ne devienne une simple réplique du music-hall et des minstrel-shows, étaient les exceptions confirmant la règle. Bill Monroe, qui avait élevé le jeu de la mandoline et du banjo à un niveau encore inconnu d'élaboration musicale avec le genre qu'il appela « blue-grass », prit peu à peu ses distances avec le cirque de l'Opry. « J'ai mis dans la musique ce que je voulais y trouver, m'a dit Monroe. Vous y trouverez des cornemuses écossaises et du chant religieux méthodiste. Je ne le jouerais pas si ce n'était pas pur. Le blue-grass est la musique la plus propre du monde. Il n'y a pas de sexe et pas de saleté dedans. » Il y eut aussi Hiram « Hank » Williams. Ernest Tubb dit : « Williams a grandi en écoutant les disques de Jimmie Rodgers et Jimmie était son préféré. Roy Acuff a été aussi une de ses sources. Et puis je suis arrivé, et il m'a dit : " J'ai commencé par chanter vos chansons. J'aimais bien Roy Acuff et puis toi aussi, mais finalement j'ai trouvé ma place juste entre vous tous. " » La place qu'il trouva lui valut une notoriété qui laissa même Acuff dans l'ombre. Il semblait l'incarnation du hillbilly.

Williams était né en 1923 dans une petite cabane en rondins près de Mount Olive (Alabama). Il eut une enfance solitaire et sauvage. Pour ses sept ans, sa mère lui offrit une guitare à trois dollars. Il vécut ensuite presque tout le temps en ville, cirant des chaussures, vendant des cacahuètes et apprenant le blues auprès d'un chanteur de rues noir du nom de Teetot. Adolescent, il était parti de chez lui et avait formé un groupe — les Driftings Cowboys — qui jouait dans les bals locaux et les foires municipales. Il eut un emploi d'un soir dans un rodéo texan, qui le fit atterrir à l'hôpital avec un froissement du dos. Il s'engagea dans un minstrel show et fit la connaissance de sa future femme, Audrey, qui devint son manager. Déjà il buvait excessivement, mitraillant les chambres d'hôtel, tombant en scène. Mais il parvint à s'assurer un public fidèle aux alentours de Montgomery ; en 1948, il signa chez Acuff-Rose et fit ses premiers disques.

Il écrivit dans une variété de styles sidérante, des tragédies amoureuses aux hymnes en passant par les comédies, les monologues sentimentaux, les turbulences de honky-tonks et la philosophie domestique. Mais même dans ses accès les plus débridés, sa voix était teintée de mélancolie. « La sincérité ? disait-il. Il vous faut en savoir long sur le dur labeur. Il vous faut avoir respiré beaucoup de crottin de mule avant de pouvoir chanter comme un hillbilly. » Des douzaines de ses chansons devinrent des standards. Ses gains étaient astronomiques, ses fans une foule fanatique, et son statut presque celui d'un dieu. Mais rien de tout cela ne lui apporta de répit. Dès 1952, son ménage était brisé et sa consommation d'alcool désespérément incontrôlable. Il fut renvoyé de l'Opry pour ivrognerie chronique, mais ses disques continuaient à se vendre autant. Lui qui avait toujours été maigre devenait maintenant un cadavre ambulant aux joues creuses et aux yeux décavés. Il crachait du sang pendant qu'il chantait. Et le Jour de l'An 1953, en se rendant à un concert à Canton dans l'Ohio, il mourut sur le siège arrière d'une de ses cinq Cadillac. Il avait vingt-neuf ans. Pour ses obsèques à Montgomery, Acuff, Tubb et d'autres vedettes de l'Opry chantèrent à sa mémoire. Ce fut, aux dires de Tubb, « la plus grande orgie émotionnelle que la ville eût connue ». En épitaphe, Tubb enregistra une chanson intitulée *Hank, It Will Never Be the Same Without You* (« Ce ne sera plus jamais pareil sans toi »). Et ce ne le fut pas.

A la fin des années cinquante, l'industrie de la musique country décréta que le temps était venu de se marquer du sceau de la respectabilité. L'émission de radio de l'Opry attirait une audience régulière de dix millions de personnes ; en 1960, plus de sept millions et demi de spectateurs avaient assisté à ces retransmissions en direct. « Ils s'étaient construit un petit empire sur Nashville, explique William Ivey, un secteur très arrivé du métier de l'enregistrement commercial. Malgré cela, on méprisait encore la

Hank Williams, successeur de Jimmie Rodgers comme personnage le plus charismatique de la musique « country ». Comme Rodgers, il parvint à ce statut en tout juste six ans (1947-1953). Parmi ses tubes de l'année 1952, *I'll Never Get Out of This World Alive*.

Ci-dessus à gauche : Johnny Cash et Carl Perkins. Tous deux ont connu leurs premiers succès avec les disques Sun. Le patron de Sun, Sam Phillips, vendit Elvis Presley pour avoir l'argent nécessaire à la promotion du rocker Perkins. Cash, pensionnaire des diverses prisons où il a emmené par la suite son spectacle, a compensé une très dure jeunesse en devenant l'un des chanteurs de country qui se vendent le mieux. Son mariage avec une fille de la famille Carter l'y a aidé. *A droite :* Charlie Pride, de Sledge (Mississippi), seul Noir à être membre du Grand Ole Opry.

Ci-dessous : Opryland, U.S.A., fait avancer le bateau.

musique country pour son manque d'élaboration et sa simplicité. Les gens dirent : '' Bon Dieu ! s'ils ne nous aiment pas, on va monter un musée et une bibliothèque et montrer au monde ce qu'il y a au juste de bon et d'utile dans cette musique. '' » Ils le firent. Sur le modèle du « Baseball Hall of Fame », au nord de l'État de New York, Nashville construisit un temple pour y enchâsser ses héros à jamais. C'était, selon Ivey, son directeur actuel, « de la légitime défense ». Un don de mille dollars au musée valait le droit d'avoir son nom foulé par les pieds des touristes dans l' « Allée des Stars » aux lettres d'or. A l'intérieur, on pouvait voir une lettre signée par le Gouverneur de Californie pour grâcier Merle Haggard, le chapeau cow-boy de Tex Ritter, ou le banjo curieusement taché de sang d'Uncle Dave Macon.

En 1974, l'Opry déménagea de sa vieille Union Chapel dans le centre de Nashville, complète avec sa Galerie des Confédérés datant de 1897, vers un palais de verre et de béton d'un coût de quarante millions de dollars baptisé Opryland, « Foyer de la Musique américaine ». Avant les retransmissions qui durent six heures le vendredi et le samedi soirs, vous pouvez profiter d'une promenade à bord du « Wabash Cannonball », manger des « Oprydogs », visiter le « Chuck Wagon » ou faire un tour au « Acuff Museum » ou au « Country Store ». Puis, au son de Bill Anderson, de Dolly Parton, de Tammy Wynette ou de Loretta Lynn, vous pouvez parcourir une galerie de souvenirs qui résonne de bonheur. On n'a reculé devant aucune dépense pour leurs costumes ornés de sequins, leur sincérité et leur sollicitude n'ont négligé aucune émotion ; leurs instruments chantent, leurs voix s'évanouissent, et tout est bien qui finit bien. Et quelle meilleure façon de terminer la soirée que de rester dans l'auditorium pour le « Grand Ole Gospel Time » au cours duquel le Révérend Bob Harrington, ou bien le fils du chanteur Hank Snow, le Révérend Jimmy Snow, vous inviteront à vous confesser à Dieu ? Comme le dit Harrington, le bien est country et le country est le bien. « La musique country est toute liée à Dieu. » Oui, c'est ici la *vraie* musique américaine, comme dit Ernest Tubb. Enfin, du moins, c'était. Avant que Nashville ne l'eût étranglée.

11 Guerre et protestation en chansons

Woodrow Wilson Guthrie naquit dans l'Oklahoma en 1912. Il passa ses jeunes années dans une communauté ravagée par l'exploitation et la misère, mais en sortit pour gagner Los Angeles, où il finit par trouver un emploi dans une station de radio. Cependant, tandis que d'autres « Okies », victimes des orages de poussière, se traînaient jusqu'en Californie, Guthrie se sentit profondément ému par leur condition. Alors, en se servant de mélodies traditionnelles de l'Oklahoma et du Texas, il se mit à écrire des chansons exprimant leur souffrance et sa colère contre un système politique irresponsable qui avait causé tant de malheur. Il ne fallut pas longtemps pour qu'il se trouve utilisé par toutes les causes libérales en mal de porte-parole, comme si une génération tout entière s'était brusquement éveillée au fait que la musique, et tout spécialement la chanson, est l'une des plus efficaces armes de propagande connues de l'homme. Des mines de charbon du Kentucky aux ports du Mississippi, l'homme blanc

Joan Baez lors d'une manifestation pacifiste à Trafalgar Square, à Londres. Assis derrière la chanteuse, on reconnaît Donovan et Vanessa Redgrave.

découvrait qu'il avait aussi son blues à lui, aussi éloquent et aussi subtil que celui que possédait l'homme noir, même s'il avait été jusqu'alors enfoui sous une montagne d'ordure musicale.

Guthrie se rendit à New York, sur l'invitation d'une élite intellectuelle très désireuse d'avoir sa propre expression d'une conscience sociale ne dépendant plus de l'inspiration noire. Il n'y avait probablement pas de sentiment de culpabilité à l'égard de l'homme noir pour hâter leur acceptation immédiate du Blanc Woody Guthrie, mais ceci effleura sans doute certains esprits. D'aucuns ont argué que la migration de Guthrie vers New York le coupa du petit peuple qui l'avait fait fructifier, ainsi que sa musique. Jusqu'alors, il s'était contenté de se qualifier de chanteur hillbilly ; à présent, une telle dénomination ne semblait plus digne de son rôle. Il n'empêche que dès 1940, quand il eut réuni un groupe de chanteurs de folk sous le nom d'Almanac Singers, il avait nettement mis au grand jour une veine de mécontentement bien plus universelle que les soucis localisés des « Okies » dépossédés. Un de ses compagnons dans cette première formation, Pete Seeger, dit qu'ils voyagèrent pendant plusieurs années en offrant des chansons « du peuple, faites par et pour lui, et non issues de Broadway ou d'Hollywood pour le profit de Broadway et d'Hollywood ». Cela déroutait l'industrie de la musique. « Ils nous disaient : '' Vous ne voulez pas vous faire de l'argent ? Vous ne voulez pas faire un tube ? Vous n'auriez qu'à modifier légèrement votre chanson. '' Ce dont ils ne se rendaient pas compte, c'est qu'il y avait des dizaines de milliers de musiciens comme nous qui allaient continuer à faire la musique que nous voulions, que nous fussions acceptés ou non par l'industrie ou les média. »

Seeger se souvient que, lorsqu'il avait seize ans, son père l'emmena dans un festival de square-dances en Caroline du Nord. « Jusqu'alors, j'avais ignoré à quel point la musique pouvait évoluer à partir des traditions anciennes. J'avais cru que la musique folk était une chose poussiéreuse, dans les bibliothèques, et que la musique pop c'était nouveau — c'était une chose qu'on entendait à la radio. Tout à coup je me suis rendu compte que c'était là une distinction hypocrite. Des millions de gens faisaient de la musique issue des vieilles traditions, presque toujours assortissant des paroles nouvelles à de vieux airs. Des paroles nouvelles assorties à des circonstances nouvelles. C'est ce que j'appelle le processus folk. » Pour une fois, les musiciens citaient leurs sources. Guthrie s'est servi de la mélodie du *Wildwood Flower* de la Carter Family pour sa chanson *The Reuben James* ; l'air de *This Land Is Your Land* a été emprunté à une mélodie traditionnelle, *Little Darling, Pal of Mine*.

Puis, tout comme Guthrie, Seeger commença à comprendre comment de telles chansons parlaient toutes de changement, de protestation. « J'ai entendu parler de Joe Hill, qui faisait des

En haut à gauche : Josh White passa plusieurs années comme guide de nombreux musiciens aveugles, dont Willie Johnson et Lemon Jefferson, qui tous lui enseignèrent leurs chansons et leur style. Plus tard, en 1932, White joua le rôle de Lemon Jefferson dans une pièce à Broadway, avec Paul Robeson en John Henry. Josh White joua aussi à la Maison Blanche pour le président Roosevelt, et au « Café Society » pour Barney Josephson ; *Au centre :* Mother Maybelle Carter en musicienne folk, dans un festival à Chicago au milieu des années soixante. *A droite :* les Weavers, aussi célèbres que censurés. Ils furent formés en 1948 par Pete Seeger (à gauche) dissous en 52 et reformés en 55. Ils se séparèrent définitivement en 1963, au moment même où Tin Pan Alley venait de découvrir que le folk avait un public.

En bas : « Leadbelly », né Huddie Ledbetter près de Mooringsport en Louisiane, en 1885. Bien que relativement inconnu jusqu'à la cinquantaine, Leadbelly avait pris de l'importance depuis sa découverte par l'ethnomusicologue John Lomax, dans une prison de Louisiane, en 1932. Il eut une petite carrière jusqu'à sa mort en 1949.

chansons pour les « Wobblies » — membres du syndicat des « International Workers of the World » — comme *La Ballade de Casey Jones* :

Les ouvriers de la ligne SP
Ont lancé un ordre de grève
Mais Casey Jones le mécanicien
Voulait pas du tout faire la grève.

Seeger prit conscience de ce que Joe Hill n'était qu'un cas parmi les centaines d'auteurs-compositeurs qui ne parvenaient pas à être entendus à la radio ou bien sur disques parce que la musique qu'ils écrivaient avait un objet autre que de rapporter de l'argent. Il y avait Aunt Molly Jackson, épouse d'un mineur du Kentucky, qui chantait les injustices de la vie de mineur. Il y avait Lee Hays et Millard Lampell, également membres des Almanac Singers. Tous croyaient que la chanson populaire pouvait être utile, et pour les vivants. Après tout, la musique de protestation a toujours été populaire, car il y a toujours eu matière à protestation. Mais le degré exact de popularité de cette musique a toujours été difficile à mesurer. Par

sa nature même, la musique a été clandestine, tendant à rester tranquille lorsqu'un représentant de l'autorité écoute — une des raisons, inconsciente peut-être, qui font que tant de chansons de protestation épousent des airs connus, serait la possibilité pour le chanteur de revenir aux paroles « authentiques » à l'approche du danger. Presque sans exception, les chansons qui ont appelé les troupes sous les drapeaux au début d'une guerre ont été ensuite

En haut à gauche : Woody Guthrie, tenant la contrebasse, dans une tenue inhabituelle de cow-boy musicien au sein d'un groupe à Pampa (Texas) au début des années trente. En 1940 il se joignit à Pete Seeger et aux Almanac Singers (*en bas à gauche,* Guthrie à gauche sur la photo). Pendant la longue maladie qui devait l'emporter, de nombreux chanteurs de folk, dont Bob Dylan, venaient en pèlerinage à son chevet. Il mourut en octobre 67. *Ci-dessus :* Guthrie avec Seeger, Fred Hellerman (des Weavers) et Jean Ritchie, la principale interprète du dulcimer des Appalaches. Née à Viper (Kentucky) en 1922, fille cadette d'une famille nombreuse de musiciens réputés, Ritchie a aidé à la sauvegarde et à l'évolution de la musique traditionnelle blanche.

Ci-contre : Arlo Guthrie, fils de Woody, reste surtout connu pour son succès personnel avec la chanson puis le film *Alice's Restaurant.*

réadaptées avec des paroles disant qu'elles voulaient rentrer chez elles. Des hymnes de bataille sont devenus chansons de protestation. Mais en fait, les chansons de protestation ont toujours été des hymnes de bataille. « Souvent, m'a dit Seeger, peu importait ce que vous chantiez. Le simple fait que vous chantiez suffisait à faire bouger les gens. » Les seules chansons autorisées, semble-t-il, étaient celles qui ralliaient les troupes — comme de tout temps.

Depuis que l'Amérique a pris son indépendance, elle a mené huit guerres contre d'autres nations. Elle en a gagné six, interrompu une (la Corée) et perdu une (le Vietnam). Chacune a produit une moisson de chansons de guerre, des pour et des contre, mais en très grande majorité pour. C'est seulement au moment du Vietnam, la plus longue et la moins fructueuse guerre de toute l'histoire américaine, que les chansons « contre » la guerre ont dépassé en nombre les « pour ». Jusqu'alors, cela avait été dans l'intérêt des propagandistes, des gouvernements et des auteurs de chansons d'envoyer les petits gars avec une chanson au cœur ; rien de tel qu'une parade bien martiale avec une musique vibrante pour chauffer le sang. La chanson chauvine fait une recette garantie pendant les premiers jours de toute guerre. Par la suite, si la défaite semble imminente, la rengaine patriotique — qu'elle soit conçue pour les troupes ou pour la consommation domestique — encourage la méfiance, l'héroïsme, la bravoure, et toutes ces qualités admirables qu'engendre la guerre. « La guerre est un délice, notait Érasme, pour ceux qui n'en ont aucune expérience. »

Traditionnellement, le simple soldat hait la guerre, comme il hait les mensonges qui l'y ont mené, ainsi que ceux qui l'y maintiennent. Les chansons ont toujours été son seul réconfort. Elles lui ont permis de maudire les conditions de vie effroyables, la médiocrité de la nourriture, les sanctions injustifiées et la structure de classe qui l'opprime, tout cela sans danger d'être pris pour un mutin. Un archer engagé pour combattre à la bataille de Crécy en 1346 avait été payé six pence par jour pour sa peine. Un fantassin de l'armée du roi George en 1776 recevait exactement la même solde. Il n'y avait pas de baraquements pour abriter les soldats du roi aux colonies, si bien que les Américains étaient obligés d'héberger les troupes dans leurs maisons. Les petites villes redoutaient l'arrivée du régiment du roi, bourré de soldats ivres. Les maisons étaient saccagées et les additions dans les tavernes souvent réglées au moyen de l'expédient direct du « bail en jambe », c'est-à-dire en s'en allant en ordre rangé :

Bienheureux le soldat qui vit sur son allocation
Et dépense une demi-couronne sur ses six pence par
jour ;
Sans craindre pourtant justice, ni mendicité, ni arrestation,
Et paye toutes ses dettes d'un roulement de tambour.

Chez nous, en Grande-Bretagne, les conditions dans les baraquements étaient repoussantes : douze soldats devaient s'entasser dans chaque chambre, à deux par lit ; ce qui était baignoire le jour servait d'urinoir la nuit. On attendait de la plus jeune recrue qu'elle vide la saleté chaque matin, pour refaire le plein de la bassine avec la ration d'eau de la journée. Le taux de mortalité dans les baraquements était élevé ; le gouvernement britannique votait des crédits pour des gratifications destinées à encourager les recrues, et puis les tuait à un rythme double de celui des civils, avant qu'ils aient seulement vu l'ennemi. Les soldats pouvaient rester avec leur femme, mais la seule intimité qu'un homme pouvait escompter était une couverture tendue entre son lit et celui du voisin :

Oh ! dis-moi, ma douce amie, veux-tu coucher dans un
baraquement
Et épouser un troufion, et lui porter sa sacoche ?

Quand c'était l'heure de se battre, les soldats tiraient au sort pour décider qui pouvait

God Blessed America
This Land Was Made For You & Me

This land is your land, this land is my land
From ~~the~~ California to the ~~New York~~ Island,
From the Redwood Forest, to the Gulf stream waters,
    God blessed America for me.

As I went walking that ribbon of highway
And saw above me that endless skyway,
And saw below me the golden valley, I said:
    God blessed America for me.

I roamed and rambled, and followed my footsteps
To the sparkling sands of her diamond deserts,
And all around me, a voice was sounding:
    God blessed America for me.

                     there
Was a big high wall ^that tried to stop me
A sign was painted said: Private Property.
But on the back side it didn't say nothing —
    God blessed America for me.

When the sun come shining, then I was strolling
In wheat fields waving, and dust clouds rolling;
The voice was chanting as the fog was lifting:
    God blessed America for me.

One bright sunny morning in the shadow of the steeple
By the Relief office I saw my people —
As they stood hungry, I stood there wondering if
    God blessed America for me.

        * all you can write is
          what you see.

                        Woody G.
                        N.Y., N.Y., N.Y.
                        Feb. 23, 1940
                        43rd st & 6th Ave,
                        Hanover House

original copy
of this song

prendre leur femme. On n'autorisait que six femmes par compagnie de quarante hommes :

Je me sens seul depuis que les collines j'ai traversé
Et puis encore la vallée.
Mon cœur s'emplit de si tristes pensées
Depuis mes adieux avec ma Sally.

La musique n'était pas le produit de quelque usine dissonante de la 42e Rue. N'importe quelle mélodie, séculière ou sacrée, des variétés ou de la tradition était bien suffisante ; l'air du *Battle Hymn of the Republic*, à l'origine hymne méthodiste, fut utilisé avec au moins soixante textes différents. A l'occasion, un air servait à des causes contradictoires. Le cantique écrit en 1745 pour soulever les Anglais contre l'avance des armées du Bon Prince Charlie fut utilisé pendant la Révolution de 1776 pour monter les Américains contre les Anglais. Plus tard, la même mélodie servit pour l'hymne national britannique ; plus tard encore, pour le *My Country Tis of Thee* américain. Les paroles du *Star Spangled Banner* sont plaquées sur une chanson à boire anglaise traditionnelle.

Bien des chansons des soldats britanniques furent collectées vers 1860 en un volume intitulé *Broadside Ballads*. Il n'est pas prouvé qu'une seule d'entre elles provienne du terrain ; plus vraisemblablement, elles furent écrites par des baladins qu'on appelait « poètes du pot à un sou », qui traînaient dans les brasseries jusqu'à ce qu'une clientèle ivre les appelle pour improviser quelques couplets concernant les dernières nouvelles du front. Tandis qu'un violoneux ou un flûtiste lui jouait un air populaire dans l'oreille, ce « poète » mettait en vers une ballade illustrant les horreurs et les désillusions de la guerre.

Quand les nouvelles étaient rares, les couplets se concentraient sur la vie dure à la maison. D'anciens appelés qui avaient des permis à cet effet fournissaient les baladins en sujets de chansons. D'autres trouvaient de la matière dans les lettres de soldats. D'autres encore copiaient les dépêches de Crimée envoyées par William Russell au *Times* de Londres. Celles-ci, écrites à la première personne, donnaient l'impression que le chanteur avait vu et subi les privations décrites par Russell.

Sans ces chansons, il est douteux que la population civile aurait eu la moindre notion de ce qui se passait ; tout ce que la plupart des civils

savaient de la guerre dans un pays lointain était une bataille perdue ou une bataille gagnée. On ricanait le plus souvent des bobards à l'eau de rose des sergents recruteurs. Seuls les hommes mutilés, les manchots ou les culs-de-jatte qui, après une campagne, rentraient chez eux au grand effroi de leurs femmes et de leurs familles, apportaient un témoignage des réalités.

Oh ! cruel fut l'engagement
Où mon cher amour a combattu ;
Et cruel le boulet de canon
Qui lui arracha l'œil droit.

L'introduction du télégraphe électrique rapprocha quelque peu la vérité du pays ; le public apprit que des centaines d'hommes dans

Page de gauche : Manuscrit original de *This land Is Your Land*, écrit par Woody Guthrie en 1940.

En haut : Miliciens anticommunistes brisant un récital de Paul Robeson à Peekskill (New York) en 1949. Des voitures furent renversées, et un grand nombre de personnes blessées.

En haut : Vera Lynn présentant une cantine mobile aux troupes britanniques en juin 1942. *Au centre* : Marlène Dietrich, qui eut la curieuse particularité d'être la chanteuse préférée des deux armées opposées, « Lilli Marlene » étant l'une des chansons les plus populaires dans l'armée de Rommel comme dans celle de Montgomery, pendant la campagne d'Afrique du Nord en 1943. *Ci-dessus* : Artie Shaw dans le Pacifique Sud, en août 1943.

Page de droite : Gracie Fields distrayant les ouvriers d'un chantier naval écossais, en 1941, sur le front britannique.

l'armée britannique étaient morts du choléra avant d'atteindre la Crimée ; que les hommes qui faisaient le siège de Sébastopol pendant l'hiver 1854-1855 mouraient là où ils couchaient dans les tranchées — de froid :

Vous tous qui vivez au pays à votre aise
Et dormez sur des lits douillets
Je vous en prie pensez à nos vaillants soldats
Qui dorment gelés sur la glaise.

En Amérique, le schéma évolutif avait été similaire, avec les mêmes échanges multiples et bizarres de mélodies. L'hymne sudiste définitif était à l'origine un chant nordiste. Écrit par un membre des « Nigger Minstrels » de Bryant, l'air de « Dixie » avait vu le jour sur la scène new-yorkaise où il servait au défilé final. Bien qu'il fût devenu l'hymne de bataille officiel du Sud en 1861, on continua de l'utiliser dans le Nord (avec des paroles appropriées) jusqu'en 1863. « La terre heureuse du Vieux Sud » était remplacée par la phrase « Notre Union ne se brisera pas ». La Guerre civile, le plus sanglant conflit du XIXe siècle, en fut aussi le plus chanté. Pendant sa seule première année (1861), plus de deux mille chansons furent publiées, commémorant chaque bataille de manière très précise. « Toutes les phases par lesquelles est passée cette lutte effroyable, notait la *New York Weekly Review*, sont dûment représentées dans les chansons. Il n'est pas un événement, qu'il soit d'ordre politique ou stratégique, qui ne trouve ici son écho. »

Un groupe d'officiers confédérés captifs, libérés sur parole pour assister à un Bal de la Victoire, demanda à entendre quelques-unes des marches nordistes. A la fin, l'un d'eux déclara : « Si nous avions eu des marches comme les vôtres, nous vous aurions battus à plate couture. » Sans aucun doute, ils se souvenaient du Général Sherman « En Marche à travers la Géorgie », brûlant et saccageant la campagne du Sud tandis qu'il avançait :

Une voie de passage pour la liberté et son train
Soixante miles de largeur
Trois cents jusqu'à la grand-route.

La mort était admirable, surtout quand les dernières pensées du soldat étaient pour sa mère, « la source de tout ce qui est pur et bon

dans ce monde », observait la *New York Weekly Review* :

Dites à ma mère que je meurs en paix
Que pour moi elle ne doit pas pleurer,
Dites-lui combien je désirais l'embrasser,
Où j'ai sombré dans la mort pour reposer.

Ci-dessus, en haut à gauche : Burl Ives, comédien, enseignant et footballeur à ses heures, trouva le temps de devenir aussi chanteur de folk, et de jouer Big Daddy dans *La Chatte sur un toit brûlant*, de Tennessee Williams. *A droite :* Chad Mitchell, créateur d'un trio qui eut son heure de gloire au début des années 60. Il fut remplacé en 62 par un inconnu du nom de John Denver. *Ci-dessus :* Peter Yarrow (à droite), Paul Stookey et Mary Travers, qui parvinrent à la célébrité en même temps que Mitchell, mais surent éviter de se faire oublier. Certains de leurs plus grands succès furent le fait de leurs versions adoucies de chansons signées Bob Dylan. *Puff the Magic Dragon* était une chanson « codée » sur les drogues.

Page de droite : Baez et Dylan (1963).

Telles furent les « dernières paroles du lieutenant Crosby, qui fut tué derrière sa batterie à Salem Heights, le 2 mai 1863 » ; du moins, c'est ce qu'assurait l'éditeur de la chanson à son public, qui pouvait obtenir cette chanson et neuf autres, illustrées, « Sur papier à lettres, expédié à l'adresse voulue au reçu de 50 cents. » Le soutien à la guerre, cependant, n'était pas universel. Lorsque Abraham Lincoln eut des difficultés pour trouver des volontaires dans le Nord pour se battre dans la Guerre civile, seize compositeurs offrirent des airs différents pour les paroles recruteuses de John Sloan Gibbon : « Nous Arrivons, Père Abraham, Encore Trois Cent Mille. » Aucun d'entre eux ne fut efficace et Abraham Lincoln devint le père de la conscription.

Pendant la seconde moitié du XIXe siècle, tandis que la plupart des nations européennes s'emparaient de chaque portion de territoire colonial où elles pouvaient mettre la main, la ferveur patriotique était de rigueur. Les hommes politiques allemands et anglais, assis confortablement chez eux, avaient tiré des traits sur des cartes grossières des continents encore inexplorés et puis dépêché des troupes pour s'emparer du territoire.

Les music-halls donnèrent un nom à cette fièvre impérialiste. Utilisé pour la première fois au Pavillon de Londres en 1878, alors que la Grande-Bretagne envisageait de déclarer la guerre à la Russie, un mot acquit très vite une popularité universelle :

Nous ne voulons pas nous battre, mais par Jingo si ça
nous arrive
Nous avons les bateaux, nous avons les hommes
Et nous avons l'argent aussi.

En 1914, « jingo » s'appliquait à tous ceux qui appelaient à la guerre. Les artistes de music-hall rivalisaient furieusement pour devenir le chanteur dont la chanson « jingo » deviendrait le tube de la guerre, même si elle n'avait pas réussi à la faire éclater. Dans la plus pure tradition du music-hall, les chansons étaient d'une telle banalité que cela reste un miracle si chaque homme dans l'assistance ne s'engagea pas immédiatement dans l'armée pour échapper à la musique. Un interprète, vêtu d'un uniforme d'officier de la Marine britannique et station

debout sous un drapeau géant de l'Union Jack, chanta :

> *Le cricket pour l'instant nous faut suspendre*
> *C'est le wicket* qu'il nous faut défendre.*

Et Phyllis Dare, parmi les plus notables dames du music-hall qui se présentèrent, emprunta le titre de sa célèbre chanson de recrutement au dessin d'une affiche montrant Lord Kitchener qui agitait l'index et disait : « Votre Roi et Votre Pays ont Besoin de Vous. » A l'origine slogan de recrutement en 1779 pour la guerre contre les Américains, « Your King and Country Need You » fut copié pour être affiché en Amérique, lorsque en 1917 les États-Unis déclarèrent la guerre à l'Allemagne. On remplaça Lord Kitchener par l'Oncle Sam, qui avait personnalisé la phrase : « C'est *vous* que je veux. »

Cependant, la désillusion était croissante quant à l'idée que la chanson populaire serait un médium utile ou approprié à la propagande du chauvinisme.

> *Quand sera finie cette sale guerre*
> *Oh, mon bonheur sera immense*
> *J'embrasserai le sergent-major,*
> *Pour moi, plus à faire le soldat*

était chanté sur l'air du vieil hymne anglais *I Have a Friend in Jesus*.

La tradition dont Woody Guthrie hérita était par conséquent ancienne et complexe. Par son utilisation des mélodies populaires, la chanson de guerre et de protestation avait fait autant pour préserver la musique folk que n'importe quel avant-poste de violoneux dans l'Arkansas. Et tandis que la machine nashvillienne prenait de la vitesse, Guthrie et ses amis nourrissaient l'espoir que l'esprit essentiel de cette musique survivrait. Sa détermination à sauvegarder cette tradition se renforça quand il commença à s'apercevoir que l'industrie de la musique populaire blanche n'acceptait et ne souhaitait

pas accepter une seule part de son héritage qui remettrait en question les ambitions économiques de l'industrie et de la nation.

« Nous avons une expression très utile dans la Constitution américaine, dit Pete Seeger, et qui s'appelle le Premier Amendement : le droit à la liberté de parole. Mais dans l'Amérique moderne cela se réduit à ce que vous ayez la liberté de parole tant que vous voulez parler seulement à quelques amis. Si vous voulez passer à la télé aux meilleures heures d'écoute, par contre, vous avez intérêt à avoir beaucoup d'argent. Parce que les gens qui sont à la tête des média, que ce soit la télévision, la radio, les journaux ou les disques, ont une idée assez personnelle de ce qui peut parvenir à des millions de gens.

« Après la Seconde Guerre mondiale, continue Seeger, j'ai été impliqué dans la tentative pour faire élire Henry Wallace à la présidence. J'avais peut-être raison ou peut-être tort. Mais un mois après l'élection, j'étais assis dans l'entrée principale d'une grande chaîne de télé, en train d'attendre mon tour pour chanter des chansons pour enfants. Un homme est passé et m'a regardé d'un air plutôt étrange, et cinq minutes plus tard le directeur des programmes

---

* *Wicket :* guichet, entrée ; mais aussi le triple piquet en bois servant de but aux deux extrémités d'un terrain de cricket.

est sorti et il m'a dit : " Je suis désolé, M. Seeger, mais nous avons dû changer le scénario et nous n'avons plus de place pour vous dans le programme. " J'ai appris par la suite que l'homme qui était passé était le patron de la chaîne. Il avait été trouver ce directeur pour lui dire :" Tu ne sais donc pas qui c'est ? C'est ce salaud de coco qui faisait de la retape pour Wallace. Fiche-le dehors. " »

En 1950, Seeger s'apprêtait à faire une émission hebdomadaire de portée nationale avec son groupe, les Weavers, qui à l'époque parvenaient à un certain succès commercial avec une chanson de Leadbelley qu'ils avaient enregistrée, *Goodnight Irene*. Une firme de fichage professionnelle du nom d'AWARE, Inc., fit opposition et parvint à faire déchirer le contrat pour l'émission. « Nous étions tout prêts à fonctionner, mais la firme qui patronnait ne l'était pas. Les hommes de Van Camp's Beans décidèrent que nous ne pouvions plus vendre leurs haricots — pour faire péter les gens. Et pour ma part il me fut impossible d'obtenir un seul passage sur une chaîne nationale de télé pendant les dix-sept années suivantes. »

Au début des années soixante, quand la musique des Guthrie, Seeger et autres fit naître les vocations d'autres artistes sans compromission, tout en attirant une audience croissante, les média et l'industrie de la musique s'aperçurent qu'ils loupaient encore quelques dollars de plus. L'explosion du folk amena une série d'artistes tels que Peter, Paul et Mary, le Kingston Trio ou les Tarriers au-devant de la scène de la musique pop. La chaîne de télévision ABC conçut une émission intitulée *Hootenanny* — terme populaire pour un rassemblement syndical avec musique folk — et puis s'assura qu'elle n'avait rien de commun avec le folk tel que Seeger et d'autres en étaient venus à l'entendre. « La version ABC du *Hootenanny*, m'a dit Seeger, c'était une bande de jeunes lycéens blancs applaudissant tous d'un air idiot, quelle que soit la chanson interprétée, avec des larges sourires dans tous les coins, et jamais la moindre trace de controverse ni de protestation. Pendant les six mois de son existence, l'émission anéantit presque le mot " hootenanny ". J'ai été bien content lorsqu'ils se sont dirigés vers une autre source de revenus. »

Pendant quelque temps, le mouvement des droits civiques et l'escalade dans la guerre du Vietnam, peu après, catapultèrent la chanson de protestation au premier plan de l'information

Quatre manifestations de racines folk évidentes : *Page précédente* : Odetta, née à Birmingham (Alabama) le 31 décembre 1930, a débuté comme musicienne classique. *Ci-dessus, à gauche* : Miriam Makeba, originaire d'Afrique du Sud. *Au centre* : Buffy Sainte-Marie, Indienne d'une tribu Cree. *A droite* : Janis Ian, chanteuse juive new-yorkaise.

du public. « Il y eut la résistance à la guerre du Vietnam, la résistance à la conscription et la résistance aux impôts, dit Joan Baez. Et puis encore le mouvement pour les droits civiques, les manifestations contre la guerre, les GI's contre la guerre qui étaient rentrés et qu'il fallait soutenir. » Jamais l'Amérique n'avait été confrontée à tant de critique de l'intérieur. Mais sa musique restait sous le contrôle des média. Woody Guthrie a toujours estimé que seules les chansons de seconde catégorie, qu'elles soient blanches ou noires, passaient à la radio. Pete Seeger en convient. Il donne entre autres exemples, celui de *I'm Fixin' To Die Rag*, le célèbre « F.U.C.K. » de Country Joe McDonald, chanson très acide contre la guerre qui « aurait sûrement été n° 1 en 1970 si elle n'avait pas été repoussée par les média. Elle ne fut connue du grand public que plus tard, à la sortie du film sur le festival de Woodstock. » En 1971, Paul McCartney écrivit une chanson qui demandait « Rendez l'Irlande aux Irlandais » : elle fut entièrement bannie de la BBC.

Sans conteste possible, le personnage le plus important dans la renaissance de la chanson de protestation des années soixante fut Bob Dylan. Comme son idole Woody Guthrie, Dylan croyait qu'il essayait « d'être un chanteur sans dictionnaire, et un poète non entravé par des rayons de bouquins ». Il avait une voix coincée dans du fil de fer barbelé, et un physique évoquant un croisement entre Harpo Marx et Beethoven jeune. « Ce que je fais, disait-il, c'est écrire des chansons et les chanter et les interpréter. Toute autre chose qui essaierait de couvrir

ça, ou d'en faire quelque chose que ce n'est pas à l'origine, me déprime. » Mais pourtant sa chanson *A Hard Rain's A-Gonna Fall* traitait, ou du moins s'inspirait de l'affaire des missiles à Cuba en 1962 ; la *Ballad of Hollis Brown* était une commémoration d'un meurtre particulièrement sanglant d'un fermier du Dakota ; *Oxford Town* concernait le sort injuste de James Meredith ; son retour, à la fin 75, à la chanson activiste, *Hurricane,* parle d'un jeune boxeur noir emprisonné à tort (dit-on) pour meurtre.

Les chansons de protestation de Dylan sont pleines d'une sauvage mélancolie, dites d'une voix rocailleuse et traînante. Leur thème est l'intolérance et la privation de liberté. L'atmosphère commerciale du showbiz' n'a jamais été pour lui : « Les gros types qui mâchent leur cigare, trimbalent des disques d'or, vendent des chansons, vendent du talent, vendent une image. Je n'ai jamais traîné mes basques làdedans. » Un tel sentiment est difficile à concilier avec le fait que Dylan est né Robert Zimmermann, d'origine juive allemande, fils d'un marchand d'appareils ménagers, fumeur de cigares, à Hibbing (Minnesota). Il chante avec un accent du Sud-Ouest, mais parle sans cet accent.

Même ainsi, ses textes ont apporté de l'éloquence à une époque qui en a peu, de la dignité à une génération qui tend à oublier ce que cela signifie, et une terrible honnêteté à une société qui préfère la fausseté. Prophète d'une méfiance raisonnée, il travaille dans un medium où une telle attitude avait été quasi inconnue chez les Blancs, bien qu'elle soit désormais considérée comme la pierre angulaire de l'évolution musi-

cale à venir. Comme les autres artistes du folk, il emprunte au passé pour revivifier le présent. Sa dette envers la musique noire et le blues en particulier est trop souvent oubliée et cela porte préjudice à l'un comme à l'autre. Mais en tant que parolier, son exemple fait figure d'avertissement à ceux qui « vont confondant le Paradis avec cette maison de l'autre côté de la route ».

« Il y a des tas de merveilleux musiciens qui ne sont ni reconnus ni payés, dit Seeger. Il y a longtemps que j'ai décrété que c'était idiot de gagner de l'argent. Le gouvernement américain vous le prend tout simplement pour fabriquer encore des choses avec lesquelles on lancera des bombes. Et cela ne marche pas de faire des retenues sur ses impôts. Joan Baez l'a essayé : le percepteur n'a qu'à s'amener près des guichets à l'entrée, et quand les gens payent pour un concert, eh bien il met l'argent dans *son* sac. Alors il ne reste plus qu'à chanter gratis. Maintenant, je ne me produis plus en me faisant payer que six fois par an environ. »

« Les gens s'attendent à ce que la révolution arrive du jour au lendemain, ajoute Joan Baez. Et quand elle n'arrive pas, ils rentrent chez eux, soit pour faire du miel biologique, soit pour commencer à lancer des bombes, et ils perdent de vue la perspective des choses. » Le *folksinger* est quelqu'un qui reconnaît que le processus du folk est sans fin :

Combien de fois un homme doit-il lever les yeux
Avant de voir le ciel ?
Oui, et combien d'oreilles faut-il à un homme
Avant qu'il entende les gens pleurer ?

Aujourd'hui, dit Baez, « nous avons été exercés à l'impuissance ».

Page précédente, à gauche : le Kingston Trio, sage et bien propre, symbolisa le conditionnement du folk. *Au centre :* Country Joe McDonald, né dans une famille de gauche, sut combiner l'essence de la chanson de protestation avec le style du rock. *À droite :* Leonard Cohen, poète, auteur-compositeur, romancier et chanteur canadien.

Ci-dessus, à gauche : Bob Dylan, quand il n'avait pas encore secoué le public du festival de Newport avec sa guitare électrique. *A droite :* Leon Rosselson, doyen de la renaissance folk en Grande-Bretagne dans les années soixante. Des troubadours américains venus plus tard, de Dylan à Paul Simon, trouvèrent subsistance (sans parler d'une partie de leur inspiration) dans les innombrables folk-clubs organisés dans des salles aux étages des pubs anglais.

CinemaScope
MIDDLETON
Elvis Presley
DON'T BE CRUEL
NOT CROSS
DEPT.

Le rock'n'roll

«**D**onc, j'étais dans un studio, un après-midi au 706 Union — une très bonne adresse, croyez-moi —, se rappelle Sam Phillips, lorsqu'un jeune homme passa. A cette époque, nous avions comme studio un local avec une vitrine. Étant dans la cabine de contrôle, je remarquai ce jeune homme qui allait et venait. Finalement, il entra, avec sa boîte. Sa guitare, si vous voulez. Il était très timide. Cela se voyait à la manière dont il se déplaçait. Très nerveux. Il dit à ma secrétaire, Marion Keisker, qu'il voulait enregistrer un disque pour l'anniversaire de sa mère. Elle revint et me demanda si nous pouvions le prendre. Je répondis : '' Je n'ai pas vraiment le temps, mais si c'est demain l'anniversaire de sa mère, il faudrait le prendre. '' Elle me l'envoya et il se présenta. Je

---

Des fans d'Elvis Presley faisant la queue pour voir son premier film *Love Me Tender*.

Ronnie et les Hi-Lites.

lui demandai : " Qu'est-ce que vous faites ? — Je ne sais pas bien chanter, mais j'aimerais essayer. Ma mère dit que je sais, répondit-il. — Très bien, dis-je, entrez là et allons-y. " »

C'est une histoire bien connue. Sam Phillips l'a racontée de nombreuses fois. Mais avec Elvis Presley, la réalité a toujours dépassé la fiction.

Sa famille était pauvre. Son père travaillait à la tâche et à l'occasion chantait du gospel. Les Presley étaient pieux et allaient souvent à l'église. Elvis avait eu un jumeau, Jesse, qui était mort à la naissance, c'est pourquoi il fut gâté par sa mère. Ses parents lui offraient toutes les gâteries qu'ils pouvaient lui payer, quitte à se priver de manger. Quand il eut sept ans, sa mère, qui avait économisé, lui acheta une guitare — pour la somme de douze dollars et quatre-vingt-quinze cents. Elle avait toujours aimé entendre chanter des chansons tristes comme *Old Shep* qui la faisaient pleurer. Mais les premiers efforts d'Elvis ne furent pas particulièrement fructueux : lorsque Mme Presley l'inscrivit à un concours local, il arriva second. C'était un enfant solitaire, qui aimait mieux rester caché dans sa chambre que jouer avec d'autres enfants.

Les Presley décidèrent d'améliorer leur situation en s'installant à Memphis, la grande ville la plus proche. Néanmoins, Presley père ne put trouver qu'un emploi à mi-temps et la famille fut forcée d'habiter dans un taudis au milieu du ghetto noir. Presley fils travailla comme ouvreur de cinéma après l'école puis comme conducteur de camion pour quarante dollars la semaine jusqu'à l'été de 1953, où il enregistra deux chansons dans le studio de Sam Phillips ; ce qui lui coûta quatre dollars.

Les deux chansons étaient douces et lentes : *My Happiness* et *That's When Your Heartaches Begin*. Phillips était intrigué. « Il chantait comme Bill Kinney, des Ink Spots, m'a raconté Phillips. Ce n'était pas que Bill Kinney ou les Ink Spots fussent spécialement noirs ou blancs. Mais je notai une certaine qualité dans la voix d'Elvis et il me sembla qu'il ressentait bien la musique noire. Je pensai que sa voix était unique, mais je ne savais pas si elle était commerciale. »

Phillips décida de chercher des chansons qui aillent mieux à Elvis. Il dénicha, peu après, lors d'une séance d'enregistrement dans une prison

de Nashville, une chanson séduisante, écrite par un prisonnier blanc et intitulée *Without Love*. « Je fis appeler Elvis par ma secrétaire, continue Phillips, pour savoir s'il voulait venir essayer la chanson. Avant qu'elle n'eût raccroché, il était

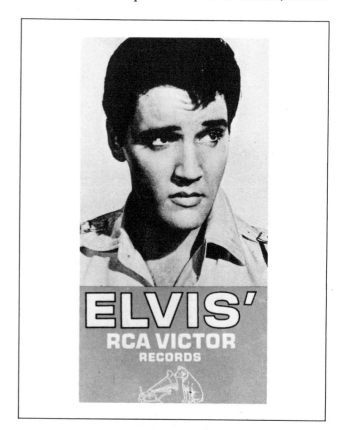

dans le studio. Je m'étonnai : comment diable avait-il fait pour aller si vite, même en voiture, car il habitait à presque deux kilomètres de là. Il me dit : " J'ai couru, Mr. Phillips. " »

La séance ne fut pas un succès. Phillips se rendit compte que Presley n'avait pas assez d'expérience pour rendre la chanson convain-

A droite : Elvis Presley en pleine action, devant 26 000 fans, à Dallas au Texas, en novembre 1956.

avec un orchestre de rue noir. D'autres fois, il était encore à l'église, en train de chanter des hymnes. Souvent il chantait plus fort que le marchand de rhythm and blues le plus bruyant de Chicago. Elvis, semble-t-il, avait tout absorbé, comme un aspirateur.

Pourtant Sam Phillips persistait : « Il voulait tout rassembler et le développer », se rappelle Conway Twitty, un autre de ses protégés. Il savait ce qu'il voulait entendre et il aiguillait quiconque entrait dans le studio — quel que soit son style de musique — dans une certaine direction. » Mais Elvis ne réagissait pas.

De son propre aveu, Phillips était prêt à abandonner. En dernier recours, Elvis demanda s'ils pouvaient essayer une version d'une chanson d'Arthur « Big Boy » Crudup, enregistrée dix ans plus tôt. Scotty Moore se souvient : « Les micros étaient fermés, Elvis décontracté. Il oublia de corriger sa voix, saisit sa guitare et se mit à taper dessus. Bill Black commença à donner le rythme avec sa basse et je les rejoignis. Au milieu de la chanson, Sam entra en courant et dit : '' Bon sang, qu'est-ce que vous faites ? '' Nous répondîmes que nous ne savions pas. '' Eh bien, dit-il, trouvez en vitesse et ne le perdez pas. Remettez-moi ça et enregistrons-le. '' La chanson s'appelait *That's Alright, Mama.* »

cante. Mais il essaya encore. Il convoqua deux musiciens de studio, Scotty Moore et Bill Black, et leur demanda de rencontrer Elvis et de travailler avec lui sur n'importe quelle chanson.

Pendant six mois, rien ne se passa. Elvis semblait incapable d'adopter un style particulier. « L'ennui, raconte Phillips, c'était qu'Elvis avait ingurgité trop de musique. » Un jour, il avait la sonorité d'un vieux routier de Nashville et le lendemain il ressemblait à un chanteur de charme blanc parodiant des chansons d'amour hollywoodiennes ; parfois il aurait pu chanter

---

Ci-dessus : Elvis, jadis numéro d'appoint chez Liberace, à Las Vegas, revient comme invité d'honneur en novembre 1956.

A droite : Pat Boone se glissa inconfortablement dans le rock and roll au moment de l'explosion Presley. Il arriva à Los Angeles avec sa famille à la fin des années 50. Dans ses bras les enfants qui, devenus grands, devaient participer à son spectacle familial au début des années 70.

Page de droite.
En haut : Fabian Forte, vedette à 15 ans, oublié à 17.

En bas :
A gauche : Bobby Vinton, ou bien, est-ce Bobby Rydell, ou Bobby Vee, ou Bobby Darin ?

A droite : Leslie Gore, de Tenafly dans le New Jersey, exprima le rêve de toutes les jeunes filles des écoles mixtes en chantant *It's My Party* en 1963.

« J'ai demandé à Elvis, raconte Phillips, pourquoi diable il n'avait pas suggéré plus tôt de faire cette chanson. Il me dit que cela ne lui était pas venu à l'esprit. Il fallait trouver quelque chose pour mettre au dos, il attaqua donc *Old Blue Moon of Kentucky*, de Bill Monroe.

« Nous sortîmes le disque et nous reçûmes des commentaires plus ridicules les uns que les autres. Je passai la face blues à un animateur de radio noir qui me dit : " Ce garçon est un coq de la campagne à qui l'on devrait interdire de chanter après le lever du soleil. " Alors, je passai la face country à un animateur blanc qui me dit : " Sam, si je passe ça, ils vont me vider. Je dois passer du country blanc, simple et pur. " »

Par la suite, *That's Alright Mama* se vendit tout à fait bien, et pas seulement à Memphis. Sa première apparition publique eut lieu dans un petit night-club de l'est de Memphis — Elvis était « mort de peur ». Phillips essaya encore. « Je le fis passer dans un spectacle à Overton Park, à Memphis, avec Slim Whitman, qui faisait probablement un des numéros de country les plus chauds du moment. Quand j'arrivai, Elvis m'attrapa par le bras. Il était en sueur et il tremblait de partout. J'ai dû le raisonner. Je lui dis : " Elvis, tu vas être parfait. " Il fut applaudi à tout rompre après sa première chanson et nous

n'avons plus eu trop de problèmes avec lui après cela. »

Phillips fit passer Elvis au *Louisiana Hayride*, une émission de radio, puis au Grand Ole Opry. Il joua dans les bars, les foires, les écoles

et enregistra d'autres disques. Des rumeurs se propagèrent, quoique lentement, jusqu'à Cleveland dans l'Ohio. Pat Boone, alors chanteur de charme à succès, avait accepté de faire un spectacle dans un lycée par sympathie pour l'animateur de radio Bill Randall. Quand il arriva, me raconte Boone : « Bill est venu me voir et m'a dit : " Il y a un nouveau type qui passe avant toi ce soir. Il va devenir une grande vedette. — Ah ! vraiment ? répondis-je, quelqu'un que je connais ? — J'en doute, dit Bill, son nom est Elvis Presley. " Je connaissais très bien son nom, je l'avais vu dans les juke-boxes et je savais que c'était un chanteur de hillbilly. Avec un nom comme Elvis Presley, comment pourra-t-il jamais devenir une vedette ? Mais quand Presley entra en scène et commença ses convulsions, les gosses se mirent à devenir dingues. Heureu-

En haut : du country au rock.

A gauche : les Everly Brothers en 1960.

A droite : Gene Vincent et les Blues Caps ; Vincent, de son vrai nom Vincent Eugene Craddock, mourut d'une hémorragie due à des ulcères, en 1971 après avoir passé sept années infructueuses en Angleterre, où il· avait auparavant connu son plus grand succès.

En bas : Les Coasters, Mark II, un groupe formé en 1956 par les auteurs de chansons Lieber et Stoller à partir des fragments d'un groupe qui s'appelait les Robins. La composition des Coasters, ainsi que leur répertoire, changèrent plusieurs fois ; leur spécialité était la comédie.

sement que j'avais un disque à succès pour m'aider car je devais passer après lui. »

Malgré cela, vendre Elvis à un marché plus large demanda une lutte âpre. « Quand nous commençâmes à partir en tournée, raconte Carl Perkins, l'un des collègues d'Elvis au studio Phillips, nous prenions avec nous un camion entier de disques. Nous faisions notre propre promotion. Quand nous arrivions dans une ville, nous allions voir l'animateur de radio le plus proche. » La musique elle-même n'était pas aussi populaire qu'on a pu, encouragé par la légende, le croire par la suite. Conway Twitty se rappelle un des premiers passages qu'il fit au Canada. « Quand nous nous présentâmes dans ce club où nous étions retenus pour deux semaines, nous portions un pantalon noir, une chemise noire, une ceinture blanche, des chaussures blanches et une cravate blanche. Le type à qui appartenait la boîte jeta un coup d'œil et dit : " Qu'est-ce que c'est que ça ? " Le soir de l'ouverture nous montâmes sur scène et le type faillit devenir fou en nous voyant mettre le paquet. " Mon Dieu, baissez-moi ça ", dit-il. C'est ce que nous fîmes et le public commença à partir. Je dis aux musiciens de remettre la musique à plein volume. Alors, ce sont les barmen qui partirent. Le soir suivant nous jouâmes devant une salle vide. »

Sam Phillips pensa à vendre le contrat de Presley. Le style de Carl Perkins était similaire à celui d'Elvis et ce n'était pas la politique de Phillips d'avoir deux artistes du même style. De toute façon, il avait besoin d'argent pour lancer sa nouvelle recrue. Les vingt mois qu'il avait passés à produire Elvis Presley lui

avaient coûté cher. Le contrat de Presley était encore valable deux ans. Phillips appela le colonel Tom Parker, un homme de show business du Sud bien connu. Phillips le suspectait de répandre le bruit qu'Elvis était à vendre. A New York, Parker proclama sa totale innocence. Mais, à la fin de la conversation il demanda : « Au fait, vous vendez Presley ? — J'accepte de discuter toute proposition, répondit Phillips. — Nous serons à Memphis ce soir », dit Parker.

Parker était un requin. Il avait débuté dans les foires comme vendeur ambulant de hot dogs et de limonade. Plus tard, il avait monté son propre numéro — des poulets dansants. Après les poulets, il s'était tourné vers les humains et était devenu l'un des hommes d'affaires les plus féroces de Memphis. Il fut l'imprésario de Hank Snow et d'Eddy Arnold, deux des plus grandes vedettes du country au début des années cinquante, et commença à concurrencer l'Opry dans la promotion des spectacles itinérants. Pour Parker, le rock signifiait des dollars. Tandis que Presley avait établi sa réputation dans le Sud, l'orage annoncé par le *Rock Around The Clock*, de Bill Haley, avait éclaté dans le Nord. Tin Pan Alley n'avait pas la plus légère notion de ce qui se passait ; mais si les gosses aimaient ce bruit absurde, le devoir de l'industrie était de les alimenter jusqu'à ce qu'ils soient gavés.

Les maisons de disques commencèrent à engager des chanteurs de « rock » en masse. Sam Phillips et ses disques Sun vendirent Elvis Presley à RCA Victor pour la somme, énorme alors, de trente-cinq mille dollars. En janvier 1956, Elvis enregistra son premier disque pour RCA. En un mois, il monta en flèche jusqu'au sommet de tous les hit parades. Il y resta pendant huit semaines et par la suite se vendit à trois millions d'exemplaires dans le monde entier. Il s'appelait *Heartbreak Hotel*.

Le style d'Elvis était impossible à définir. Il chantait un mélange de country, de gospel, de rhythm and blues et de pop. Sa voix changeait continuellement. Il utilisait un ton différent pour presque chaque chanson. Les seules constantes étaient le sexe et les sensations fortes. (« Nous n'avons jamais vendu ni sexe ni rouflaquettes, affirma Haley. Si nous avions voulu en vendre nous nous serions habillés autrement. ») Le seul dieu était la sensation. Au fur et à mesure que Presley prenait confiance en lui, ses apparitions devenaient encore plus délirantes que son disque — surtout les shows télévisés qu'il fit, comme celui de Ed Sullivan ou de Steve Allen. Il lançait des coups d'œil arrogants en faisant des mouvements convulsifs, les cheveux dans les yeux et le sourire de côté. Des spasmes agitaient son corps comme s'il avait été branché à la même prise électrique que sa guitare. Ses hanches commençaient à faire des mouvements rotatifs, ses jambes à vibrer comme un marteau-piqueur. Il boudait, faisait le gros dos et marchait comme s'il ricanait avec ses jambes. Sur scène il gigotait comme s'il avait été en train de traverser un champ labouré en jeep. Les responsables de la télé ne toléraient Presley que cadré au-dessus de la taille.

Les critiques le détestaient ; les prédicateurs l'accusaient de péché ; à Miami, il fut poursuivi pour obscénité. Selon un journal communiste est-allemand, il était « une arme au service de la guerre psychologique américaine destinée à contaminer une partie de la population avec une nouvelle philosophie inhumaine... à détruire tout ce qui est beau afin de préparer la guerre ».

En fait, personne ne savait très bien comment parler d'Elvis — comme d'un chanteur de country, comme d'un chanteur de blues ou simplement comme d'un phénomène. Quant aux jeunes, ils virent en Elvis, quoique d'une manière sublimée, tout ce qu'ils avaient toujours désiré : le sexe, la colère, l'indépendance, l'arrogance et une énergie infinie. « C'est à peu près l'époque, dit Carl Perkins, où les gosses ont décidé : "Je ne veux pas que papa et maman achètent mes vêtements. Donnez-moi du fric et je vais acheter une casquette de cuir selon mes goûts." C'était la même chose avec la musique. » Ils faisaient partie d'une génération qui n'avait pas participé à la guerre, et n'avait pas connu cet idéalisme triomphant qui voulait apporter la paix sur terre. L'atmosphère dans le milieu des années cinquante avait un léger goût de désillusion. Les jeunes en avaient assez de tout ce qui touchait au passé et ils voulurent une musique qui exprimât ce sentiment : « la passion d'un moment sans signification », comme le définit Sam Phillips. Elvis était à eux, la propriété privée des teenagers. Aucun étranger, aucun adulte importun, ne pouvait sonder ses mystères.

Guidé par le colonel, Presley devint une industrie à lui tout seul. En l'espace de deux ans, il fit une recette de cent millions de dollars. Il fit quatre films à très grand succès. Pour une apparition publique, il touchait vingt-cinq mille dollars par soirée. Il y eut des blue-jeans Elvis Presley, des T-shirts Elvis Presley, des brosses à cheveux Elvis Presley, des chiens en peluche, des stylos-bille, des bermudas, des chaussettes et des chewing-gums. Des agendas, des boutons, des insignes, des épingles, du rouge à lèvres et du papier hygiénique. En tout plus de cinquante produits, valant des millions de dollars. Un réseau de télévision offrit à Presley cinquante mille dollars pour un seul show. « Ça ira pour moi, dit le colonel. Et pour mon garçon ? » « Je n'ai pas l'intention de me laisser avoir par cette gloire, dit Presley dans l'une de ses rares interviews. Dieu m'a donné une voix. Si j'allais à l'encontre des desseins de Dieu, je serais fini. » L'esprit de la musique country était toujours vivant.

« Un soir, je quittais le studio, raconte Jack Good — un producteur de la télévision britannique qui fut l'un des premiers à encourager le rock à la télévision en Amérique et en Angleterre —, lorsque le directeur de la chaîne variétés de la BBC me demanda combien de temps le rock and roll durerait. Audacieusement, je lui répondis qu'il pourrait durer toujours. "Plus probablement trois mois au plus", dit-il. C'était en 1957. Je le rencontrai de nouveau au concert des Beatles au Carnegie Hall en 1965 et lui demandai combien de temps il donnait au rock

and roll. Il dut admettre qu'il n'en voyait pas la fin. Il est mort maintenant. Le rock a duré plus longtemps que lui. »

Le rock and roll n'avait aucun lien avec l'héritage européen. Le jazz européen avait toujours été un dérivé ou une imitation des styles américains. Les orchestres se contentaient d'arranger la musique américaine à leur sauce. Avec le rock and roll, ce fut encore pire. Les groupes de rock anglais méprisaient ce qu'ils jouaient.

Par exemple, le premier groupe de rock qui apparut en Grande-Bretagne était dirigé par un batteur, Tony Crombie. C'était un orchestre formé pour la circonstance qui comprenait plusieurs éminents jazzmen anglais. Ils réussirent à avoir la tête d'affiche au « Palladium » de Londres, le temple du music-hall anglais. Mais pendant que les jeunes Anglais achetaient tous les disques de rock américain qu'ils pouvaient trouver, les musiciens anglais méprisaient ouvertement la musique qu'on leur demandait de jouer. « Ils essayèrent quelques mouvements à la Bill Haley, mais ce fut une exhibition révoltante et sans tripes du tout. »

Les éventuels chanteurs de rock anglais étaient musicalement à sec ; il n'y avait aucun groupe pour les accompagner avec conviction. La première « percée » fut faite par Tommy Steele (né Hicks), dont le groupe comprenait un excellent guitariste du nom de Roy Plummer. Le premier concert de Tommy Steele fut un carnage. Quand il criait à son public ahuri : « Rock with the Cavemen » (Dansez le rock avec les hommes des cavernes), il n'avait pas la moindre idée de ce qu'il était en train de faire et pourquoi. Roy Plummer avait l'air de croire qu'un solo de rock consistait en une même note jouée pendant vingt-quatre mesures. Le concert fut mauvais non parce que les musiciens étaient mauvais, mais parce qu'ils pensaient (selon Jack Good) que la musique qu'ils jouaient était dégueulasse et que l'on attendait d'eux qu'ils

---

Le gospel tape-à-l'œil : les « Birds Groups » (groupes aux noms d'oiseaux). Ce terme générique vient de la popularité passée des groupes tels que les Penguins, les Orioles, les Pélicans, etc. Les changements dans la composition des groupes arrivaient si fréquemment qu'il n'est pas question d'en nommer les membres.

De gauche à droite. En haut : Les Fiestas ; les 5 Satins ; Les 5 Royales. *Au milieu* : les Mellow Kings auxquels l'arrangeur noir Dick Levister réussit à donner une sonorité de groupe noir ; les Schoolboys, qui se séparèrent après leur seul succès, « Shirley », en 1957, vraisemblablement parce que leurs voix avaient mué ; les Solitaires. *En bas* : les Pastels, les Willows, les Delroys.

jouent de la musique dégueulasse — ce qu'ils faisaient.

La musique populaire britannique avait cependant joué un rôle limité avec un style qui s'appelait le skiffle. Équivalent anglais de la musique américaine de jug band des années trente, le skiffle était sorti de dessous l'aile du jazz traditionnel de La Nouvelle-Orléans, particulièrement d'un orchestre dirigé par Chris Barber dans lequel figurait Lonnie Donegan. Né à Glasgow, de souche irlandaise, mais élevé dans l'East End de Londres, Donegan fut le premier artiste original de la musique populaire anglaise des années cinquante. Sa sonorité était sa création propre et il fut remarqué pour la première fois pour l'un des morceaux de l'album de Chris Barber, appelé *Rock Island Line*. La chanson eut un succès considérable en 45 tours et bientôt des groupes de skiffle apparurent partout en Grande-Bretagne.

« Le mot skiffle est venu de Chicago, dit Donegan ; c'était une musique que les gens jouaient dans les fêtes de loyer. Les voisins dans le besoin se réunissaient et organisaient une fête. Ils faisaient bombance avec du vin fait à la maison, puis ils jouaient de la musique avec un manche à balai, ou une planche à laver. Ensuite, ils faisaient la quête avec un chapeau pour l'argent du loyer. » Le skiffle ne comprenait que trois accords et n'importe qui pouvait jouer de la planche à laver ou de la contrebasse faite d'une bassine. « D'autant plus, me rappela Donegan, qu'il était très difficile à l'époque d'acheter une guitare sèche en Angleterre. » *Rock Island Line* se vendit à deux cent cinquante mille exemplaires. Donegan avait accepté le tarif syndical pour son enregistrement : trois livres, dix shillings (cinquante-cinq francs d'alors). Il ne toucha pas de droits d'auteur.

A part le skiffle, la musique populaire anglaise de l'époque (1956) était inepte. Donegan lui-même exprimait un mépris total du rock and roll et manifestait une hostilité obsédante à l'égard de Tommy Steele. Une fois, lors d'un spectacle télévisé auquel ils participaient

tous les deux, Donegan lança hargneusement l'une de ses remarques anti-rock et anti-Tommy Steele, puis commença à chanter sa chanson *Bring a Little Water* (« Apporte un peu d'eau »), à la suite de quoi Steele arriva avec un seau d'eau et le lança sur Donegan.

Steele trouva bientôt son propre colonel Parker en la personne de deux spécialistes des ventes de Tin Pan Alley, John Kennedy et Larny Parnes. Leur problème était ardu. Bien que le rock and roll américain eût déjà traversé

l'Atlantique grâce à des films comme *Rock Around the Clock,* avec Bill Haley, sa diffusion en Grande-Bretagne était limitée. A la radio et à la télévision, il était inexistant. La BBC maintenait son monopole et n'était pas disposée à permettre qu'une telle cacophonie, que ce soit sur disque ou en direct, polluât les ondes.

La seule alternative était Radio-Luxembourg qui transmettait des émissions en anglais depuis l'autre côté de la Manche. D'une manière surprenante, Luxembourg fut long à se rendre compte que le rock était le seul élément qui, puisque la BBC avait choisi de l'ignorer, pouvait signifier son salut commercial. On ne com-

---

Little Richard, de son vrai nom Richard Penniman, naquit en 1932. Il quitta son emploi de plongeur à la gare routière de Macon en Géorgie, pour devenir une vedette du rock. Entre 1955 et 1957, il réalisa une série de succès jusqu'à ce qu'il entre au séminaire, persuadé que le lancement du *Spoutnik* russe était un signe lui annonçant qu'il devait abandonner le rock. Plusieurs années après, il abandonna la religion pour reprendre ses vieux succès. Jimi Hendrix fut son compagnon de tournée.

prit pas, contrairement aux radios américaines, que puisque le rock attirait un public, c'était une bonne affaire que d'en passer.

Le seul débouché pour ces nouvelles sonorités était le vieux circuit du music-hall. Pour les directeurs de salle, le rock n'était qu'une nouveauté qui, si elle réussissait à éveiller suffisamment d'intérêt, amènerait un nouveau public dans les music-halls. Le reste du spectacle était inchangé : des comiques, des jongleurs, des numéros d'animaux, des danseurs, des chanteurs et un orchestre dans la fosse. Les orchestres de fosse furent à l'occasion choqués lorsqu'on leur demanda de ne pas accompagner les spectacles de rock and roll. L'idée qu'un homme arrive sur scène avec son propre orchestre leur paraissait très bizarre.

Une des conséquences de cette étrange rencontre entre le music-hall et les imitateurs anglais du rock américain fut que les premières vedettes du rock anglais se trouvèrent côte à côte avec des comédiens et des chanteurs parfaitement rompus à tous les aspects du métier de la scène. Tommy Steele, par exemple, passait parfois après deux jeunes et intelligents comédiens anglais, Mike et Bernie Winters ; ils l'aidèrent à comprendre qu'il y avait davantage à faire sur scène que chanter et s'adresser au public en criant. Il commença à s'intéresser aux questions de présentation et de discipline scénique. Par la suite, son numéro acquit du vernis. Il est possible que sa musique fût désastreuse, mais d'un point de vue théâtral, il a très bien appris son boulot.

En Amérique, le monde du rock and roll était centré sur l'industrie du disque et de l'édition musicale. Les passages sur scène étaient considérés comme publicitaires : ils aidaient à vendre les disques, ce qui était l'essentiel. Les nouveaux managers de rock, comme le colonel Parker, avaient précédemment exercé leurs talents en s'occupant de spectacles de country and western. Sur la côte Est, les directeurs artistiques étaient des hommes habitués aux dancings et aux night-clubs. Aucun d'eux n'avait eu de contact avec le théâtre.

En Grande-Bretagne par contre, le théâtre était partout. Les hommes d'affaires qui vendaient les spectacles de rock s'occupaient presque exclusivement de théâtre. Et quand par la suite la télévision britannique découvrit le rock (certains se demandent encore si elle l'a jamais découvert), l'expérience du music-hall s'avéra très importante. En fait, le rock and roll arriva sur l'antenne par erreur. Au milieu des années cinquante, il y eut un accord touchant entre la BBC et la chaîne Indépendante. Les deux télévisions tombèrent d'accord pour ne diffuser aucune émission entre six heures et sept heures du soir, afin que les enfants puissent aller se coucher sans embêter leurs parents pour qu'ils les laissent regarder la télévision. Ce noble accord fut bientôt rompu par la chaîne Indépendante qui commença à diffuser — entre autres programmes — le *Jack Jackson Record Show*. L'émission se montra immensément populaire, si bien que la BBC décida puisque la trêve était rompue d'émettre à la tombée de la nuit. « Ils diffusèrent un programme pour les jeunes, raconte Jack Good, ou pour les " adolescents ", comme ils les appelaient — le mot " teenager " n'était pas utilisé chez les gens polis. Ces émissions traitaient de sujets que la BBC pensait intéressants pour les jeunes — l'escalade pour les garçons et "comment se maquiller " pour les filles. La BBC décida également de me nommer coproducteur, principalement parce que j'étais la personne la plus jeune de l'établissement. »

Good avait déjà vu le premier film de Bill Haley et il « s'était converti comme Paul sur le chemin de Damas ». Il ne sait pas très bien s'il avait été plus impressionné par la musique ou par les scènes montrant des jeunes dans ce qui semblait être « des états de violence débridée ». Il opta pour les gosses et demanda poliment à ses supérieurs de la BBC si — pour la première fois — il pouvait avoir des teenagers se déplaçant et dansant librement dans le studio, parfois devant la caméra. Certainement pas, répondit la BBC. Les teenagers « casseraient les caméras ». De toute façon, le public anglais n'apprécierait pas « ces gens qui se trémoussent par terre ».

Good était décidé à ne pas se laisser dicter des ordres. Il présenta un décor pour le spectacle qui paraissait inoffensif et que la direction accepta. Ce que les plans avaient oublié de montrer cependant, c'était que chaque segment du décor était monté sur roulettes. Pendant les répétitions, l'ensemble du décor se mit à bouger, si bien que le public se trouva en face des caméras comme Good l'avait prévu. Le spectacle, qui s'appelait *6.5 Spécial*, fut une émeute. Tous ceux qui détestaient le rock and roll allumaient leurs postes pour voir quelles horreurs on pourrait bien montrer après cela. « Bien sûr on essaya de l'interdire, dit Good. Le directeur des variétés monta dans la cabine de contrôle au milieu d'une des émissions et dit : " Vous ne pouvez pas faire cela ! — Si, je le fais, répondis-je. Passez à la caméra 5. " »

Au début, les spectacles de rock étaient brefs, c'est pourquoi Good et son équipe firent le tour des bars et des night-clubs de Londres, cherchant d'autres artistes pour leur émission. La rumeur s'en répandit et bientôt chaque jeune adolescent qui savait jouer trois accords réclama une audition à grands cris. Terry Dene, le premier en Angleterre à imiter Presley, réussit son coup. « Pour la première fois de ma vie, se rappelle Good, je vis un ampli de guitare plus grand que cinquante centimètres cubes. Dene n'avait pas de groupe, à l'encontre des autres chanteurs de rock qui avaient derrière eux un orchestre dont le nom n'était pas sans rapport avec leur leader. C'est pourquoi Terry Dene se fit accompagner par les " Dene-Agers ". C'était un artiste qui faisait consciencieusement son travail d'imitation d'Elvis. Je l'engageai immédiatement. »

Quelques semaines après sa première apparition à 6.5 *Spécial*, Dene faisait la tournée des music-halls en tête d'affiche. Malheureusement, il eut des ennuis et fut arrêté pour avoir lancé des briques dans des réverbères. Bientôt il dut partir au service militaire, où il craqua. Plus tard, il fut réformé. Tout cela était un petit peu théâtral, comme l'était le bar de Soho, *Two I* — où l'on présume que Tommy Steele fut remarqué pour la première fois. Dirigée par Paul Lincoln, connu par ailleurs comme catcheur masqué sous le nom de Dr Death (Docteur Mort), les murs de la boîte étaient décorés de photos géantes et d'autographes, y compris ceux du protégé de Lincoln, Wee Willie Harris, un jeune homme pâle et banal qui jouait un mélange de jazz et de rock. Lincoln le persuada de se laisser pousser les cheveux et de les teindre en orange vif. Aussi, en 1957, Harris devint-il le premier rocker à cheveux longs. Son apparition dans le spectacle de Jack Good amena le Parlement à se demander si en fait la BBC n'encourageait pas la décadence de la jeunesse moderne.

Il faut se rappeler que Harris, Tommy Steele, Terry Dene et les autres étaient insignifiants musicalement. La plupart étaient incapables d'enregistrer un disque avec la force ou les

A gauche : Dick Clark, maestro éternellement jeune, de l'*American Bandstand*. *A droite* : Jack Good, qui supervisa l'introduction du rock à la télévision anglaise.

tripes d'un Presley ou même d'un Bill Haley. Mais en Grande-Bretagne c'étaient des vedettes. On les avait vus à la télévision et ils avaient plu, d'autant plus que leur présentation scénique était de loin en avance sur tout ce qui se faisait en Amérique. Et puisque Presley et ses cohortes n'étaient jamais venus en Grande-Bretagne, ils furent jugés favorablement par les Anglais. Terry Dene chanta *All Shook Up*, et les jeunes Anglais l'aimèrent.

En Amérique, d'autre part, ces artistes qui ont fait les meilleurs disques de vieux rock étaient — à quelques exceptions évidentes près — des acteurs plutôt fades et pas particulièrement attrayants. Buddy Holly avait des dents cassées et des lunettes métalliques. Haley était gros et d'âge mûr. Pourtant l'image musicale qu'ils ont réussi à transmettre était tout à fait différente. Quant à Gene Vincent, il avait l'air d'un garçon coiffeur du Sud qui peut ouvrir le visage d'un client d'une oreille à l'autre sans sourciller ni manquer une mesure de *Beebopalula*. Lorsque Good vit cet homme du Sud, calme et poli, descendre de l'avion à l'aéroport de Londres, où une foule hystérique était venue l'accueillir, il fut consterné. Il se rappelle avoir pensé : « Cela n'ira pas. Le public anglais n'est pas prêt pour un tel choc. Mr. Vincent va devoir changer son image de marque. »

« Heureusement, dit Good, Vincent souffrait

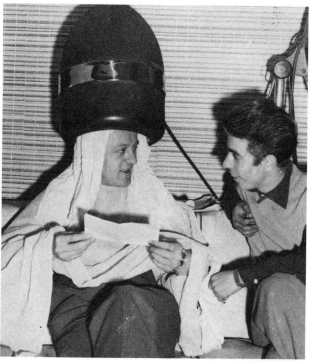

d'une patte folle – après un accident de moto – et portait une attelle en fer. Ceci me donna la solution. Comme il boitait, je pensais qu'il devait devenir une sorte de Richard III, entièrement vêtu de noir. Il devait, avant de chanter, rentrer les épaules et avancer vers la caméra en titubant d'une façon sinistre. Je m'étais arrangé lors de sa première apparition à la télévision pour qu'il descende plusieurs marches de façon que sa claudication soit soulignée. Je lui avais même donné un médaillon pour qu'il ait l'air plus shakespearien. Quand je le vis se mettre à attaquer les marches gaillardement, je dus courir derrière le décor et crier : " Boite, couillon, boite ! " »

Par la suite, Good quitta la BBC et rejoignit la chaîne commerciale rivale. Sa nouvelle émission poussa la théâtralité à un point extrême. La scène était conçue de manière classique, avec un orchestre de chaque côté, une estrade au fond pour les chanteurs et les danseurs et un micro au centre pour la vedette. Aucune chanson ne durait plus de deux minutes ; chacune était répétée méticuleusement plan par plan. On faisait bien attention de prendre en gros plan les aspects sordides qui avaient été soigneusement fabriqués. L'éclairage – des lumières blanches crues qui tranchaient sur un fond de ténèbres – était emprunté directement au Théâtre français.

Dans un tel décor, Good lança un jeune homme nommé Harry Webb qui devint connu et aimé sous le nom de Cliff Richard. Good lui dit de faire la moue et de porter des vêtements extravagants. Sur l'écran on aurait dit que Cliff faisait un numéro complètement spontané que les caméramen avaient la chance de saisir. En fait le numéro était le résultat de répétitions sans fin. Il y avait un mouvement particulier pour lequel Cliff devint renommé : il saisissait son avant-bras gauche avec sa main droite et affichait un regard angoissé de compréhension. Ceci fut obtenu, explique Good, en lui suggérant qu'il était en train d'être réveillé après une anesthésie par une douleur violente dans le bras gauche due à une seringue hypodermique.

Jack Good fit pour la première fois un voyage en Amérique en 1959. Ce qu'il découvrit l'atterra. A la télévision, le rock and roll était la propriété d'une émission quotidienne appelée

En haut : le rocker anglais Wee Willie Harris faisant coiffer ses cheveux orange. *Au-dessous :* une sélection de magazines de fans.

American Bandstand, dont Dick Clark était responsable. Clark était un jeune homme charmant qui semblait avoir bu beaucoup de lait et pris beaucoup d'exercice. On fabriquait des artistes qui se conformaient aux styles pop traditionnels du passé – Bobby Darin aimait se présenter en mohair noir, Bobby Rydell jouait les chanteurs de charme, le sourire aux lèvres, et le clin d'œil à l'appui. Chacun exécutait un petit ballet pour terminer son numéro dans un style qui dénotait clairement une sophistication complaisante.

A l'origine, le rock and roll avait été l'expression d'une rébellion. Était-ce possible qu'en l'espace de seulement quatre ans la promesse d'Elvis Presley se soit dissipée ? De toute évidence, il y avait eu des tentatives vigoureuses de contenir la menace qu'il représentait en renforçant la loi locale et par des pressions sociales. Mais lorsque ces deux tours échouèrent, on fit un effort pour apprivoiser la bête. On convertit certains chanteurs au smoking et on les plaça devant de grands orchestres avec des fonds vocaux coulés et familiers. Les chanteurs souffraient d'un conflit entre la rébellion que leur musique avait représentée et le conformisme que les hommes d'affaires exigeaient. Et le traître ne fut autre qu'Elvis Presley.

Presley ne s'était jamais réconcilié avec le Frankenstein qu'il avait lâché en liberté. Sa timidité maladive s'était transformée en un besoin obsédant de protection, tout de suite satisfait par le toujours attentif colonel Parker. C'est lui qui avait organisé la démonstration tout à fait étonnante qui eut lieu lorsque Elvis partit au service. Parker avait fait croire qu'il s'agissait d'une retraite spirituelle volontaire – ceci bien sûr, au milieu d'une multitude de cameramen et de journalistes. Elvis le Monstre était devenu Elvis l'Enfant de Tous les Américains. Adroitement conseillé par Parker, il avait refusé un poste de responsabilité et n'avait jamais dépassé le grade de sergent. Il avait fait tout ce qu'on lui avait dit et tout ce que l'Américain moyen de quarante ans appréciait. Millyon Bowyers, le chef du bureau de recrutement dont dépendait Elvis, ignora les fans affolés qui exigeaient que Presley soit réformé en soulignant le fait que l'armée n'avait pas enrôlé Beethoven. « C'est parce que, répondit Bowyers, Beethoven n'était pas américain. »

Quand Elvis réapparut après vingt mois de cirage de chaussures, il avait changé. Il était devenu un jeune homme agréable, avait pris un peu de poids et souriait beaucoup. Ses disques qui continuaient cependant à bien se vendre étaient sans tripes. Ses films étaient sans intérêt. Alors qu'un film comme *King Creole* avait forgé l'espoir qu'Elvis pût être un autre James Dean, ou même un Marlon Brando, ses nouveaux films, tels que *Blue Hawaii,* étaient démodés. Il ne faisait plus de tournées, ni aucune sorte d'apparition publique. Il se cloîtrait dans ses différents manoirs, en compagnie d'une petite suite – qui sera connue sous le nom de Memphis Mafia : moitié amis, moitié serviteurs – engagée pour jouer au football avec lui, lui procurer des filles ou lui apporter des boissons froides. De temps à autre, sa Cadillac dorée voyageait à travers l'Amérique. Ses fans s'attroupaient pour la voir, la toucher, symbole vide d'une révolution maîtrisée.

En tant qu'homme, Elvis est demeuré une énigme. Il possédait deux malles de joyaux et plus d'une centaine d'ours en peluche. Sur scène, c'était un potentat du Sud ; chez lui, il traînait en jeans et vieille veste de cuir. Selon les meilleures traditions du country, il aimait sa mère et ne pouvait dormir, disait-il, sans lui avoir téléphoné. Mais si quelqu'un lui donnait un coup de poing ou l'injuriait, Elvis était capable de le mettre en bouillie et on devait l'emmener de force pour l'empêcher de tuer. Il était distant, hors d'atteinte. Pourtant, il disait « monsieur », « madame » aux étrangers. Il pouvait être courtois ou abrupt, loyal ou imprévisible. Il n'avait pas d'intime, même pas la femme qu'il avait épousée dans un hôtel, « *The Aladdin* ». (Ils divorcèrent malheureusement après quelques années.) Il était généreux et prévenant, mais aussi parfaitement froid. Quand il voulait se détendre, il chantait des hymnes ou partait sur sa moto. Il adorait les bandes dessinées, les blagues et les jouets en fourrure, mais par ailleurs il portait une arme. Son plat préféré était le sandwich à la banane et au beurre de cacahuète – préparé par sa mère : la dernière chose qu'il prenait avant d'aller se coucher. Grâce au colonel, Elvis Presley avait perdu sa bataille contre la société.

Ceux qu'il avait inspirés étaient abandonnés, sans chef. Coïncidence, Little Richard jeta tous ses brillants du haut du Sidney Bridge, en Australie, entra au séminaire et devint pasteur.

Eddie Cochran rentra dans un arbre après un spectacle en Angleterre. Chuck Willis chanta : *I'm Going to Hang Up My Rock and Roll Shoes* et mourut.

D'autres simplement disparurent. Chuck Berry, une des premières vedettes du rock qui s'adressait principalement à un public noir, fut jeté en prison ; des années plus tard, il ressuscita comme pionnier dans les spectacles de renaissance du rock. Conway Twitty, qui au début avait été pris en main intégralement par Sam Phillips, fit tube après tube et s'en alla. Il dit aujourd'hui : « Je me suis dit : si j'ai de bons résultats en faisant quelque chose que je considère comme un talent secondaire, je crois que j'aurai de bien meilleurs résultats en faisant quelque chose que je considère comme mon principal talent. » Le country était le principal talent de Conway ; il y retourna. Duane Eddy, qui s'adressait aussi bien aux garçons qu'aux filles et n'avait pas recours au jeu de hanches, fut boudé par son public et entra dans l'édition musicale. Carl Perkins, qui écrivit et enregistra *Blue Suede Shoes* (également un des plus grands succès de Presley) se cassa le cou dans un accident d'auto, devint chauve, trouva Dieu, et rejoignit le spectacle itinérant de Johnny Cash.

Il n'y eut peut-être qu'un seul personnage qui n'abandonna jamais le rock du début : Jerry Lee Lewis. C'est aussi Sam Phillips qui l'avait découvert. « Jerry sait faire si bien tant de choses, dit Phillips, du gospel-country comme du vrai spiritual noir, du blues d'une qualité exceptionnelle comme du rock and roll. Si vous êtes un ennemi dans l'âme du rock and roll et spécialement de Jerry Lee Lewis, vous trouverez quand même quelque chose. Si vous êtes dans le public, Jerry va s'emparer de vous. »

Mais le monde du rock and roll abandonna Jerry Lee. Au cours d'une tournée en Angleterre en 1958, on découvrit qu'il avait emmené avec lui sa femme, âgée de treize ans, qui était aussi sa cousine. Ce qui aurait pu être acceptable en Louisiane pouvait détruire un homme à Londres. Lors d'un concert dans l'East End un public nombreux de rockers le hua. Il s'arrêta de jouer, défia du regard le public, peigna ses boucles et reprit. Mais le public anglais le détestait et le ministre de l'Intérieur le jeta dehors. La rumeur gagna l'Amérique. Il fut en disgrâce. A l'encontre du soldat Elvis, Jerry Lee Lewis

A gauche : Diana Ross en solo.
A droite.
En haut : Carole King. Son mariage avec Gerry Goffin coïncida avec leur apogée de compositeurs de rock. Plus tard, elle divorça et se fit connaître comme interprète.
En bas : les Crystals, manufacturées par Phil Spector en 1962.

n'était pas l'enfant chéri des mères, et il n'était pas l'ami d'un homme d'affaires. Il raconte aujourd'hui : « J'ai juste continué à travailler, à jouer du piano, à chanter, à travailler et à voyager. Je pense que mon manager Cecil Harrelson et moi nous avons peut-être parcouru quelques millions de kilomètres depuis lors, en travaillant et en essayant de refaire surface. »

C'est l'industrie musicale qui sauva le rock. Si les semblables de Jerry Lee Lewis n'étaient plus acceptables, on trouva d'autres garçons pour les remplacer — qui acceptaient de se laisser guider par leurs conseillers d'affaires — car le rock était devenu une industrie importante. Un blanc-bec au visage bien fait, Fabian Forte, que l'on surnomma « Le Tigre », attaqua l'Amérique. A seize ans, il était en train de tout conquérir — il apparut au *Perry Como Show*, au *Dinah Shore Show*

---

et au *Ed Sullivan Show* en costume mohair, enchaînant ses chansons qui n'avaient que trois tons différents.

« Nous, par contre, avons continué à enregistrer des disques de rock, m'a dit Jerry Lee, bien que personne ne les passât. On a laissé tombé le rock and roll dans les années soixante. Elvis a commencé à chanter comme Bing Crosby. Comprenez-moi bien, j'aime beaucoup Elvis, et il a beaucoup de talent, mais je pense qu'il nous a laissés tomber. Tout ce que l'on pouvait entendre c'était Bobby — Bobby Vee, Bobby Vinton, Bobby Denton, Bobby Rydell, Bobby Darin. Il n'y avait que des Bobby à la radio. »

Elvis n'était plus qu'une image, un souvenir divin qui remontait à loin. A son époque, il avait émancipé toute une génération. Il avait mis la sexualité au grand jour, et montrait ce qui était possible. Quand il sortit de sa retraite, à la fin des années so xante, bien que sa présence eût l'air plus hypnotique que jamais, son terrain d'action préféré fut Las Vegas.

« Dieu merci il y eut les Beatles, dit Jerry Lee Lewis. Ils nous ont montré un tour ou deux. Coupez-les comme le blé devant la faux. »

13

Les Beatles

Un week-end de juin 1967, cent mille orchidées expédiées par avion depuis Hawaï furent lâchées au-dessus d'un champ près de Monterey en Californie, où une foule de gens s'était rassemblée pour un week-end de musique. Des haut-parleurs installés sur la scène s'échappait le grondement d'une musique qui devait retentir partout de par le monde. Onze cents journalistes, photographes et reporters étaient présents. Bien que peu de gens s'en rendissent compte alors, l'événement marqua l'apogée de soixante-dix ans de musique populaire, et le commencement de sa fin. En l'espace de seulement quelques années, les espoirs et les aspirations qui avaient permis le développement immense de cette musique, furent dissipés et détruits.

Monterey commença comme d'autres extravagances monumentales, à Hollywood.

Les Beatles au Shea Stadium à New York, le 16 septembre 1965.   Maharishi Mahesh Yogi.

C'était l'idée d'Alan Pariser, dilettante fortuné qui l'apporta à Ben Shapiro, homme d'affaires mal organisé mais dynamique. Ensemble, ils apportèrent l'idée à l'ancien agent de publicité des Beatles, Derek Taylor. Taylor raconte : « Je n'en ai pas cru un mot. Ils disaient qu'ils auraient les Beatles, qu'ils auraient tout le monde. D'une certaine manière ils ont réussi. »

L'idée des festivals n'était pas tellement originale ; mais à l'époque pratiquement rien dans le rock n'était original. Tous les autres domaines avaient leurs festivals — l'opéra, le ballet, le folk, le jazz, le vin et le fromage, certains même à Monterey. Mais pour le rock, il y avait des obstacles. « Les gens de Monterey, reprend Derek Taylor, étaient des saligauds durs et glacials. Ils se comportèrent comme des monstres et nous firent une vie d'enfer. Je pressentais que Monterey était très désagréable politiquement. Non pas corrompu à la manière des grandes villes, mais j'ai toujours senti que d'une manière malveillante et chauvine, l'argent et les postes de commande circulaient sous le comptoir. Il y avait trop de mains avides dans le tiroir-caisse. »

Il y eut des réunions ennuyeuses et interminables avec les autorités locales. « A la fin, se rappelle Taylor, le maire, une femme déplaisante qui avait fait tout son possible pour nous arrêter, vint à notre dernière conférence de presse pour nous remercier d'avoir été si admirables. Et nous avions été effectivement admirables. Une fois le festival commencé, des associations commencèrent à se former et la police fut gagnée à notre cause. Mais on ne peut pas transformer ce genre de pouvoir petit-bourgeois. Le chef de la police accepta le collier de perles de verre et de cuir que je lui offris. Nous eûmes notre festival — mais lui et d'autres s'assurèrent que nous n'en aurions jamais d'autres. »

Chuck Berry avait été invité mais il déclara qu'il ne ferait pas d' « acte de charité » (tous les autres artistes offraient leurs services pour le grand événement). John Phillips, des Mamas and Papas, qui s'était joint aux organisateurs, avait essayé de le persuader. Il lui avait dit : « On paie des vols en première classe — Parfait, lui répondit Berry, mais je n'ai pas besoin de vols gratuits, j'ai mes propres arrangements avec la T.W.A. » Les Who, Eric Burdon, Country Joe McDonald et les Byrds étaient présents. Roger McGuinn, des Byrds, se rappelle :

« C'était la première fois que tous les groupes pop s'étaient rassemblés dans un seul endroit pour se voir personnellement et échanger leurs idées sur la musique et tout le reste. »

Clive Davis, fraîchement nommé directeur de production des disques Columbia, alla à Monterey et n'en crut pas ses yeux. « C'était la première fois, me dit-il, que des artistes pouvaient monter sur scène en un flot ininterrompu et jouer pour des milliers de jeunes. J'ai compris qu'il était temps pour moi d'aller de l'avant et

De la « Cavern » de Liverpool, depuis réaménagée, au Carnegie Hall inchangé depuis des décennies, où l'Amérique apposa sur les Beatles son cachet d'approbation. Courant 1968, les disques des Beatles avaient rapporté un total de 70 millions de livres, la plus grande partie en devises étrangères.

Page de droite.
En haut : le « magical mystery tour » fut conduit par Brian Epstein et George Martin. *En bas :* les Beatles, à la « Cavern », au début du voyage.

The HESWALL JAZZ CLUB

present their

★ ★ ★
★ ALL★STAR★BILL
★ Starring

THE BEATLES

★ Mersey Beat Poll Winners!
★ Polydor Recording Artists!
★ Prior to European Tour!

★ plus
The Pasadena Jazzmen
Firm Favourites!

plus ★
'Top Twenty' Records

at Barnston Women's Institute
on Saturday March 24th, 1962
7-30 p.m. — 11-15 p.m.

7/6   ADMISSION   7/6
Strictly by TICKETS ONLY

F. W. COUPON SEAVIEW PRESS, 169 BOROUGH ROAD, BIRKENHEAD.

BEATLE STREET
Liverpool Four

Nº 463

CIVIC RECEPTION FOR

"THE BEATLES"

FRIDAY, 10TH JULY, 1964

FROM 7·0 P.M. TO 8·0 P.M.

ADMIT ONE PERSON

THE BEATLES' ROUTE

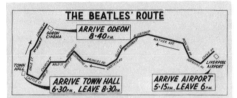

ARRIVE ODEON 8·40 P.M.
ODEON CINEMA
TOWN HALL
ARRIVE TOWN HALL 6·30 P.M. LEAVE 8·30 P.M.
ARRIVE AIRPORT 5·15 P.M. LEAVE 6 P.M.
LIVERPOOL AIRPORT

d'engager quelques-unes de ces nouvelles vedettes merveilleuses. »

Jimi Hendrix était là, ainsi que Janis Joplin. Brian Jones, des Rolling Stones, était dans la foule. Et bien que les Beatles aient été absents, le festival était si euphorique que la rumeur grandissante de leur présence se répandit. Derek Taylor : « Elle grandit avec une telle force et une telle assurance que, le dernier soir, je n'ai pas pu l'infirmer. A la place, j'ai fait un mensonge peu compromettant. J'ai annoncé que trois d'entre eux étaient sur le terrain, " déguisés en hippies ". " Lesquels ? " demanda la presse. " Nous n'avons aucun moyen de le savoir ", répondis-je. Personne ne s'est jamais demandé comment nous pouvions savoir que trois d'entre eux étaient là sans savoir lesquels. »

En un sens, ils étaient là car sans eux les années soixante et la musique populaire tout entière auraient été différentes ; il n'y aurait pas eu Monterey. En fait, les Beatles étaient dans un studio d'enregistrement à onze mille kilomètres de là. Ce même week-end, ils mettaient la dernière main à ce qui devait être reconnu comme leur chef-d'œuvre — *Sergeant Pepper's Lonely Hearts Club Band*. Les origines et le développement de cette seule œuvre donnaient la juste mesure de ce que la musique populaire était devenue.

Le groupe, qui devait être qualifié de « plus grand que Jésus-Christ », attira pour la première fois l'attention du public en 1962 avec *Love Me Do*, qui fut un succès mineur en Angleterre. Par la suite il devint, comme le dit Derek Taylor en 1967, « la plus longue saga qui se soit déroulée depuis la Seconde Guerre mondiale — sauf qu'avec les Beatles, personne n'est mort ». Cette saga avait commencé, à vrai dire, à Liverpool. Comme beaucoup de ports, Liverpool était une ville de musique. La musique arrivait avec les marins qui la portaient avec eux dans les music-halls et les boîtes où ils allaient se distraire. « Mon père s'occupait des éclairages dans les music-halls du coin, m'a raconté Paul McCartney. En fait il brûlait des morceaux de carbure en guise de rampe lumineuse. Il rapportait aussi à la maison les programmes du premier établissement pour que ma tante Millie les repasse et qu'il puisse les revendre dans le second établissement. Le lendemain, il jouait au piano tous les airs qu'il avait entendus. C'était de la musique de partout. A Liverpool, on con-

Page de gauche : les Beatles en action, lors d'un concert de charité à New York.

Ci-dessus, en haut : Les Beatles figés au musée de cire de Mme Tussaud à Londres. *En bas :* Paul et John. La plus célèbre chanson de Lennon et McCartney, *Yesterday*, a été enregistrée par 119 artistes différents.

naissait Chuck Berry, Big Bill Broonzy et les autres guitaristes de blues et de rock and roll bien avant que la plupart des gens ait entendu parler d'eux en Amérique. Liverpool était aussi la capitale de l'Irlande car il y avait beaucoup d'Irlandais qui y vivaient. Et puis, il y avait les chansons des spectacles de Broadway que les marins voulaient entendre. Mettez tout ensemble et vous connaîtrez mes influences musicales : de Fred Astaire à Little Richard. C'est tout un itinéraire. »

Bien que la classe ouvrière anglaise ait été plus à l'aise financièrement à la fin des années cinquante que son équivalent américain, les mêmes conditions sociales oppressives régnaient. A l'intérieur du ghetto — que ce soit le ghetto noir en Amérique ou les banlieues ouvrières en Angleterre — seulement trois portes de sortie semblaient possibles : le sport, l'armée et la musique. Le journal communiste anglais *The Daily Worker* décrivait les Beatles comme « la voix de 80 000 taudis et 30 000 chômeurs ». En fait, seulement Ringo était d'origine ouvrière ; les autres étaient des classes moyennes. Pourtant, comme le raconte Alan Williams, qui « découvrit » les Beatles en prospectant les cafés et les clubs de musique de Liverpool, « quelle que soit la rue dans laquelle vous vous engagiez, dans le quartier sud de Liverpool, ou dans n'importe quelle zone ouvrière, il y avait un groupe de gosses en train de répéter dans une cave ou en train de rendre quelqu'un cinglé dans la rue. Ils jouaient principalement du " skiffle " anglais ou du blues américain avec la planche à laver. Les gosses avaient trouvé un moyen de libérer leur violence. Au lieu d'aller tabasser des gens à mort, ils commençaient à taper sur un tambour. »

Des premiers Beatles — appelés tour à tour les Quarrymen, Wump et les Werbles, les Rainbows, John et les Moondogs et les Silver Beatles — Williams se souvient : « Ils étaient mal habillés, très mal habillés. Ils avaient eu des ennuis avec les meubles qu'ils avaient brûlés pour se chauffer dans un de leurs logements, ils étaient si pauvres. Je pense qu'on leur avait retiré leur bourse pour cette raison. Nous vendions des " jam butties " (dans l'argot de Liverpool, des sandwiches à la confiture ou à la jelly), et si nous les faisions en toasts, nous prenions un penny en plus pour la confiture. Plus tard, à chaque fois qu'ils avaient un engagement et qu'ils devaient payer le chauffeur qui les avait conduits, ils avaient une grande discussion pour savoir s'ils pouvaient s'offrir de la confiture sur leurs toasts. Une fois je les ai envoyés en Écosse pour les lancer. L'agent local les dévisagea et me téléphona en me disant : " Bon sang ! qu'est-ce que vous m'avez envoyé ? " Ils portaient des chaussures de base-ball dans le genre américain, des pantalons et des pulls d'un noir épouvantable. Leurs amplis étaient minuscules comme des petites valises. » Au début, le groupe comprenait John Lennon et son ami de l'école de dessin Stuart Sutcliffe, leur ami Paul McCartney et son ami George Harrison, plus toute une succession de batteurs. « On a commencé par imiter Elvis, Buddy Holly, Chuck Berry, Carl Perkins, Gene Vincent (qu'ils invitèrent plus tard dans l'un des clubs de Liverpool où ils jouaient, la « Cavern »), les Coasters, les Drifters — on se contentait de copier ce qu'ils faisaient, raconte McCartney. John et moi, on séchait l'école pour aller chez moi ou chez lui et on essayait d'écrire des chansons comme les leurs. On mettait un disque de Buddy Holly et, après l'avoir écouté plusieurs fois, on s'asseyait avec nos guitares et on essayait d'écrire quelque chose comme lui. Les gens qu'on copiait étaient tous américains, bien sûr, car il n'y avait rien de bien en Angleterre. D'ailleurs cela n'a pas changé. Je préfère de loin entendre une de nos chansons chantée par des Noirs américains que par nous. Parce qu'ils le font mieux. » Ils commencèrent leur carrière de groupe, avec un entrain farouche et avec souvent en arrière-fond des bagarres forcenées. « Il y avait une centaine de gars d'une bande et une centaine de gars d'une autre de chaque côté de la salle de bal. Puis quelqu'un invitait une fille de l'autre bande à danser, c'est alors que les bouteilles commençaient à voler. C'était du délire. En fait la violence diminua au fur et à mesure que notre public grossissait. »

Williams leur trouva un travail à Hambourg, à l' « Indra », un club tout près de Reeperbahn, le quartier des maisons closes. Leur rythme quotidien était affolant. Pendant six mois, six nuits par semaine — parfois aussi le dimanche — car cela leur était payé en heures supplémentaires — les Beatles jouèrent presque sans interruption de sept heures du soir à trois heures du

En haut : Les Beatles suscitent le déchaînement au « Cow Palace » de San Francisco en septembre 1965. *En bas :* Détente à Nassau.

matin. « Ils avaient perdu toute notion du temps, raconte Alan Williams. Tout était noir d'encre dans la boîte ; ils sortaient de là en titubant et s'apercevaient qu'il était neuf heures du matin. Pour maintenir un tel rythme il était inévitable qu'ils prennent des pilules stimulantes et d'autres sortes de drogues. En ce temps-là, Hambourg était la capitale européenne du vice. Liverpool était aussi un port mais il n'y avait pas tout ce vice, comme à Hambourg. Quand ils y étaient, c'étaient seulement des adolescents. Bien sûr, toutes les prostituées leur faisaient du gringue et les travestis essayaient de coucher avec eux. Naturellement, tout cela les mûrit. »

« Quand vous êtes à Hambourg et que vous avez seulement dix-huit ans, m'a raconté McCartney, que c'est la première fois de votre vie que vous êtes à l'étranger, que vous avez un peu d'argent en poche et que vous passez toute la nuit dehors jusqu'au petit matin, vous faites des trucs un peu dingues. Mais la légende gran-

dit ainsi que le mythe du " je me souviens d'eux quand ils mangeaient de la vache enragée ". Mais ce n'était pas très différent de maintenant. Il y avait un petit peu plus de folie alors, c'est tout. Mais c'était seulement de la franche rigolade. Oui, en fait, on riait un peu jaune. »

Le succès en Angleterre fut cependant long à venir. Quand les Beatles revinrent de Hambourg en 1960 — sans Stuart Sutcliffe, qui avait quitté le groupe et était mort peu après d'une tumeur au cerveau — ils ne trouvèrent nulle part où jouer. Larry Parnes, qui avait aidé Cliff Richard dans sa carrière, refusa de s'occuper d'eux. En fin de compte, selon Williams, un producteur accepta de les caser dans un spectacle de variétés de Noël pour un cachet de six livres. Quand ils commencèrent à chanter, l'air plus débraillé que jamais dans leurs costumes de cuir noir qu'ils avaient achetés à Hambourg, ce fut la panique. Le producteur alla en coulisses, sortit son agenda et les engagea pour trois mois à dix livres par soir.

Une autre visite à Hambourg — au prestigieux « Kaiserkeller » cette fois — consolida la réputation des Beatles, mais n'améliora en rien leur situation financière. De retour à Liverpool, ils commencèrent à jouer dans un club de rock local, la « Cavern », pour le cachet énorme de trois livres quinze shillings par soirée (à peu près dix francs chacun). Dans le même temps, un jeune commerçant nommé Brian Epstein, chef du rayon disques dans l'un des magasins

---

A gauche : John Phillips des « Mamas and Papas », né à Parris Island, en Caroline du Sud, était à l'école champion de basket-ball et de course à pied. Plus tard il forma avec Scott McKenzie un groupe appelé les « Smoothies ». McKenzie continua et composa le grand succès du pouvoir fleuri *If You're Going to San Francisco,* tandis que Phillips (à droite) devenait Papa John des « Papas and Mamas ». *A droite :* Simon and Garfunkel. A leur grande surprise, ils créèrent un nouveau style de musique pour étudiants sages. (Le duo s'était déjà séparé quand leur chanson *Sounds of Silence* devint un succès.)

d'électro-ménager appartenant à sa famille, remarqua des demandes inhabituelles pour un disque dont les interprètes lui étaient inconnus. (Le disque s'appelait *My Bonnie*, chanté par Tony Sheridan accompagné par les Beatles.) A sa grande surprise, Epstein découvrit que le groupe venait de Liverpool et qu'il jouait à la « Cavern ». Il décida d'aller voir ; apparemment il ne fut pas impressionné et nota sur son journal : « 9 novembre 1961. Sombre, humide et puant. J'ai regretté tout de suite ma décision, le bruit était assourdissant. » Plus tard cependant, il passa le disque à ses parents et insista pour qu'ils ne fassent pas attention au chanteur, mais qu'ils écoutent seulement le groupe derrière. Quand, finalement, il rencontra les Beatles, il rentra chez lui et dit à ses parents : « J'ai envie de m'occuper de ces quatre garçons. Cela ne prendra pas plus que deux demi-journées par semaine. »

La mère d'Epstein raconte : « Brian voulait faire des choses qui paraissaient plutôt étranges, alors que nous lui proposions de rentrer dans l'entreprise familiale. Il voulait être acteur, mais après un an il abandonna. Il revint, travailla avec son père et son frère Clive et prit en charge tous nos rayons disques. Puis, quand il commença à s'occuper des Beatles, il nous demanda de venir les voir. Il nous dit qu'ils jouaient à Southport. Il insistait beaucoup pour que nous venions. Je n'étais jamais allée à un concert de rock and roll auparavant et je lui ai demandé comment je devais m'habiller. Il me dit :" Aie l'air jeune. " »

Derek Taylor raconte : « Les Beatles l'ont choisi parce qu'il leur offrait de l'ordre et de la clarté à la place du désordre. C'était la même différence qu'il y a entre faire la queue dans une cafétéria et avoir sa place réservée dans un restaurant où l'on sait que quelqu'un s'occupera de vous et que le repas sera bon. Brian leur donna confiance. » La mère d'Epstein croit qu'il leur plut parce qu'il leur proposait un genre de vie auquel ils n'étaient pas habitués — une vie plus confortable. « Ils le considéraient un peu comme un père. Je suis sûre qu'ils l'aimaient énormément. Son honnêteté les attirait, et aussi le fait qu'il était sûr qu'ils allaient atteindre le sommet. »

Et bien sûr, ils atteignirent le sommet, et ceci d'une manière qui fut et reste unique. Ils servirent d'introduction à tout un nouveau monde dont ils popularisèrent l'aventure créatrice. Ils naviguaient seulement à quelques milles au large de l'avant-garde, consolidant les acquis et faisant accepter les idées nouvelles. Ils déclarèrent : « Nous sommes plus populaires que Jésus. » Ils reconnurent avoir essayé le LSD, signèrent la pétition pour la légalisation de la marijuana (deux d'entre eux furent condamnés pour en avoir fumé) et suivirent Maharishi. Pourtant les gens continuaient à sourire en les voyant.

Individuellement il est clair que l'on ne peut pas se fier aux souvenirs des Beatles — ce qui est compréhensible, compte tenu de tout ce qui se passa dans un temps relativement court. Entre 1962, l'année de *Love Me Do,* et 1967, l'année de la mort d'Epstein, leurs 230 chansons, écrites à la cadence de presque une par semaine, firent vendre plus de 200 millions de disques — sans compter les versions d'autres artistes : *Yesterday* qu'ils appelaient entre eux « œufs brouillés », fut enregistrée par 2 000 interprètes différents. Leurs revenus étaient incalculables. Le critique de ballets du *Sunday Times* affirma qu'ils étaient les plus grands compositeurs depuis Beethoven ; d'autres mentionnèrent Schubert ; Leonard Bernstein cita Schumann. *Newsweek* compara leurs textes à ceux de T.S. Eliot ; le critique anglais Cyril Connoly proposa Joyce. Leur cycle de chansons *Sergeant Pepper* fut qualifié de « grande bible contemporaine » ; le révérend Ronald Gibbons voulut que les Beatles enregistrent *O, Come All Ye Faithful, Yeah, Yeah, Yeah* (« Approchez, tous les croyants, yé, yé, yé »). Le révérend David Noebel pensait différemment : « Vous écoutez cela, chrétiens ! dit-il à des fidèles baptistes à Claremont, en Californie. Ces Beatles sont des antéchrists. Ils préparent notre jeunesse à la révolte et à la révolution finale contre notre république chrétienne. » Billy Graham déclara : « Les Beatles ? Ils sont une étape transitoire, les symptômes de l'incertitude de l'époque et de la confusion qui nous entoure. »

« Nous n'avons jamais rien programmé, explique Paul, je ne sais toujours pas de quoi parle *Sergeant Pepper*. Nous nous sommes toujours considérés uniquement comme des auteurs de chansons qui ont eu de la chance, jouant dans un groupe de rock. Malheureusement, c'est devenu plus important que cela quand nous sommes allés en Amérique, où nous fûmes intronisés. »

Au rock and roll ils empruntèrent, par l'intermédiaire d'Elvis, un langage musical qui

252   LES BEATLES

comprenait lui-même des éléments de country, de rhythm and blues et de gospel. Aux artistes de gospel plus récents comme les Drifters, ils prirent la notion de groupe. Chuck Berry, Jerry Lee Lewis et Tommy Steele avaient été des interprètes accompagnés par des musiciens. Mais les Drifters, les Dominos et les Coasters, bien que vocalistes et non pas instrumentistes, étaient des « groupes » ; c'est-à-dire que chaque chanteur était un membre essentiel et à part entière de l'ensemble. Et de la tradition du music-hall anglais, les Beatles apprirent l'art de la présentation scénique. La combustion de ces influences fit des étincelles qui mirent le feu à l'énergie de la jeunesse du monde entier. Dans l'année qui suivit *Love Me Do,* plus de 350 groupes se formèrent rien qu'à Liverpool. « La méthode des Beatles, c'était la musique, et c'est cela qui était bien, dit Lonnie Donegan. S'ils avaient su ce qui allait suivre, je ne sais pas s'ils l'auraient fait de la même manière. J'admire leur intégrité musicale mais à l'époque je leur en voulais de ce changement. L'ensemble du show business conventionnel avait le même ressentiment. Les groupes pop contraignaient les théâtres à fermer et mettaient tout le monde au chômage. Une étrange folie régnait, qui n'avait rien à voir avec ce que nous avions connu auparavant. »

George Martin, producteur chez EMI, se rappelle comment cela a commencé pour lui : « Je cherchais quelque chose de nouveau. Je ne savais pas quoi. A ce moment-là, Epstein entra dans une maison de disques pour tirer des disques de certaines bandes des Beatles. Un collègue m'appela : " Ce type fait le tour des boîtes de disques. Il ne trouve personne. Vous voulez le voir ? " J'acceptai. Quand j'ai écouté les bandes, j'ai compris pourquoi tout le monde les avait refusées : c'était épouvantable. Quand je les ai rencontrés, j'ai pensé qu'ils étaient très bien, mais que leurs chansons n'étaient pas très bonnes. Je leur ai proposé quand même un contrat. » Les Beatles retournèrent à Hambourg pour leur troisième « tournée européenne ».

Martin pensait qu'ils se feraient remarquer sur disques, mais pas comme auteurs de succès. Les chansons qu'ils avaient produites

étaient rudimentaires et lors de leur première séance d'enregistrement chez EMI (le 11 septembre 1962), Martin remplaça Ringo Starr par un batteur de studio et laissa le quatrième Beatle agiter un tambourin. Mais le succès « les stimula d'une manière extraordinaire, raconte Martin. Ils apprenaient très vite, ils voulaient toujours expérimenter, ils posaient toujours des questions. Ils étaient fascinés par la technique des musiciens d'orchestre et légèrement troublés parfois. Je me rappelle qu'une fois j'utilisais une section de saxophones dans le studio et j'étais en train de demander à John quelles notes il voulait pour le riff d'accompagnement. Il me le joua à la guitare et je transcrivis les notes pour la section de saxos. Mais il me dit : " Tu ne leur donnes pas les bonnes notes. Tu as dit *la* bémol mais en fait c'est *fa*. " Je lui expliquai que je leur avais donné un *la* bémol à la place de son *fa*. " Pourquoi ça ? dit John — Parce que ton *fa* correspond à leur *la* bémol ", lui dis-je. Il répondit seulement : " C'est carrément stupide. " Il avait tout à fait raison, bien sûr. »

Lennon raconta plus tard : « George Martin nous a aidés à élaborer un langage pour parler aux musiciens. Car je suis timide et je n'allais pas beaucoup vers les musiciens. Je n'aimais pas être obligé d'aller voir vingt types qui se trouvaient là et d'essayer de leur dire ce qu'ils devaient faire. Martin traduisait à notre place. » Martin explique comment cette traduction se passait : « John me dit : " J'ai une chanson qui s'appelle *Being for the Benefit of Mr Kite*, et je veux qu'elle ressemble à une musique de manège avec un bruit de champ de foire. " On installa alors deux orgues électriques, un pour chacun de nous. Puis je passai en surimpression une montée chromatique au ralenti. C'est-à-dire que je ralentissais la bande de moitié et puis que je l'accélérais de nouveau pour qu'en fin de compte elle soit à une vitesse deux fois plus rapide que la normale. Puis je pris des dizaines d'enregistrements de vieux orgues de foire jouant les airs les plus variés. Je coupai les bandes en morceaux de quarante centimètres de long et je dis au technicien de les lancer en l'air, puis de les ramasser et de les recoller. Finalement, on apporta encore quelques modifications et l'on obtint une bande sans structure musicale et sans suite logique. Mais c'était *absolument* la sonorité d'un orgue de foire. Je l'insérai dans la piste vocale et créai une sonorité flottante de champ de foire. C'est comme ça

La contre-révolution anglaise.
En haut : les Who. *En bas, de gauche à droite :* les Yardbirds, Mandfred Mann (au piano) ; Eric Clapton des Cream.

que *Mr Kite* a été fait. Comme un immense jeu de puzzle. »

« Les Beatles représentaient l'espoir, l'optimisme, la modestie ; ils apportaient la preuve que n'importe qui pouvait le faire, quelle que soit son origine. Leur charme collectif était très fort et il semblait qu'on ne pourrait pas les arrêter », raconte Derek Taylor. « Paul et moi, nous voulions être plus grands qu'Elvis, dit Lennon, car Elvis était quelqu'un, quoi qu'en disent les gens. » « Une fois, un type m'a dit, raconte Paul McCartney, ''je me souviens de toi, Ringo. — Vous vous souvenez quand je battais ? lui dis-je. — Ah ! tu étais magnifique en ce temps-là, aussi '', me dit-il. Moi, je ne m'en souviens pas mais lui s'en souvient et il a peut-être raison. » Le mythe était devenu plus réel que la réalité.

Murray Kaufman (dit Murray the K), l'animateur de radio new-yorkais, se souvient avoir eu un disque d'eux en octobre 1963 qui s'appelait *She Loves You*. « Je l'ai passé dans un concours de disques et il est arrivé troisième. Je continuai à le passer pendant quelques semaines mais rien ne se passa. Je le laissai donc tomber et je partis à Miami pour Noël. Là-bas en écoutant la radio, je m'aperçus qu'on ne passait que les disques des Beatles. Je reçus un coup de fil de mon directeur des programmes. '' Rentrez, me dit-il : les Beatles arrivent. '' J'abrégeai mes vacances et pris l'avion pour les rencontrer. Ce fut un raz de marée. »

Il se trouva que les Beatles connaissaient Murray par les présentations qu'il avait écrites sur certaines pochettes de disques. Ils l'invitèrent à suivre leur tournée — il partageait une chambre avec George Harrison — pendant laquelle il se fit une idée précise de la Beatlemania, version américaine. « C'était absolument irréel. On a failli être écrasés à Union Station. Ils étaient tout à fait différents de nos vieilles superstars familières comme Frank Sinatra. Ils ne se prenaient pas au sérieux et considéraient plus ou moins les bains de foule comme de l'amusement. »

Musicalement, ils furent un choc traumatique pour l'Amérique. Leur amour du rhythm and blues noir — qu'ils avaient entendu pour la première fois, étant gamins, à Liverpool — était tout de suite évident dans leur musique. Toute une génération commença à se demander pourquoi elle avait ignoré cette musique depuis si longtemps. La promesse d'Elvis était ravivée par ces virtuoses de la scène, socialement acceptables, qui dictaient leurs conditions. « Ils voulaient des disques d'un chanteur de folk dont je n'avais pas entendu parler, se rappelle Murray. Je m'en procurai quelques-uns et les passai. Je n'aurais peut-être jamais entendu parler de ce musicien strictement folk si les Beatles ne me l'avaient pas fait connaître. C'était Bob Dylan. » Les Beatles bouleversèrent également la façon américaine de s'habiller et de se comporter. On les invita à une réception donnée par David Ormsby Gore, alors ambassadeur de Grande-Bretagne aux États-Unis. Ils détestèrent la soirée, et cela se voyait. « Ils le trouvèrent très bien, se rappelle Kaufman, mais ils détestèrent toutes ces grandes dames du monde. Ils étaient absolument différents de toutes les vedettes de la musique ou du cinéma que l'Amérique avait connues jusque-là. »

Par leur exemple, les Beatles rendirent au centuple ce qu'ils avaient pris à l'Amérique noire. Ainsi, dans un club de folk de Los Angeles appelé le « Troubadour », Jim (il devait s'appeler plus tard Roger) McGuinn essayait d'adapter un rythme « Mersey » à ses chansons. « Les fous du folk ne savaient pas trop quoi en penser, m'a dit McGuinn. Seulement ils ne comprenaient pas d'où je sortais cette sonorité. » McGuinn avait vu le premier film des Beatles *A Hard Day's Night* et avait complètement changé sa conception de la musique populaire. Bientôt, il fut rejoint par Gene Clark et David Crosby puis par Michael Clarke. Tout ce qu'ils possédaient, c'était une guitare japonaise à vingt-cinq dollars et un tas de boîtes en carton sur lesquelles Michael Clarke apprenait à jouer de la batterie. Un peu plus tard, Chris Hillman rejoignit le groupe, et pendant huit mois ils répétèrent. Finalement ils enregistrèrent une chanson de Bob Dylan, produite par Terry Melcher, le fils de Doris Day. *Mr Tambourine Man*, chanté par les Byrds, atteignit la première place à presque tous les Hit-Parades du monde et inspira une multitude de chansons dans le style « folk-rock ».

« Le public des Byrds fut le premier groupe de gens vraiment étranges que j'aie vu, se rappelle Derek Taylor. Des bohèmes, des poètes, des alcooliques qui philosophaient sur la politique et l'art. Pourtant, ils ne prêchaient rien du tout ; ils empestaient le patchouli et les filles portaient des longues robes de l'ancien temps. Ils dansaient seuls, comme à moitié fous, se souriant à eux-mêmes. Ils étaient les premiers "freaks" à part entière. Ils voulaient être des proscrits et c'est ce qu'ils étaient, car ils le voulaient. »

Parmi les amis des Byrds se trouvait l'acteur Peter Fonda, qui leur avait demandé de jouer pour l'anniversaire de sa sœur Jane. Henry Fonda n'était pas mécontent, bien que, comme se le rappelle McGuinn, il leur ait demandé s'ils étaient obligés de jouer si fort. « Ce sur quoi ils n'avaient pas lésiné, raconte Derek Taylor, c'était le troupeau de suiveurs qu'ils traînaient derrière eux ». Sans être invités, les « Byrds freaks » débarquèrent dans la villa appartenant à Henry Fonda où se déroulait la fête. Taylor était consterné de les voir danser chez Fonda. Il s'approcha de Jim Dickson, le manager des Byrds, qui lui dit : « Ils recherchent cette folie, ils n'ont rien vu de semblable depuis les années trente. »

La Californie avait toujours été une terre promise. La Californie était l'endroit le plus à l'ouest qu'un homme pouvait atteindre, et l'Amérique savait tout sur la conquête de l'Ouest. En 1905, un homme appelé Love avait fui la Louisiane où régnait la servitude économique. C'est en Californie que les réfugiés d'Oklahoma étaient allés pendant la Crise. Une famille nommée Wilson était parmi les premiers. Comme des milliers d'autres gens, ils espéraient trouver un endroit où le climat serait plus clément, et l'embauche plus facile. Arrivés sur la côte, ils dormirent sur la plage. Même quand les Love et les Wilson devinrent aisés et déménagèrent dans des maisons bourgeoises confortables, ils gardèrent le goût de la plage. Quatre-vingts pour cent des Californiens habitent à moins de quatre-vingts kilomètres de la mer.

Les familles s'unirent par mariage, leurs enfants grandirent ensemble. Bien que les enfants eussent une vie plus facile que leurs parents — qu'ils eussent des voitures et de l'argent pour sortir les filles — ils gardèrent une forte fascination pour la plage avec ses rouleaux géants et son surf. Le soir, les familles se réunissaient pour jouer de la musique. Deux des filles jouaient de la harpe et tous apprenaient le piano. Tous ensemble, ils chantaient la Californie tant aimée. Par la suite les garçons —

Musiques du Nord (de l'Angleterre). *En haut* : Gerry Marsden et les Pacemakers jouant à la Cavern ; *au centre* : Freddie et les Dreamers, une version plus ésotérique du « Mersey Sound ». *En bas* : les « Animals » avec Eric Burdon (au centre).

Carl, Dennis, Brian Wilson et Mike Love — décidèrent de former un groupe vocal. Ce n'était pas une entreprise commerciale, c'était simplement l'expression de leur manière de vivre. Il leur sembla tout naturel de s'appeler les « Beach Boys » (les « gars de la plage ») ; c'est exactement ce qu'ils étaient.

« On allait les uns chez les autres et on chantait autour du piano, dit Mike Love, on n'avait pas spécialement envie d'être des vedettes du rock, on chantait seulement parce que l'on aimait ça. » Carl Wilson, le plus jeune des frères, ajoute : « La plage était un lieu social. Tout le monde y allait pour faire du surf ou simplement pour se balader. Et ce sont les gens et leurs expériences qui ont mené à cette musique qu'a créée Brian et que nous chantions. Quand nous étions adolescents, notre père nous emmenait sur le bord d'une crête qui dominait l'océan et nous désignait du doigt la plage qui jadis lui avait servi de maison, il nous disait : "Regardez ça. N'est-ce pas terrible ? Eh bien, profitez-en car maintenant, on doit rentrer travailler." » « Notre musique exprimait un désir de vivre, dit Mike Love, la joie d'exister. »

Les Beach Boys étaient déjà connus avant que les Beatles arrivent en Amérique. Mais ce sont les Beatles qui les encouragèrent à en finir avec leur image de surfeurs à la sauce Coca-Cola et à se laisser pousser les cheveux. Ils avaient comme manager le père des Wilson, Murray, un despote à la figure écarlate qui avait appelé leur maison d'éditions musicales « Sea of Tunes » (« La mer des mélodies »). « Un après-midi, raconte Derek Taylor, il débarla dans mon bureau de Sunset Boulevard, et quand j'emploie le mot débouler ce n'est pas à la légère. Le but de sa visite était de discuter d'un projet pour sa maison : un immense vitrail représentant "les garçons" dressés sous le soleil californien, en train d'admirer le Pacifique (la mer des Mélodies). » Il dit qu'il avait besoin de photos. Taylor en avait des dizaines, mais elles étaient toutes récentes et les montraient sans l'uniforme (chemises rayées et pantalons blancs) sur lequel ils avaient basé leur image scénique et qu'ils étaient sur le point d'abandonner à jamais. Murray lança violemment les nouvelles photos sur le bureau de Taylor et hurla : "Ils ont tous les cheveux longs. Je ne peux pas utiliser ces trucs avec les cheveux longs. Où sont mes gar-

çons d'avant ?" La vie a toujours été passionnante avec Murray », se rappelle Carl Wilson.

Les Beatles firent des tournées en Amérique en 1964, 1965 et 1966. Alors que des voix plus familières, comme celles des Beach Boys, gardaient la trace des changements élaborés par les Beatles, on commença à entendre d'autres voix

A gauche : la génération de Woodstock en formation.

Ci-dessus. En haut : Murray « le K » Kaufman, animateur de radio new-yorkais, qui lança en Amérique la musique anglaise postérieure aux Beatles. *En bas :* Bill Graham, né à Berlin, en 1931, et réfugié aux U.S.A., dans son bureau de San Francisco, tout équipé, et muni d'un téléphone en or. « J'ai parlé à beaucoup de ces gosses. Ce qui revenait toujours, c'est qu'ils voulaient vivre vite, mourir très jeune, et avoir un beau cadavre. »

Avant et après.

En haut : Les Byrds du début, en 1966. Jim (à présent Roger) McGuinn est à gauche, David Crosby à côté de lui.

En bas : Les Byrds plus tard. McGuinn : « Nous avons pensé que notre meilleur coup était d'interpréter Bob Dylan et Pete Seeger et de placer quelques-unes de nos propres chansons avec, en espérant qu'elles seraient de la même qualité... J'ai écrit *Do You Wanna Be a Rock and Roll Star* avec Chris Hillman ; c'était une chanson amère – nous étions en train de dégringoler à ce moment-là. Un groupe a deux ans pour se maintenir au sommet. S'il est très chanceux ou très intelligent, il peut rester uni comme les Rolling Stones ou les Beach Boys. Généralement, un groupe dure seulement deux ans. Nous avons fait notre temps et nous avons éclaté. »

nouvelles. Le « Grateful Dead » se forma en 1965, ainsi que le « Big Brother and the Holding Company » avec comme chanteuse Janis Joplin. Mais chose plus importante, un homme d'affaires nommé Bill Graham ouvrit la première salle de concerts destinée spécialement au rock and roll (le rock comme on l'appelait maintenant) dans Geary Street et Fillmore Street à San Francisco. « Je n'ai jamais eu aucun rapport d'aucune sorte avec le rock avant 1965, raconte Graham. J'étais un amateur de musique latine. Mais une fois, j'étais avec une troupe de théâtre radicale, et nous avons donné un gala de soutien avec certains de ces groupes. Ce fut un succès et il m'apparut de plus en plus clairement que les gosses voulaient fuir cette société et rentrer dans un bunker aux éclairages tamisés où l'on écoute de la musique à plein volume. La musique servit de scénario. La musique commença même à jouer un rôle dans les rapports sexuels. Les gens à cheveux longs, extravertis et libérés, rentraient et faisaient ce qu'ils avaient envie de faire. Mais les autres ? Les types bien comme il faut qui venaient au Fillmore pour la première fois en costume du dimanche. Je m'intéressais à ces gens-là. Ainsi, s'il y avait un light show, on mettait des affiches dans le hall pour expliquer ce que c'était. Je voulais parler des groupes aux gens.

« Ce que nous voulions faire, c'était d'encourager les gens à s'extérioriser un peu. Quand j'étais jeune et que j'allais danser, c'était toujours très éclairé et tout le monde pouvait voir ce que faisaient les autres. Mais un type introverti ne sait pas toujours bien comment se comporter dans un lieu public. Alors on a baissé les lumières et l'atmosphère s'est détendue. Il est arrivé des milliers de fois qu'un type qui ne se sentait pas observé se mette à remuer un petit peu et que son rendez-vous du samedi soir s'en trouve un peu changé. La deuxième fois il venait en tennis et peut-être que la quatorzième fois il ouvrait sa chemise et s'amusait. Il faisait connaissance – même si c'était timidement – avec un nouveau style de vie. La musique en liberté. Les fleurs dans les rues. Les arbres en fleurs. Le pouvoir au peuple. »

Graham commença à organiser des concerts gratuits en plein air dans le Golden Gate Park. Dix ou quinze mille personnes y assistaient. « Un jour, se rappelle-t-il, je rentrai dans le parc comme chaque dimanche. Il n'y avait aucun panneau disant "Bill Graham présente". Ce qui me frappa, c'est que je connaissais chaque visage. Ils étaient toujours là, chaque dimanche. Je commençai alors à leur parler : "Salut, qu'est-ce que vous faites ?" Ils répondaient : "Bien, on attend le dimanche. — Qu'est-ce que vous faites ? — Je fais la manche." Je me rendis compte alors que, pour soixante ou soixante-dix pour cent d'entre eux, c'était cela leur vie. »

A l'intérieur du « Fillmore », il y eut aussi, selon Graham, des moments de magie. Aretha Franklin et Ray Charles sont venus y chanter et pour une fois Graham alluma en grand les lumières. Pour la première fois de ma carrière j'ai vraiment vu un public de Noirs et de Blancs à égalité. Ils ont sué ensemble, aisselle contre aisselle ; ils s'aimaient tous les uns les autres et sont sortis ensemble à la fin. » Puis il y eut le dîner de Thanksgiving * ; le personnel du Fillmore imprima trois mille tickets pour les habitués, et le soir de Thanksgiving le théâtre ouvrit ses portes pour une fête impressionnante.

En 1966 les Byrds firent une tournée en Angleterre, annoncés, à leur plus grand embarras, comme « la réponse de l'Amérique aux Beatles ». Ils demandèrent à rencontrer les Beatles et les Beatles déclarèrent qu'ils étaient le meilleur groupe américain du moment ; ils devaient donc l'être. D'une manière confuse, McGuinn raconte : « Je me suis laissé pousser les cheveux pour copier les Beatles mais aussi pour m'exprimer. Je ne voulais pas être mis dans un moule, produit et expédié comme une marchandise faite en usine. C'était une rébellion mais qui utilisait des moyens commerciaux. Nous voulions tous briser la structure sociale établie. »

Bientôt les Beatles rencontrèrent les Beach Boys.

Elvis Presley comprit ce qui se passait et, n'ayant pas peur pour sa couronne, devint l'ami des Beatles. On ne fut plus surpris de voir des poètes comme Allen Ginsberg dans les coulisses d'un concert de rock, de voir le romancier Norman Mailer tout près de la scène pour le spectacle des Byrds au « Village Gate » de New York.

La musique avait acquis un message et une mystique. Les Mamas and Papas, les Lovin' Spoonful quittèrent New York pour la Côte ouest et se baignèrent dans les douces senteurs et les sons de San Francisco. Donovan et les Animals arrivèrent d'Angleterre. « Ça s'est passé à San Francisco. Ça s'est bien passé, n'est-ce pas ? dit un

Avant et après.
En haut : les Beach Boys tels que leur père les aimait. *De gauche à droite*, Al Jardine, Mike Love, Carl Wilson, Brian Wilson et Dennis Wilson. Mike Love m'a raconté : « C'était en quelque sorte très innocent au début. Nous n'avions pas de projet d'être les vedettes du rock. Cela n'était, pour aucun de nous à l'époque, un but clairement défini. »
En bas : ce qu'il advint des Beach Boys.

* Jour d'action de grâces. Fête qui a lieu chaque année le quatrième jeudi de novembre (N.D.T.).

jour John Lennon dans une interview. J'aimais ça. Nous étions tous des rois. Nous avons créé quelque chose là-bas. Nous ne savions pas ce que nous faisions, mais nous discutions tous au-dessus d'une tasse de café, comme cela a dû se passer à Paris avec les peintres. Moi, Éric Burdon et les autres, nous passions des jours et des nuits à parler de musique, à passer des disques, à discuter et à nous saouler. C'est une belle histoire. »

L'été 1967 fut particulièrement beau. Les Beatles enregistrèrent *All You Need is Love*. Chez les jeunes un espoir absurde et joyeux persistait. Il y avait du rêve à foison. Comme Donovan me l'a dit à cette époque : « Ce que me procure la pop, c'est beaucoup d'argent. C'est pourquoi j'ai des rêves immenses. Je vois tous les écrivains à nouveau réunis et tous les cinéastes aussi. Rien que des choses merveilleuses. Pouvoir contrôler tout le marché, tous les marchés, avec tous les arts. Ça va être comme la Grèce, comme l'Acropole. Tous les grands esprits du monde, tout en haut du monde se mettant au travail. Les peintres, les musiciens, tout le monde peut venir

avec ses rêves de n'importe quel endroit du globe. Et nous dirons : "Oui, vous pouvez réaliser ce rêve. Ici on a tout ce qu'il faut. Allez-y." La musique pop est le début. Car de toute façon la musique pop va changer la situation. La mode va changer, l'architecture, tout. Car nous voulons que cela se fasse d'une certaine façon et nous allons l'obtenir. » A Monterey cela semblait possible.

Visiblement, les Beatles avaient cessé de passer sur scène ; c'est qu'avec tous ces cris, il était devenu impossible d'entendre ou de se faire entendre. Ils se consolèrent avec un voyage en Inde et un guru qui gloussait, le Maharishi. Comme le dit Lennon, ils rentrèrent reposés. Visiblement leurs relations avec Epstein avaient subi quelques à-coups. Clive Epstein, son frère, raconte : « Il était inévitable que les gens s'aperçoivent que ce qui avait été fait pour les garçons dans les premières années, même si c'était avec les meilleures intentions, n'avait pas toujours été ce qu'il y avait de mieux à faire. Je reconnais volontiers que nous aurions pu traiter de meilleures affaires pour eux. Mais n'oubliez pas que nous étions novices dans le show business. »

Il semble maintenant prouvé que Brian Epstein n'était pas un homme d'affaires. NEMS Enterprises, sa société, était en difficulté et Epstein cherchait déjà quelqu'un pour prendre en charge une partie de ses affaires. Les Beatles commençaient à se rendre compte qu'ils avaient grandi plus vite que lui. « A ma connaissance, les Beatles n'ont pas maltraité Brian, raconte Derek Taylor. La dernière fois que je les ai vus ensemble, pour la pendaison de crémaillère de Brian à la fin juin 1967, ils étaient tous très chaleureux avec lui et lui avec eux.

« C'était un homme compliqué. Il avait l'air de connaître tout le monde, poursuit Taylor, mais lorsque j'écrivis pour lui son autobiographie, je compris qu'il était seul. Il était exclusif dans ses amitiés. Il n'aimait pas partager. En fait, il ne voulait pas partager les Beatles avec moi, bien que je fusse son assistant personnel et leur attaché de presse. Il était drôle, mondain et racontait facilement des histoires contre lui-même. Il avait terriblement mauvais caractère. C'était un romantique, sensible à la beauté et aux jolies choses. Mais c'était également un supporter d'Harold Wilson ; il se passionnait

L'influence toute-puissante des Beatles fit même revêtir aux Rolling Stones un uniforme. Bill Wyman, le bassiste, deuxième à partir de la gauche, m'a raconté que ces uniformes avaient été portés deux fois, une fois pour un show télévisé et une fois pour cette photo. Ensuite, on les jeta et les Rolling Stones reprirent leur importante besogne : être la révolution des jeunes.

Ci-dessus : George Martin et Paul McCartney.

pour la politique de la Gauche et votait travailliste. Il y avait d'autres domaines de sa vie, que je n'ai pas explorés, qui le faisaient souffrir. Nous ne savions jamais où il allait le soir et il avait l'air souvent malheureux. Aucun d'entre nous ne pouvait y faire grand-chose. Son père était mort cet été-là, et cela lui avait fait de la peine. Comme beaucoup de gens qui ont un carnet plein d'adresses, il y avait des fois où il ne pouvait atteindre personne. Si l'on est habitué à être entouré par beaucoup de gens et que personne ne répond au téléphone, on devient dépressif. Il est devenu paranoïaque quand cela lui est arrivé. Il pensait que tout était fini et une de ces nuits-là, il est mort. »

Quand on lui parla de la mort d'Epstein, Lennon dit : « J'ai eu peur. J'ai pensé : Nom de Dieu, on l'a eu. »

John Lennon, sans uniforme, en train de faire une jam avec Chuck Berry. Né à Wentzville, dans le Missouri, en 1926, Berry fut persuadé par Muddy Waters en 1955 de devenir guitariste plutôt que coiffeur. Par la suite il devint le héros de la plupart des groupes de rock anglais.

L' « acide-rock »

Jeudi 29 mai 1969. Des policiers font irruption au domicile du chanteur Mick Jagger. A la suite de cette intrusion policière le chanteur des Rolling Stones déclare : « Je n'avais aucune chance de me défendre, car l'un d'eux colla son pied contre la porte. Je suis resté seul dans la salle à manger pendant qu'ils fouillaient mon appartement. » Le lendemain, une foule importante, rassemblée devant le tribunal de Marlborough Street, criait : « Mick, nous t'aimons », au moment où Michael Philip Jagger et Marianne Evelyn Dunbar (plus connue comme chanteuse sous le nom de Marianne Faithful) furent officiellement condamnés pour recel de cannabis. La télévision était présente. A sa sortie, Jagger déclara : « Le procès fut vraiment ''ennuyeux''. » Les accusés furent acquittés, quelque temps après.

Un sondage dans l'opinion publique britannique montrait que plus de cinquante

Mick Jagger, en 1975, a Fort Collins, (Colorado).

pour cent des gens estimaient que la condamnation de Mick Jagger pour la possession de « comprimés remontants » — achetés en toute légalité hors des frontières de la Grande-Bretagne — avait été trop clémente. Jagger disait lui-même : « Je crois qu'il ne peut y avoir d'évolution sans révolution. Pourquoi devons-nous essayer de rentrer dans le rang ? Je suis conscient du fait que je gagne trop d'argent, mais je suis encore jeune et la rancune que je porte m'oblige à m'accrocher à mon acquis. » Depuis le début de leur carrière, les Stones étaient considérés comme un « groupe en marge » : destructif dans le ton, arrogant dans le style et terrifiant sur scène. Eux plus que toutes les autres formations de rock se sont démarqués de la notion que l'ordre était essentiel pour l'art. On proclamait bien fort que l'art était le chaos et on encourageait le chaos de l'art. Ainsi que le déclarait Jim Morrison, chanteur des Doors : « Nous sommes des politiciens érotiques. Nous nous intéressons à tout ce qui touche la révolte, le désordre et les activités sans signification. »

Au dos de la pochette d'un des premiers disques des Stones, Andrew Loog Oldham, leur manager, écrivait ces quelques phrases significatives : « Si vous n'avez pas de blé pour vous procurer ce disque, visez un aveugle, cognez-lui sur la tête, volez-lui sa sacoche et voilà, vous avez le butin. Bravo ! encore un disque de vendu. » La maison de disques refusa honnêtement d'imprimer le texte d'Oldham. Quand les Stones effectuèrent leur première tournée en Californie, certains de leurs fans publièrent cette déclaration fracassante : « Bienvenue, les Stones. Camarades, nous luttons désespérément pour renverser les maniaques qui détiennent les rênes du pouvoir. Ils nous traitent de parias, de délinquants et de punks... mais nous jouerons votre musique dans les fanfares de rock'n'roll quand nous abattrons les murs des prisons et libérerons les prisonniers, quand nous détruirons les écoles, ferons sauter les bases militaires et armerons les pauvres, pour créer une nouvelle société sur les cendres des feux que nous aurons allumés. »

En fait, ce message était semblable à celui prononcé à Monterey. Seuls les moyens avaient changé. Tous ceux qui avaient participé au « flower power » venaient de découvrir qu'ils étaient en proie au déchirement, comme d'autres musiciens noirs et blancs. Les média et le monde des affaires commencèrent à détruire l'optimisme naïf qui avait animé avec force les musiques issues de San Francisco et de Liverpool. Les Beatles, remplissant leur rôle de leaders, essayèrent de renverser la vapeur. « Quand nous

étions en tournée et que la "beatlemania" était à son apogée, déclarait Paul McCartney, nous aurions pu aisément utiliser notre puissance pour parvenir à certaines fins. Hitler avait déjà employé cette méthode. Il y avait, en quelque sorte, un profond désir de prendre le pouvoir pour assurer le bien-être des gens. Nous étions avant tout un groupe de rock qui jouait la musique qu'il aimait. Lors du décès de Brian

De gauche à droite : Janis Joplin. Timothy Leary, père du LSD. Ken Russell, cinéaste-réalisateur.

Epstein, nous avons appris à connaître les marchés du disque, les contrats de publication et la production de films. Nous avons donc essayé de voir si nous étions en mesure de mieux faire et de gagner des marchés plus intéressants. A l'origine nous voulions simplement gérer une situation qui existait déjà lors de la signature de notre premier contrat ou lors de la réalisation de notre film. Au lieu de conserver l'argent pour nous et ainsi devenir opulents et riches, nous l'avons utilisé pour financer ce en quoi nous croyions. Pour la première fois, des financiers ne voulaient pas rentrer dans leurs fonds. »

produits par la maison Apple. Les Beatles ouvrirent deux boutiques, firent breveter certaines inventions électroniques, réalisèrent leur propre studio d'enregistrement décrit par Paul comme étant « techniquement le plus sophistiqué du monde ». Ils mirent en chantier quatre films, achetèrent des propriétés, des supermarchés et toute une génération plaça ses espoirs dans les Beatles.

Dix-huit mois après, John Lennon annonça qu'il ne lui restait plus que 50 000 livres et que si rien n'était fait, les Beatles se sépareraient dans les douze mois. John proposa, pour gérer l'en-

C'était une ambition bien noble. « Ce sont les affaires », devait ajouter Paul McCartney. Les Beatles devaient tenir leur première réunion administrative à bord d'une jonque chinoise qui navigua autour de la statue de la Liberté, dans le port de New York. Ils investirent leur fortune colossale commune dans une entreprise ; l'« Apple Corps LTD », estimée à plusieurs millions de dollars. « C'est un calembour », déclara Paul à ce sujet.

Les Beatles participèrent au *Johnny Carson Show*. Ils annoncèrent leurs projets au monde entier et demandèrent aux gens d'y participer. Ils ouvrirent des bureaux dans huit pays, la maison-mère se trouvant à Savile Row à Londres. Londres était la ville pilote de l'époque. Les hommes d'affaires, les chauffeurs de taxis, les secrétaires et les hôtesses se précipitèrent sur les merveilleux et étranges artifices

treprise, un homme d'affaires américain, Allen Klein, auparavant associé aux Rolling Stones. En fait, c'était Jagger qui était à l'origine de cette association. Les deux hommes se rencontrèrent au Dorchester Hotel à Londres. John Lennon raconte : « Il me dit ce qui était arrivé aux Beatles, mes relations avec Paul, George et Ringo. Il connaissait absolument tout sur nous. C'était un mec vachement malin. » Klein, pour la location de ses services, s'octroya 20 % des revenus des Beatles.

Entre-temps, McCartney s'était marié avec Linda Eastman, dont le frère John et le père Lee étaient avocats dans le monde du show-business. Financièrement, les Beatles avaient déjà remis toute leur fortune entre les mains de la famille Eastman, sauf Lennon qui n'appréciait guère ce geste. Klein, malgré les rumeurs, semblait également digne de confiance. Ce fut

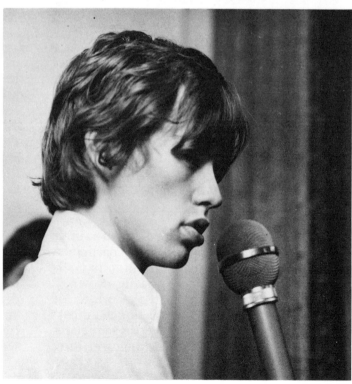

une erreur coûteuse. Derek Taylor, qui avait essayé de maintenir l'entreprise à flot, déclarait : « J'en avais fait de trop, imaginant être Dieu. Apple était un rêve et, bien sûr, il prit fin. Les Beatles se réveillèrent pour s'apercevoir qu'ils étaient toujours fatigués, même après une bonne nuit de réflexion. Par la suite, cela devint un cauchemar. Et cette fois ils se séparèrent. » Apple ferma ses portes. La maison de production de films servit à passer les caprices de chacun des membres du groupe. Même l'amitié qui unissait les musiciens aboutit finalement entre les mains des avocats. John et Paul se querellèrent. John annonça qu'il quittait le groupe. En octobre 1968, John Lennon et Yoko Ono furent accusés de possession de marijuana. Il y eut des accrochages avec la famille Eastman, avec Allen Klein. Les droits d'auteur de leurs chansons appartenant à une société publique furent achetés par les businessmen qu'Apple avait tenté de combattre. Dans les mois qui suivirent, Paul engagea une action en justice pour parvenir à la dissolution du groupe, cela trois ans après Monterey.

La nouvelle idéologie de la jeunesse était alors très directe. Elle chantait : « J'espère mourir avant de devenir vieux. » Bill Graham déclare : « Les jeunes se sont causé beaucoup de torts. C'était facile de dire : "Abattons Nixon et nous vaincrons." En fait ils n'en firent rien. Quatre-vingt-dix pour cent d'entre eux n'avaient aucune raison de se plaindre. Parfois, ils venaient pour me demander de changer quelque chose. "Quels changements ?" Ils répondaient : "Pour voir le concert." Il fallait que je leur explique que c'était un luxe et qu'ils devaient payer. Ils me rétorquaient : "Mec, il devrait être gratuit." Alors je disais : "Qu'est-ce qu'il fait ton père ? — Il est boulanger. — Donne-moi son adresse, je veux du pain gratuit." »

Eric Burdon, chanteur des Animals, affirmait : « Notre principale préoccupation était de lever chaque nana que l'on voyait. Ce qui nous intéressait le plus, c'était la fête continuelle, nous nous foutions du blé. Nous ne connaissions rien aux affaires. » La tendance était à l'impatience, au refus de retarder aucune satisfaction. Je veux dormir — dors. Je veux faire l'amour — fais-le. Tu veux une fleur ? prends-la où je te casse le bras. La richesse permettait à de soi-disant adultes de se conduire comme des gamins. Les musiciens refusaient toute responsabilité. Comme le dit Bill Wyman, bassiste des Rolling Stones : « Les gens nous répétaient sans cesse : "Vous êtes en mesure d'influencer la jeunesse ; vous devriez montrer le bon exemple." Pourtant, cela n'avait rien à voir avec nous-mêmes. Si un môme veut se laisser pousser les cheveux, s'habiller sale, jouer de la guitare, ce n'est pas notre problème. Qu'il aime notre musique, c'est cela qui est formidable. A part la musique, nous n'étions pas responsables des actes de la jeunesse. »

Bill Graham se souvient qu'un artiste montait sur scène et criait : « *Let's get together*, combattons, partageons et communiquons. Puis une fois le concert terminé, il prenait son avion pour rejoindre son île et jouait avec son magnétophone à seize pistes. C'était de l'hypocrisie. La mauvaise utilisation de la puissance peut faire des ravages. Imaginez ce que Hendrix aurait pu faire ? et Jim Morrison ? et Janis Joplin ? Un de leurs buts principaux était de convaincre le public qu'ils étaient tous solidaires. Ils étaient tous contre le gouvernement et pour la légalisation de la drogue. Ils étaient tous opposés à la guerre au Vietnam et étaient

Page ci-contre.
En haut. A gauche : Bill Wyman, bassiste des Stones.
A droite : Brian Jones, retrouvé noyé dans la piscine d'un ami.
En bas. A gauche : Alexis Korner, l'homme qui « découvrit les Stones », père du blues en Grande-Bretagne. *A droite :* Mick Jagger, chanteur des Stones.
Ci-dessus.
Mr. et Mrs. Jagger. Bianca a toujours désiré connaître la gloire personnelle.

en faveur de ce qui était beau. Mais en réalité, combien de musiciens ont eu le courage de monter sur scène et de proclamer : "Ne prenez pas d'acide, cela vous détruit" ? Aucun ! »

Les musiciens se trouvaient perdus dans un tourbillon provoqué par leur propre inspiration. Même sans prendre de drogues, vous étiez soupçonnés de vous droguer. « Je ne me droguais pas, souligne Bill Wyman, pourtant dans les années soixante, on me considérait comme l'un des gars les plus défoncés, comme Charlie Watts. Les gens me disaient : "Tu es le plus junkie de tous." Si un groupe était accusé de se droguer, les journaux imprimaient toujours : "Arrestation des Rolling Stones." C'était proprement scandaleux. » « Nous avons écrit *Help* après avoir pris de la drogue, avoua un jour John Lennon. Pour *A Hard Day's Night*, j'étais sous l'influence des "pills". Il nous arrivait aussi de renifler de l'héroïne quand nous avions des problèmes. Les gens nous menaient vraiment la vie dure. »

> *I'll shout and scream, I killed the King,*
> *I was around when Jesus Christ had*
> *His moment of doubt and pain.*
> *Killed the Tsar and his ministers...*
> *Pleased to meet you,*
> *hope you guessed my name.*

(J'ai crié et hurlé, j'ai tué le Roi/J'étais là quand Jésus-Christ a eu/son heure de doute et de souffrance./J'ai tué le Tsar et ses ministres.../Heureux de vous rencontrer /j'espère que vous m'avez reconnu.)

Dans un album, les Rolling Stones ont illustré l'ambiance qui régnait après un immonde festin donné par un baron décadent. Jagger, un chapeau mou crasseux enfoncé sur la tête, ricane devant l'appareil de photo, une pomme coincée dans la bouche. Les autres musiciens sont vautrés dans les restes d'une orgie, malades et vaseux, l'estomac au bord des lèvres. Ce disque, comme la « révolution » que les Stones avaient embrassée avec fureur, s'appelle *Beggars Banquet*. Les bénéfices réalisés à partir de ce disque furent considérables car, en 1968, plus d'un million d'exemplaires avaient été fabriqués et vendus. Un hit peut rapporter en un an davantage que la plupart des gens ne peuvent gagner tout au long de leur vie. Les revenus d'une seule et unique maison de disques au cours des cinq dernières années étaient supérieurs aux fonds perçus par l'Inde pour combattre la famine, pendant une période s'étalant sur dix ans.

La question est de savoir, à qui profite tout cet argent ? Le succès des Beatles a engendré l'espoir que le rock and roll avait sorti la musique populaire des griffes de Tin Pan Alley. Pourtant, Mick Jagger et ses condisciples ruinèrent très rapidement ces espoirs. Cette déception provenait en partie de certains aspects familiers. Muddy Waters déclarait : « Jagger s'est servi de ma musique, mais grâce à lui les gens ont pu faire connaissance avec ce que je faisais. » Cette attitude, partie intégrante des vedettes de rock bien nourries, dissimulait une bien sombre réalité. Keith Moon, batteur des Who, se souvient qu'à l'époque « c'était la bagarre entre les groupes, malgré leur succès apparent, ils étaient si nombreux que les imprésarios prenaient tous ceux qui se présentaient. Nous jouâmes dans des endroits complètement paumés. Une nuit dans cette partie du pays, la suivante dans un autre coin et tout cela pour trente dollars, l'équivalent du prix du transport pour nous rendre aux concerts. Nos imprésarios servaient aussi de banquiers quand nous avions besoin d'un peu d'argent de poche. Bien sûr, il fallait les rembourser avec intérêts. En réalité, nous ne gagnions jamais d'argent. Le matériel était payé par l'agence, le bus qui nous emmenait et nous ramenait aux concerts également. Et quand nos imprésarios gagnaient de l'argent grâce à notre travail, ils en gardaient la plus grande partie pour rembourser les différents emprunts contractés et nous laissaient royalement dix ou vingt dollars par semaine. Les imprésarios, les maisons de disques, tous étaient de connivence et nous, les musiciens, nous nous endettions un peu plus chaque jour. »

De nombreux groupes de rock, durant les années 60-65, furent ainsi exploités, de la même manière que les orchestres de swing trente ans auparavant. Pendant une tournée, les organisa-

Page de gauche. De haut en bas :
Jerry Garcia, né à San Francisco, en 1942, inapte au service militaire, mais excellent guitariste au sein du Grateful Dead.
Éric Burdon, chanteur des Animals, à Palm Desert, Californie.
Ci-contre. De haut en bas :
Jim Morrisson, chanteur des Doors, lors de son arrestation. Joe Cocker, ancien débardeur, devenu chanteur de pop music.

teurs exigeaient jusqu'à six ou sept concerts par jour. La personnalité des musiciens comptait avant tout. Manfred Mann cacha pendant des années qu'il était marié et père d'un enfant ; pourtant, sa famille était tout pour lui. « Les musiciens n'étaient pas du tout respectés, déclarait-il. Vous ne pouviez rien faire ou mener une vie normale, prendre le bus, le métro, car les vedettes de pop-music ne prennent pas les transports en commun. Pendant ce temps les maisons de disques s'enrichissaient sur votre dos. Les directeurs vivaient différemment des artistes. D'ailleurs, ils nous méprisaient. Ils gagnaient beaucoup d'argent grâce à nous et nous payaient très peu. Les groupes qui avaient du succès comme les Beatles étaient en fait une exception. »

La « révolution » était le meilleur moyen pour se rebeller contre une telle situation. Les ambitions personnelles qui conduisirent à la création d'Apple étaient sans doute compréhensibles et honorables. Elles consistaient surtout à redresser soixante-dix années de torts. Cette tentative devait échouer malgré le style de révolution employé pour la mener à bien. Cela dépendait aussi du comportement de certains leaders qui manquaient d'honnêteté, d'intégrité et de talent. John Lennon déclarait qu'il n'avait jamais remarqué que les initiales de *Lucy in the Sky with Diamonds* donnaient L.S.D., jusqu'au

Ci-dessus : Blood Sweat and Tears, premier « supergroupe » ?

Ci-contre : Crosby, Stills, Nash and Young, le plus connu et le plus populaire des « supergroupes » américains.

jour où un ecclésiastique lui démontra le contraire. Personne ne crut John Lennon. Roger McGuinn des Byrds me racontait qu'un voyage particulièrement désagréable au-dessus de l'Atlantique avait été à l'origine de leur chanson *Eight Miles High*. « Vous n'aviez qu'à prononcer le mot "high" (dans les nuages) pour être accusé de vous défoncer. L'unique chanson des Byrds sur la drogue s'appelait *Artificial Energy*. » Les musiciens appréciaient et prenaient de la drogue bien avant l'arrivée des Rolling Stones. A Hambourg, même les Beatles y avaient touché. Haight-Ashbury était un quartier réputé pour son trafic et ses drogués avant la tournée des Stones aux U.S.A. Mais Mick Jagger devait, par sa personnalité, écourter une révolution prometteuse. Il ne fut pas à l'origine de sa perte, mais en était la cause visible et perceptible.

Puis, on retrouva Brian Jones noyé dans la piscine de Christopher Robin, à Pooh Corner. Brian Jones avait quitté les Stones deux mois auparavant. Les journaux français annoncèrent qu'il était mort des suites d'une overdose d'héroïne. Pourtant, il n'avait jamais pris d'héroïne. Quelque temps avant son décès, il avait reformé un groupe et s'apprêtait à enregistrer à nouveau. Ses funérailles eurent lieu à Cheltenham. « Tous les gens étaient rassemblés autour de la tombe, raconta Bill Wyman. Sa famille, ses parents furent rassurés sur son existence. Au moment où le cercueil fut mis en terre, la presse se déchaîna, les photographes déclenchèrent leurs appareils et tous les gens posèrent des questions. Cependant, au moment où nous quittâmes Cheltenham, des milliers de personnes en deuil pleuraient. Jamais je n'avais vu une chose semblable. »

Puis, vint le tour de Jimi Hendrix. James Mitchell Hendrix, décrit par le *New York Times* comme « l'Elvis noir ». Il fut sans doute l'un des guitaristes les plus doués de sa génération, jouant avec ses dents, dans le dos et sous la jambe comme T-Bone Walker, se masturbant avec sa guitare, la caressant comme une femme,

Jimi Hendrix, l'homme qui « parlait » avec sa guitare.

En haut : Tina Turner, « reine de la soul music ». *En bas :* Sly Stone, marié à Madison Square Garden, divorcé en privé peu après.

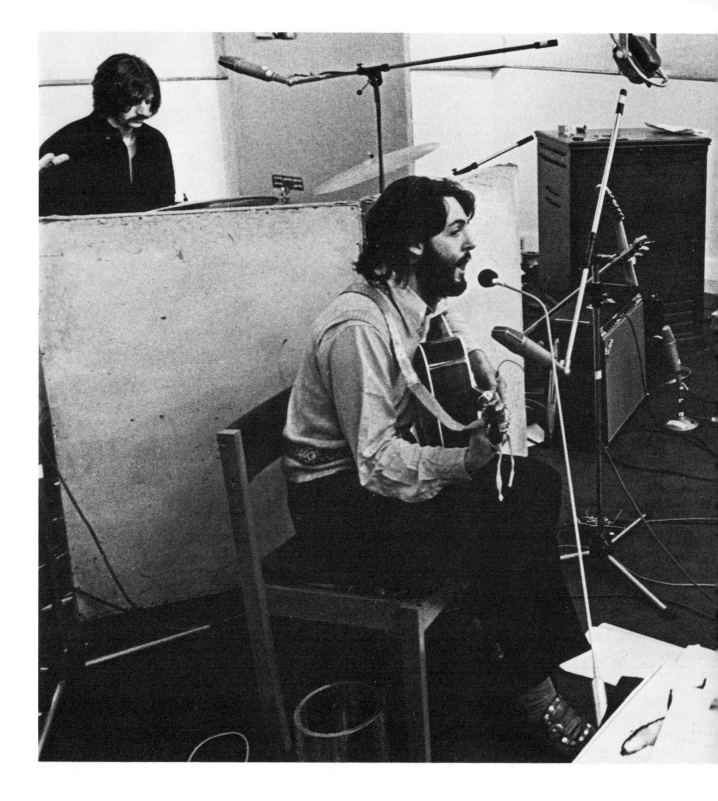

extirpant des sons que personne n'avait entendus jusqu'alors. Lui aussi s'était fait le défenseur
de la marijuana. En 1967, il prévoyait la légalisation de l'« herbe » dans les cinq années à
venir. Il me déclara un jour : « J'existe au travers de ce que je ressens. Je joue ce que je vis et

j'agis comme je le sens. Je suis incapable de
m'exprimer dans une conversation, mais quand
je suis sur scène, c'est le monde entier qui est
autour de moi, c'est toute ma vie. » Jusqu'à ce
qu'un matin, à Londres, défoncé, solitaire,
Hendrix ait glissé lentement dans l'oubli.

Jimi Hendrix était né à Seattle, État de Washington. En partie Noir, en partie Mexicain, il était le petit-fils d'un Indien Cherokee. Il voulut être acteur, puis peintre. En réalité, il ne savait pas ce qu'il voulait. A l'âge de quinze ans, il quitta le domicile familial pour ne jamais y revenir. Une fois à l'armée, il s'engagea dans les troupes aéroportées. Puis, il se rendit à New York. Il était tellement fauché qu'une de ses

Les Beatles avec Yoko Ono, lors de l'enregistrement de l'album *Let It Be*.

petites amies lui acheta sa première guitare. Il commença à jouer avec tous les groupes de rock qui étaient alors en tournée – Little Richard, B.B. King, Ike et Tina Turner, King Curtis. Une nuit, au « Café Wha ? », dans Greenwhich Village, Chas. Chandler, membre des Animals, l'entendit jouer. Lui et son manager Mike Jeffries, décidèrent Hendrix à venir à Londres, lui trouvèrent deux musiciens pour l'accompagner et le firent travailler dans les clubs de la capitale anglaise. Chandler se rappelle avoit dit : « Ce gars est beaucoup plus sauvage et dérangera encore plus de gens que Jagger. »

Hendrix était avant tout un guitariste dont la musique était un mélange de culture noire interprétée par les Beatles, et de musique noire authentique. Certains musiciens anglais qui imitèrent les chanteurs de blues américains découvrirent le style qu'ils cherchaient en écoutant Hendrix. Alexis Korner déclarait à son sujet : « Il personnifie la musique noire. » (Alexis Korner était à l'origine du « blues revival » en Grande-Bretagne, il fut également le musicien qui découvrit et encouragea les Stones). Korner ajoutait : « Hendrix estimait qu'il ne jouait pas vraiment le blues. Je trouve cela étrange de la part d'un musicien qui pourtant jouait le blues aussi bien que lui. L'ennui, c'est qu'il ne le jouait pas sous la forme édulco-rée qui était considérée comme du blues. Bizarrement, il se sentait coupable parce qu'il le jouait à la perfection. »

Le succès d'Hendrix ne fut pas immédiat. Mais lors d'un concert à Munich, des fans trop exubérants bousculèrent Hendrix qui tomba de scène. En remontant, il s'aperçut que sa guitare était gravement endommagée et que plusieurs cordes avaient été cassées. Il ne put se contenir et, comme un fou, cogna sur tout ce qu'il voyait. Le public se leva alors et applaudit à tout rompre. Par la suite, Jimi Hendrix se pavanait sur scène, comme une perruche d'un mètre quatre-vingts, couvert d'ornements magiques, ses cheveux longs dans la figure comme s'il avait peur de son propre visage. A Monterey, il brûla sa guitare, faisant le pitre pareil à un gitan. Et toute cette mise en scène de la part d'un homme dévoré par le doute, qui aimait les fleurs séchées, la dentelle, le brocart et les estampes japonaises. « Vous pouvez crier que ma musique est érotique. Je m'en fous, disait-il. Quand je mourrai, je voudrais que l'on joue ma musique, que les gens deviennent fous et se déchaînent. Je veux qu'ils s'amusent. La vie monotone que je mène, dans laquelle les villes et les chambres d'hôtels ne font qu'un, a détruit tout plaisir en moi. Il faut que je me sorte de ce cycle infernal. Peut-être pour aller sur Mars ou

Vénus, dans un endroit où *vous* ne pourrez pas me trouver. »

A l'inverse de Mick Jagger, la détresse de Jimi Hendrix était compréhensible. « Si vous voulez voir la situation d'un Noir américain aujourd'hui et ce qu'il pense, allez écouter Hendrix, déclarait Eric Burdon. Vous comprendrez pourquoi les révoltes raciales existent aux États-Unis et pourquoi le pays est au bord de la guerre civile. Hendrix est un magicien de la guitare, mais sa musique est explosive et remplie d'inquiétude. Il exorcise des générations de gens en colère. »

Lors du festival de Woodstock, l'interprétation de *The Star-Spangled Banner* (hymne national américain) par Hendrix, assomma littéralement les deux cent mille personnes présentes. A côté de cela, Jimi Hendrix s'intéressait de plus en plus aux gangs d'Harlem et à l'église des Musulmans noirs. Il mit au point une tournée qui ressemblait plus à une tribu de gitans en marche, dans laquelle la musique, la nourriture et la boisson seraient gratuites et où ceux qui viendraient écouter la musique pourraient partager avec les autres membres de la tribu.

Puis, ce fut au tour de Jim Morrison des Doors, de Cass Elliott des Mamas and Papas, de Pig Pen, membre fondateur du Grateful Dead. Tous ces chanteurs et musiciens devaient mourir dans leur lit, seuls et abandonnés. La jeunesse se pressait, non pour assister à des festivals regroupant des êtres vivants, mais pour y rencontrer des morts en sursis. Jagger fut le témoin du meurtre d'un jeune spectateur lors du festival d'Altamont. « The show must go on », disait-on (Le spectacle doit continuer). Bill Graham soutenait que « les musiciens sont entièrement responsables. Ils prenaient de l'héroïne ou de la mescaline régulièrement. Cela s'entendait dans leur façon de jouer ou de composer, dans le temps qui séparait deux enregistrements. Cela atteignit un point tel que le public allait au concert juste pour voir si l'un des musiciens présents allait craquer. C'était macabre. Beaucoup de bons musiciens ont interrompu leur carrière pendant plusieurs années, tout simplement parce qu'ils étaient sous l'emprise de la drogue et incapables de s'en défaire. Et avez-vous pensé à tous ces jeunes qui, aveuglément, suivirent l'exemple de ces idoles du rock ? »

Janis Joplin était née à Port-Arthur, Texas.

Page ci-contre : Article paru dans un journal londonien, sur l'enterrement de Brian Jones. Les funérailles de Jimi Hendrix.

Ci-dessus : Les Fillmore de Bill Graham devaient fermer parce que le public et les musiciens étaient devenus « moches, épouvantables ».

Selon Myra Friedman, auteur de sa biographie, Port-Arthur était une ville industrielle « médiocre en surface, avec une violence latente ». Joplin avait acquis une réputation de peintre « inhabituel », doué et intelligent. Ses amis aimaient beaucoup l'inviter à l'occasion de parties car elle possédait un certain tempérament, jurant comme un routier, affrontant tous ceux qui estimaient qu'elle ne se comportait pas comme une jeune fille normale. Elle apprit à chanter, à boire et elle goûta à la drogue. Elle devait quitter Port-Arthur pour se rendre à San Francisco.

Là-bas, elle se joignit au groupe « Big Brother and the Holding Company ». C'est au sein de cette formation qu'elle devait participer au festival de Monterey. Clive Davis (alors président de la Columbia), fut très impressionné par la personnalité de Janis et lui fit signer un contrat sur sa marque de disques. Joplin se conduisait de manière très scandaleuse. Elle aimait que l'on dise d'elle qu'elle était révoltante, surtout de la part des hommes, très souvent intimidés par son caractère. Elle trouvait naturel, disait-elle, d'avoir signé son contrat après avoir couché avec Clive Davis. Elle crânait comme une pute à nègres, ce que tout Port-Arthur croyait qu'elle était en réalité, ses bras décharnés battant l'air comme un moulin à la dérive. « Dites-moi que je suis bonne. Dites-le-moi », demandait-elle à son public. Sa bouteille d'alcool posée fièrement sur son ampli, elle déambulait sur scène, semblable à une reine de carnaval débauchée ou à King Kong. Elle avait peint un drapeau américain taché de sang sur une aile de sa Porsche.

Myra Friedman avait rencontré Janis Joplin après le festival de Monterey. « Janis voulait ressembler à une fille dure et hargneuse. En fait, elle était tout le contraire. Elle n'était pas vraiment mignonne, souvent elle ressemblait à quelqu'un qui sortait d'un bain forcé dans un bayou de Louisiane. Mais c'était une personne débordante d'énergie et elle désirait diriger tout ce qui gravitait autour d'elle. Pourtant, au fond d'elle-même, elle avait peur. »

Effrayée par son succès, elle ne pensait pas un seul instant qu'elle le méritait. Un jour elle hurla dans le téléphone : « Appelez-moi Johnny Cash, je suis la plus grande chanteuse américaine, je suis la plus grande chanteuse du monde. » Incertaine concernant sa sexualité, elle fit de nombreux efforts pour être désirée. Elle se conduisait tantôt comme une nymphomane tantôt comme une fille de glace. Un jour, elle montra à Myra Friedman une photo d'elle dévorée par la lubricité, pensait-elle. « Mais ce n'était qu'un petit enfant qui suçait une glace, admit Myra Friedman. Cela n'avait rien de particulièrement sexy, bien qu'elle le crût. »

Malgré son accoutumance grandissante pour l'héroïne, Janis Joplin ne manqua jamais un concert, n'arriva jamais en retard aux répétitions ou aux enregistrements. Friedman estime que la chanteuse prenait de l'héroïne uniquement parce que cela faisait désormais partie de sa vie et de son comportement de vedette de rock. Elle n'avait aucun problème d'argent,

Ci-contre : Mick Jagger et Keith Richard, pendant une tournée des Stones.
Ci-dessus : Janis Joplin, chez elle.

mais elle était désemparée psychologiquement. Elle semblait réellement heureuse quelques semaines avant sa mort. Myra Friedman soutient que « les gens ne se trouvent pas forcément dans un état dépressif quand ils mettent fin à leurs jours ». Janis Joplin venait juste d'enregistrer son meilleur disque ; elle s'était liée d'amitié avec une personne qui lui plaisait. Elle ne prenait plus d'héroïne depuis six mois environ, mais continuait à boire. Elle se sentait bien dans sa peau et c'est à ce moment-là qu'elle s'injecta une dose mortelle d'héroïne.

Ci-dessus : le concert des Stones à Altamont, près de San Francisco, avant l'arrivée des Hells Angels.

Ci-contre :
Le même concert ; les Hells Angels assurèrent le service d'ordre. Un jeune homme fut froidement tué à coups de couteau par ces derniers pendant le concert.

15

Le rock des paillettes

En 1970, la musique populaire était arrivée au point critique. Les espoirs de toute une génération étaient anéantis. D'une part Elvis avec sa synthèse sans égal de la musique noire et de la musique blanche, d'autre part les Beatles avec leur rejet des habitudes sociales et commerciales, avaient aidé à son succès d'une manière considérable : Elvis comme interprète, Lennon et McCartney comme compositeurs. Chacun avait inspiré une foule de disciples et radicalement changé la direction de toute une culture. Tous avaient été frustrés par le moyen d'expression qu'ils avaient conquis et par la naïveté égoïste de leurs troupes. Pour ce qui est de cette naïveté il n'y avait pas de remède ; les Stones et les autres avaient libéré une autodestruction en chaîne dont les conséquences inévitables se perpétuaient. Quant aux limites de la pop-music, Lennon

---

Un groupe nommé Kiss, 1975.

David Cassidy.

et McCartney étaient de trop bons compositeurs de chansons, séparément et ensemble, pour en fin de compte être détournés par l'avidité des hommes d'affaires, ou la niaiserie des imitateurs.

Après avoir quitté la scène, les Beatles profitèrent de leur fortune pour expérimenter dans leur salle de jeux électronique les techniques d'enregistrement. Leur premier album, *Please Please Me,* avait été enregistré en seize heures ; *Sergeant Pepper* prit neuf mois. D'une telle expérience sortit une conscience nouvelle de leurs possibilités musicales. Instrumentalement, ni Lennon, ni McCartney n'étaient particulièrement des virtuoses. Mais leur exemple, la démonstration qu'ils avaient fournie de ce qui était possible, avait, des deux côtés de l'Atlantique, donné du courage à un nombre croissant de musiciens pour qui l'habileté technique était devenue presque une fin en soi.

Le dilemme était très simple. Les formes dans lesquelles la musique populaire en dehors du théâtre s'était épanouie ou avait tenté de s'épanouir n'étaient plus suffisantes pour intégrer les talents naissants de beaucoup d'instrumentistes du rock. On cherchait donc une autre forme. McCartney m'a dit une fois : « J'ai toujours eu peur de la musique classique. Je ne voulais jamais en écouter parce que c'était Beethoven, ou Tchaïkovski ou Schönberg, des grands noms comme ça ! L'autre jour un chauffeur de taxi avait une partition de Mozart sur son siège avant. Je lui demandai ce que c'était. " Oh ! me dit-il, c'est un truc de grande classe, cela ne vous plairait pas. C'est intellectuel ! " Et c'est de cette manière que j'y ai toujours pensé. Je pensais : c'est très fort toute cette musique. Mais c'est faux. C'est exactement ce qui se passe dans la pop aujourd'hui. La pop-music est la musique classique de maintenant. »

Mais la musique classique a toujours disposé d'une variété de formes pour s'exprimer. En comparaison la musique populaire est primitive. Que pourrait-on faire par exemple de la virtuosité d'un guitariste comme Jimmy Page, de Led Zeppelin ? Mais de plus en plus ces musiciens s'adressaient l'un à l'autre, pour le plaisir. John Lennon joua avec Keith Richard des Rolling Stones ; tous deux jouèrent avec Eric Clapton des Yardbirds. Comme leurs prédécesseurs jazzmen, les musiciens de rock aimaient mettre à l'épreuve leur talent en s'affrontant. L'esprit affairiste se faisait tirer l'oreille. Si seulement ces jams occasionnelles pouvaient être mises en boîte, imaginez les profits. Imaginez un disque qui afficherait Clap-

ton, Dylan et peut-être un Beatle. Il faudrait faire protéger les magasins de disques par la police. Et puis, cela arriva le 1er août 1971. George Harrison emmena son ami le joueur de sitar Ravi Shankar, Eric Clapton était là ainsi que Bob Dylan. Tous donnèrent une représentation pour venir en aide au tout jeune État du Bangladesh.

Malgré de bons moments, le concert ne fut pas un triomphe musical, mais il incita l'industrie à redoubler d'efforts pour organiser des mariages forcés qui se terminèrent pour la plupart par des divorces précoces. Eric Clapton se souvient d'un tel regroupement : « C'était bien jusqu'à ce que nous montions sur scène et que nous nous rendions compte que nous n'avions répété que quatre ou cinq morceaux. » L'ironie, pour Clapton, a dû être particulièrement sévère puisqu'il fut, avec le bassiste Jack Bruce et le batteur Ginger Baker, l'un des premiers à trouver une porte de sortie au dilemme de la musique populaire. Ils avaient commencé à jouer ensemble dès 1966. Leur méthode était d'improviser sur un thème donné jusqu'à ce que l'épuisement mental et physique fasse se terminer la chanson. Ignorant les leçons du be bop, le trio décida qu'il n'y avait aucune restriction rythmique, harmonique ou mélodique — les seules limites étant celles des talents individuels. Avec un manque de modestie caractéristique, Baker appela le groupe Cream (« La Crème »).

Cream fut proclamé le sauveur du rock. Chaque guitariste essaya de s'envoler comme Clapton ; chaque bassiste souhaita remercier Bruce d'avoir donné à l'instrument une voix

qui, semble-t-il, lui manquait auparavant ; et chaque batteur doubla la dimension de son matériel. « Des improvisations et des concerts qui se renouvellent constamment, affirma Jack Bruce, voilà notre but. » Au cours de leur première tournée ensemble, Baker s'entraîna si intensivement qu'il laissa sur son parcours un certain nombre de factures d'hôtel pour bris de meubles.

La prouesse instrumentale de ces trois musiciens n'avait d'égal que la grandeur de leur ego. « Nous pensions tous être des virtuoses et notre rêve était d'être le groupe parfait, raconte Clapton. Ce qui n'était pas du tout le moyen de s'en approcher, tout ce que nous faisions, c'était produire de la musique agressive. » Clapton affirme maintenant que, à l'occasion, le groupe n'était même pas honnête avec son public, qu'il se contentait de jouer la même routine. Il leur était probablement venu à l'esprit ce qui avait été évident pour les musiciens de jazz pendant des dizaines d'années : l'improvisation ne suffit pas, surtout lorsque consciemment elle n'essaie pas de se structurer.

L'idée d'un super groupe ne suffisait pas non plus. De temps en temps, les associations marchaient bien et semblaient valables. Le groupe formé par David Crosby, Stephen Stills, Graham Nash et Neil Young, s'embarqua en 1974 pour une tournée de trente concerts et joua en tout devant un public de plus d'un million de personnes. « Les managers peuvent être terriblement frustrants, dit Stills. Je jouais très bien avec Jimi Hendrix et nous aurions pu faire un disque ensemble. Et plus tard, lorsque Young s'en alla, tout le monde n'arrêtait pas de nous inciter à nous remettre ensemble pour " affaires ". Heureusement Neil est beaucoup trop têtu pour cela. Mais un jour, Neil et moi, nous allons faire un album ensemble, juste tous les deux, qui va absolument les terroriser. »

Le mélange difficile d'orchestres symphoniques et de groupes de rock ne marcha pas non plus. John Lloyd, de Deep Purple, essaya de faire un concerto qui ne réussit à être ni du bon rock, ni de la bonne musique orchestrale.

D'autres furent attirés par l'opéra rock, terme désignant une musique de rock avec une histoire. Le plus notoire et le plus populaire fut *Tommy*, des Who. Son compositeur, Pete Town-

Le théâtre du rock n'avait rien à envier à Artaud : Ian Anderson de Jethro Tull *(à gauche)*, Slade *(à droite)*.

shend, nia plus tard avoir qualifié son œuvre d'opéra. *Tommy* était né d'abord sur disque ; il est certain que la musique était plus riche et plus complexe que tout ce que Townshend avait composé jusque-là. C'était un album « conceptuel » comme *Sergeant Pepper* — sauf que toutes les chansons se référaient à une histoire. Mais quelle était cette histoire ? Cela resta un mystère. Cela semblait être essentiellement la longue histoire biscornue d'un garçon sourd, muet et aveugle dont le malheur était une allégorie. De quoi, cela resta obscur.

Tommy fut joué en 1970 au Metropolitan Opera de New York, bien que l'on n'ait pas vraiment essayé de l'adapter à la scène. On laissa ce soin à Ken Russell. Son film, avec son extraordinaire pouvoir d'invention, transforma une suite de chansons agréables rendues boiteuses par une phraséologie philosophique en un joyau bien ouvré. Outre le disque, ce film fut le seul prolongement possible de la musique. Cela affaiblit l'idée selon laquelle l'opéra rock en tant que forme théâtrale méritait un surcroît d'attention.

Cependant, en soulignant l'aspect théâtral du rock, *Tommy* avait sans le vouloir ouvert une autre perspective. Depuis l'époque glorieuse de San Franscisco, le rock s'était consacré de plus en plus au projet d'une expérience totale, à la création d'un environnement qui se prêtât le

plus possible à l'écoute de la musique. Ainsi, maintenant tout concert de rock digne de ce nom présentait un spectacle psychédélique qui souvent rapetissait les musiciens. Ajoutez à cela une forte odeur de marijuana, l'uniforme multicolore de rigueur, le langage « hip » soi-disant sophistiqué, piqué aux jeunes Noirs ; et la croyance grandit que l'Utopie était au coin de la rue — en bref, le rock théâtral, le rock vaudeville, grotesque rappel de l'union par les Beatles du music-hall britannique et de la musique noire américaine. De cette rencontre naquit le fils d'un pasteur baptiste de l'Arizona, qui présenta son groupe comme « l'ultime produit d'une société d'abondance ».

Alice Cooper, né Vince Furnier, aimait revêtir sur scène un pantalon en lamé or et une veste de cuir noir accrochés l'un à l'autre avec des lanières. Il se maquillait les yeux au mascara et donnait des coups de fouet à ses musiciens pour les inciter à produire un son toujours plus bruyant et plus rauque. Un boa constricteur nommé Yvonne ondulait docilement et obscènement entre ses jambes. On amenait une poubelle sur scène et son contenu était jeté sur le public, tandis qu'une fumée nauséabonde embaumait la salle. Des bruits assourdissants de bataille terminaient le spectacle, tandis que des poulets vivants étaient coupés à la hache sur la scène et lancés, désarticulés, sanguinolents et encore chauds sur les genoux du public. « La violence et le sexe se vendent » disait Cooper. Ses quatre premiers albums se vendirent en moyenne à un million d'exemplaires. Avec l'un d'eux, on offrait à chaque acheteur une paire de collants de femme.

Cooper ne fut pas le seul à se livrer à ce genre de « distraction ». Dr John the Night Tripper (le « voyageur de la nuit »), autrement dit Mac Rebennack, chercha à recréer la mystique de la musique de La Nouvelle-Orléans en s'habillant d'une robe africaine tissée avec des feuilles de vigne, du lierre et des peaux de serpents. Puis il y eut David Bowie, promu avec de gros moyens l'une des plus grandes superstars du monde. Son apparence était inhabituelle : cheveux orange, bottines à hauts talons et à lacets, faux cils, foulards de soie flottants, maquillage, rouge à lèvres. Dans les interviews il proclama sa bisexualité. En concert, en particulier dans ce qu'il estime être son chef-d'œuvre, *The Rise and*

Fall of Ziggy Stardust and the Spiders from Mars (« l'Ascension et la chute de Ziggy Stardust et les araignées de la planète Mars »), il chantait un cataclysme à l'échelle universelle, qui aurait bien pu être la Troisième Guerre mondiale, l'extermination par la pollution, ou une vision de l'enfer.

Bowie devint l'objet d'un culte. Des admirateurs sophistiqués firent l'éloge de Ziggy Stardust, et la BBC enquêta sur le phénomène en faisant un documentaire. Alors que des groupes comme les Osmonds s'adressaient à un public d'un âge déterminé, il faut souligner que les disques de Bowie étaient achetés à la fois par les très jeunes et par leurs frères et sœurs aînés. D'autres pensaient que Bowie le musicien s'enfermait dans une image dépourvue d'humanité. « Je sais qu'un jour un grand artiste va être tué sur scène, dit Bowie, et je suis persuadé que ce sera moi. »

Le rock théâtral — il avait rarement été autre chose — reçut un nouveau pavé dans sa mare avec l'arrivée d'un autre groupe anglais appelé pompeusement Genesis (la Genèse). « Nous en sommes encore pour le moment à la première étape de l'audio-visuel, m'a dit Peter Gabriel, l'ancien chanteur du groupe, au même point que ces premiers ingénieurs de la stéréo qui fai-saient leurs expériences en faisant passer des trains d'un haut-parleur à l'autre. Nous ne voulions pas créer des chansons et des ballets dans le style d'Hollywood, mais un concept dont les aspects visuels et musicaux puissent être exprimés en même temps. » A cette fin, il se rasa le devant du crâne, ce qui le fit ressembler au dernier des Mohicans. « C'était, dit-il, un truc pour gagner plus d'argent. » En vareuse noire, le visage recouvert d'un maquillage blanc cru, il chantait (entre autres) l'histoire d'une femme qui ouvrit la fermeture Eclair de sa peau dans un train et se retrouva coupée en deux. Une autre chanson intitulée *Supper's Ready* racontait l'histoire de « l'ultime bataille cosmique pour Armageddon entre le bien et le mal dans laquelle l'homme est détruit ; mais les morts par milliers rachètent l'humanité qui renaît, mais plus en Homo Sapiens ».

Lors d'un concert, le batteur de Genesis invita le public à huer. « Cela leur donna quelque chose à faire qui n'était pas seulement une réaction automatique, polie et motivée, ajouta Peter Gabriel. Notre rôle en tant que musiciens est à mi-chemin entre l'orchestre de fosse et le groupe de rock and roll démodé... »

En 1969, un certain Dave Robinson et son associé formèrent un bureau de direction artistique dont le principal, sinon unique, client était un groupe anglais du nom de Brinsley Schwarz. Robinson décida de révéler le groupe au monde impatient par des moyens qu'il qualifia de « plus grande escroquerie de tous les temps ». Il loua un jet transatlantique à Londres et une flotte de Cadillac noires à New York. Puis il invita une centaine de journalistes britanniques à assister aux débuts triomphants du groupe au Fillmore East de Bill Graham. (Après son succès de San Francisco, Graham avait ouvert une deuxième salle à New York). Quand les journalistes arrivèrent au Fillmore, ils découvrirent que Brinsley Schwarz n'était qu'un groupe d'appoint. Le groupe joua avec compétence mais brièvement. Le public applaudit poliment, et on laissa les journalistes composer des articles pour se défendre des accusations selon lesquelles ils avaient été influencés par la générosité des directeurs artistiques. Si le succès de la musique populaire est proportionnel au nombre de colonnes dans les journaux à cancans, l'expédition doit être considérée comme réussie. Mais si la musique populaire s'évalue de toute autre manière, l'escroquerie fut un désastre. Robinson se lança dans ce qui semblait être un impossible travail de dédommagement. Après trois ans de tournées incessantes dans les bals, les fêtes d'étudiants, les bars, il arriva à ses fins. Musicalement cependant, le groupe était fini. Ils firent quelques disques dont certains furent bien accueillis. Mais ils ne retrouvèrent jamais le prestige de leurs débuts au Fillmore.

Cette tentative d'impressionner le public par le vernis de l'emballage n'était pas vraiment nouvelle. Mais le fait que le public de rock en soit venu à croire que ce brillant était un aboutissement donnait la mesure de la faillite créative de la musique populaire du début des années soixante-dix. Paul Raven, qui avait commencé sa carrière d'artiste à l'âge de quinze ans, passa dix années infructueuses à présenter une imitation passable d'Elvis Presley. Un producteur expérimenté nommé Mike Leander, qui était à la recherche d'un nouveau numéro, vit Raven, l'habilla de lamé argent, laissant voir un peu de poitrine velue et changea son nom en Gary Glitter. « *Do You Wanna Be in My Gang ?* » (« Voulez-vous être de ma bande ? ») roucoulait Glitter. Qui pouvait résister ?

Pendant ce temps, à Salt Lake City dans l'Utah — endroit connu pour ses sauterelles, ses mouettes, ses saints et son goût pour les boissons sans alcool — une famille prolifique du nom d'Osmond s'aperçut que la musique noire pouvait être transformée en un passe-temps familial propre, gentil et lucratif. Par chance, les cinqs garçons et la fille avaient des voix aussi belles que leur visage ; faisant leur devoir, ils se mirent tous au travail. On baptisa leur musique du nom du produit que l'on pouvait voir sortir de la bouche de leurs spectateurs : « Chewing Gum ». Chaque fois que l'un d'eux muait c'était un événement national et dix pour cent de leurs énormes bénéfices venaient alimenter les caisses de l'Église mormone.

Le plus éblouissant dans ce sac à chiffons théâtral fut cependant un groupe anglais nommé Roxy Music. Impeccables, en grande tenue de cow-boy ou arborant les insignes nazis, langoureux dans des smokings blancs ou effrénés comme des transfuges de films d'horreur, ils pratiquaient si vite le changement que leurs fidèles semblaient toujours être en retard d'un costume. « Pendant longtemps, je n'ai pas pu décider ce qui m'intéressait le plus, la musique ou les arts plastiques, dit Brian Ferry, leur leader. J'ai toujours voulu être peintre, et en tant qu'amateur de musique, j'ai toujours préféré voir les groupes noirs américains les plus exotiques. Ils se présentaient toujours d'une manière si immaculée. Ils offraient en prime un attrait visuel sans reproche. C'est pourquoi Roxy Music fait tant attention à sa présentation scénique et à l'emballage de ses disques. »

« Le public de Roxy Music en Amérique, dit Lester Bangs, éditeur du magazine de rock *Creem,* consiste en un groupe de jeunes qui ont repris un maniérisme stylistique marqué par le vieil Andy Warhol et l'ont mis à la dernière sauce des teenagers. Ils pensent que c'est dans le

David Bowie et le triomphe de l'androgynie.

coup d'être homosexuel, ou ils se comportent comme s'ils l'étaient. Les filles s'habillent toutes avec des panoplies des années quarante et se baladent l'air ennuyé tandis que les garçons se dandinent en jouant les pédés. Ils voient cela comme une façon de se rebeller en refusant de s'intégrer. Le groupe est musicalement sensible à toutes sortes de choses. Mais leur vitalité est sérieusement limitée par la présence à leur tête d'un type nommé Brian Ferry. J'ai eu la malchance de rencontrer une fois Mr. Ferry dans une réception. Je me précipitai sur lui et lui dis : " Brian Ferry, vous êtes mon héros, je vous adore, votre disque est magnifique ! " Mais ce type était si narquois. Il était là dans son smoking blanc, une cigarette à la main et il ne dit absolument rien. On aurait pu le pousser dans un coin, lui mettre un martini dans les mains et ne plus s'occuper de lui. Comme tous les groupes étincelants, Roxy Music se soucie plus d'avoir son nom dans le bottin mondain et d'essayer différentes sortes de vêtements que de faire quoi que ce soit qui ait trait au vrai rock and roll. Avec Roxy Music on voit le triomphe de l'artifice. »

Bien sûr, on peut trouver le silence de Ferry préférable à une révolution verbale ; musicalement, il pourrait sembler un peu injuste de le mettre dans le même sac que Gary Glitter ou les Osmonds. Ses chansons sont supérieures à tout point de vue : mieux construites, avec des paroles plus provocantes et des harmonies plus satisfaisantes. Mais comme me le rappelait Ian Anderson, de Jethro Tull : « Je pense que nous avons contribué à donner naissance à quelque chose dans le rock qui l'a aiguillé dans une direction malsaine. L'élément théâtral, grotesque et coûteux, est devenu si important que

Les pop-stars anglaises et américaines ont prouvé que l'image pouvait être plus importante que le contenu du spectacle.

Page de gauche.
En haut : Roxy Music (Brian Ferry deuxième en partant de la droite) qui essaya l'élégance.
En bas : les New York Dolls qui essayèrent le style « travesti ».

Ci-contre.
En bas : Dr. John, qui essaya la fourrure et la peau de serpent.
En haut : Elton John, qui essaya tout et n'importe quoi.

la musique n'a pas pu suivre l'allure. Qui va donner plus d'argent pour moi qu'il en aurait donné pour un bon hamburger ? » Lester Bangs se souvient d'un concert de Jethro Tull au cours duquel « un membre du groupe apparut tout à coup déguisé en lapin et se mit à traverser la scène en sautant. Il y avait peut-être un message mais il m'a échappé. C'était seulement la même vieille musique gominée, habillée de nouveaux vêtements ».

La « révolution » du rock semble avoir bouclé la boucle. La musique blanche qui a émasculé la musique noire pendant des dizaines d'années, la rendant inoffensive et culturellement indolore, est arrivée aujourd'hui au même résultat avec elle-même. Dans un tel environnement, Elton John s'est propulsé au sommet du hit-parade avec une régularité déconcertante. Il a apporté à la musique populaire une vigueur extravertie et rafraîchissante. Mais sa musique,

bien qu'habilement façonnée, est vide ; pour d'autres, elle pourrait être facilement — bien qu'injustement — confondue avec Muzak. « Il est plus facile, dit Lee Valvoda, un des responsables de l'opération Muzak, de montrer ce que Muzak n'est pas que de montrer ce qu'elle est. Ce n'est pas une musique de fond, ni une musique de fifres ou une musique distrayante. Puisqu'elle est jouée spécifiquement et uniquement dans un but commercial nous l'appelons musique fonctionnelle. »

Muzak était né dans l'esprit de George Squire, officier pendant la Première Guerre mondiale. Squire pensa que la musique pourrait alléger l'ennui des soldats embourbés dans les tranchées pendant des jours et des jours.

Il eut l'idée de diffuser des airs de fifres ou de cornemuse sur le champ de bataille par câbles téléphoniques, en alternance avec les ordres que l'on donnait aux hommes d'aller à l'assaut et de se faire tuer. Après la guerre, l'idée sommeilla dans un coin, jusqu'à ce qu'un directeur de publicité, nommé William Benton, inondât de musique un certain nombre de restaurants, en se servant des lignes téléphoniques de sa compagnie.

Une autre guerre donna à Muzak le coup de pouce requis. Dans les usines de munitions de toute l'Angleterre, les tensions de la guerre totale furent soulagées par des sonorités musicales. L'opération eut tant de succès que l'on chargea un certain nombre de chercheurs de découvrir comment s'y prendre pour exploiter le pouvoir de la musique à des fins financières. Les recherches montrèrent qu'il était possible de stimuler le rythme de travail grâce à des schémas musicaux variés. « Chaque air de musique, explique Valvoda, a un pouvoir de stimulation programmé pour lutter contre les moments de fatigue du travailleur. Si vous écoutez une musique comprenant soixante-dix temps par minute, elle ne pourra rien pour vous car cela correspond à votre rythme cardiaque. En fait on ne descend jamais au-dessous de soixante-dix temps par minute car cela ne nous intéresse pas de calmer les gens ou de les endormir. »

A gauche : Alice Cooper déguisé en femme enceinte.

A droite : Alice avec Yvonne, le plus célèbre boa constricteur de toute l'Amérique.

« Même si vous m'amenez la Joconde à vendre, dit le directeur de publicité Jack Brokensha, je trouverai la musique qui convient. D'abord je balancerai quelques sons électroniques vraiment étranges — on pourrait s'amuser beaucoup avec des moogs synthétiseurs principalement parce que cela serait très divertissant de vendre une vieille œuvre d'art avec des gadgets électroniques modernes. Une fois, j'ai vendu un annuaire du téléphone avec quelques couplets habiles, et un camion avec de la musique de style funky bien de chez nous, pardessus laquelle on criait des slogans. On peut vendre n'importe quoi avec une musique bien choisie. »

Muzak et l'usine de slogans musicaux ont des ambitions similaires à celles de beaucoup de fabricants de musique populaire contemporains. Parfois la marque change mais la marchandise reste la même. La musique noire, qu'elle vienne de Detroit ou de Philadelphie, est devenue normalisée et stérile et sa négritude a été soigneusement habillée pour les besoins des supermarchés blancs. Toute une industrie appelée « disco-music » a été créée pour répondre à la théorie selon laquelle la musique est maintenant « spécifiquement et uniquement jouée dans un but commercial ».

Les directeurs de maisons de disques fouillent de plus en plus profondément le passé, à la recherche du matériau encore inexploité qui leur fera gagner leurs prochains millions. La veine fructueuse du blues, du jazz et du ragtime est maintenant épuisée ; le country est caché sous une couche épaisse de laque. La technique instrumentale, considérée jadis comme indispensable pour être musicien, s'est perdue dans le fracas du rock théâtral. Une recherche peu enthousiaste de la musique « authentique » — qui puisse être exploitée bien sûr — consume producteurs et artistes. On nomma « reggae » ou « blue beat », ce que l'on supposa être de la musique jamaïcaine indigène. C'était une musique généralement enregistrée rapidement, à peu de frais, sans se soucier du paiement des artistes, et qui, à l'époque des studios sophistiqués, avait l'air peu raffinée. Cependant elle inonda le marché pendant un temps et remplit les caisses.

Les artistes noirs qui sont allés en Afrique n'y ont pas toujours trouvé ce qu'ils attendaient. « J'ai vraiment déchanté, la nourriture n'était pas bonne et je n'ai pas eu de communication merveilleuse avec les gens, m'a dit Tina Turner. Je me suis vraiment ennuyée. Je me souviens que c'était très très humide. Je ne dormais pas bien et j'ai eu l'impression que les Africains étaient des gens paresseux. Quand Ike et moi, étions là, je pense qu'ils ont aimé notre spectacle. Mais j'ai encore besoin pour mon inspiration de quelque chose qui n'est absolument pas là-bas. » Le mythe selon lequel tout est parti d'Afrique commence à ressembler à une tentative criarde et tardive de réhabiliter l'apport des Noirs dans la musique populaire. Il est plus rassurant de placer les origines d'une musique dans la liberté présumée d'un autre continent que dans la dégradation d'un esclavage cruel. Mais cela n'a pas marché.

Certains groupes prirent la clef des champs — au sens propre. « Nous avons vu le film des Beatles *Help*, où ils vivent tous dans la même maison et nous avons pensé : c'est ce qu'il nous faut », raconte Jim Dandy du Black Oak Arkan-

A gauche : Donny Osmond commença sa carrière avec ses frères comme membre d'un groupe bien sage de Mormons qui chanta au *Andy Williams Show* ; comme avec David Cassidy le public était trop occupé à regarder pour se soucier de la musique.

Ci-contre : les Bay City Rollers.

sas. Plus tard, le groupe — c'est-à-dire six hommes et toute une suite — acheta plusieurs centaines d'hectares dans le nord de l'Arkansas, bâtit sa propre école, acheta le bureau de poste local, construisit une piscine, hissa les couleurs et se replia sur lui-même. « Être ensemble est une sécurité pour nous. Nous voulons être indépendants et ne devoir compter sur personne. Nous voulons essayer de nous occuper les uns des autres et de ne pas trop enfreindre le système. Nous croyons en la nature.

« Nous vivons humblement mais avec goût, reprend Dandy, mais ce que nous faisons est lié au rock and roll, car nous avons notre indépendance. C'est une affirmation de la liberté, et c'est cela le rock and roll aujourd'hui. Oui, nous vivons vraiment une vie très saine ici. »

16 Nouvelles directions

« **L**e principal malentendu de la musique populaire, me déclarait Lester Bangs, réside dans le fait qu'elle n'est rien d'autre qu'une entreprise capitaliste. En réalité l'argent et la richesse sont sa seule raison d'être. Certains musiciens célèbres ont débuté en prônant des théories révolutionnaires, pourtant leur unique désir était de posséder des voitures, des filles et de boire du champagne. C'est une utopie de croire que la musique populaire représente autre chose qu'une vie facile et la dilapidation de l'argent. »

De nos jours, le chiffre d'affaires de la musique populaire dépasse le total des revenus du cinéma, du théâtre, de l'opéra, des ballets et du sport. Lors du Bicentenaire des États-Unis, l'industrie du disque produisait environ un millier de nouvelles chansons chaque semaine. Chacune d'entre elles était destinée à devenir un succès, ce qui est la raison même de son existence. Très peu de gens chantent ou composent pour leur

Donovan, chanteur contestataire à ses débuts, un grand talent, mais gâché par la célébrité.

Helen Reddy (avec Joey Heatherton et Rod McKuen) lors de la remise des Grammy Awards.

propre plaisir ou bien pour exprimer les émotions des autres. Et s'ils le font, le résultat est souvent qualifié de « non commercial » ou de « désastreux ». L'opération menée par les artistes et les organisateurs est la recherche du succès le plus populaire. Le talent doit être exploité jusqu'à atteindre le meilleur rendement. Les qualités musicales et techniques, si bonnes soient-elles, doivent pouvoir être utilisées à bon escient plutôt que favoriser la création.

Ce n'est nullement un cliché : la grande musique, et tout particulièrement la musique populaire, s'est épanouie dans la misère et la souffrance. Non pas la souffrance résultant de l'ennui d'une tournée lucrative mais la souffrance infligée par un combat perpétuel contre les inégalités. Certains artistes de musique populaire ayant un avenir prometteur, n'ont pu atteindre ce but, et parmi eux Billie Holiday, Bix Beiderbecke, Jimmie Rodgers, Jimi Hendrix. Pourtant, au cours du XXe siècle, la musique noire a été la plus dépouillée, la plus imitée et perpétuellement vidée de son contenu. La plupart des gens ont découvert que l'argent permettait de choisir une vie facile et respectée. Actuellement, seuls les musiciens talentueux et déterminés peuvent résister aux attraits d'une industrie dans laquelle la légende de la Rolls-Royce devant la porte au lendemain d'une représentation éblouissante et triomphale, peut devenir une réalité.

En 1973, *Tubular Bells*, l'album de Mike Oldfield, fut accueilli avec respect, quoique avec méfiance. La musique avait un côté immédiatement attirant, bien que comportant des parties ressemblant aux marmonnements coutumiers des vedettes du rock. D'une durée approchant les quarante-cinq minutes, cette composition n'avait rien de pop, ni rock au sens habituel du terme. Sa conception, très libre, dépendait de certains thèmes évoluant selon des lignes mélodiques proches de la musique classique. En fait, ce morceau se rapprochait plus de Sibelius, Vaughan Williams ou Michel Legrand. Écrit pour une grande formation, comprenant tous les instruments du rock et des guitares électriques, cette œuvre avait été parfaitement orchestrée. Son succès dans les « charts » fut assez lent. Pourtant *Tubular Bells* atteignit en quelques années près de cinq millions d'exemplaires dans le monde entier.

Aux États-Unis, le nombre d'albums vendus dépassa celui des autres groupes britanniques contemporains. Cependant, la musique écrite par Mike Oldfield n'avait rien de comparable. Il n'avait pas seulement écrit ce morceau, il avait également été à l'origine de la couverture de

l'album et avait fait les arrangements. De plus, Oldfield avait touché à presque tous les instruments — piano à queue, glockenspiel, guitare basse, orgues divers, flageolet, mandoline, tympanon, guitares électriques et acoustiques, percussions, et bien sûr, le carillon (« tubular bells »). Une fois l'album enregistré et commercialisé, Oldfield refusa de se rendre aux U.S.A. pour promouvoir son œuvre — en fait il refusa de jouer dans tous les pays. Il refusa de participer à des interviews, sauf dans certains cas, et ne donna qu'un seul concert (au Queen Elizabeth Hall à Londres). Cinq millions de disques vendus ne le touchèrent pas outre mesure, au contraire, il alla s'installer dans une maison isolée du Herefordshire, près de la frontière galloise. Personne ne sut jamais où exactement. Ironiquement, il disait : « Vous allez au Pays de Galles, c'est la première colline à droite, je crois. »

Oldfield avait commencé sa carrière musicale en chantant avec sa sœur aînée Sally. Il avait quatorze ans quand il enregistra son premier disque, qui ne fut un succès ni commercial ni musical. Des désaccords avec sa sœur à propos des sonorités que Mike était déjà en train de mettre au point l'obligèrent à suivre son propre chemin. Il forma alors un groupe appelé Barefoot ou bien Barefeet.

Kevin Ayers, ancien musicien de Soft Machine, demanda à Oldfield de se joindre en tant que bassiste à sa nouvelle formation, le Whole World. Oldfield accepta, très flatté. L'occasion de jouer avec des musiciens tels que Kevin Ayers, ou bien le batteur Robert Wyatt lui fut très bénéfique ; de plus il rencontra ainsi David Bedford. Agé de trente et un ans, Bedford était célèbre surtout comme compositeur clas-

Ci-dessus, de gauche à droite : Frank Sinatra, Gene Kelly et Fred Astaire à Hollywood.

Ci-contre : Woodstock, 1969.

sique et pianiste. Certaines de ses œuvres avaient été commandées par le festival Benjamin Britten d'Aldeburgh, ou les Concerts-Promenades de la BBC. Bedford, ancien élève de la Royal Academy of Music de Londres, avait étudié avec le compositeur italien Luigi Nono et en même temps améliorait ses revenus en jouant du rock. Ainsi, quand Mike Oldfield lui expliqua le genre de musique qu'il avait imaginé, Bedford le comprit tout de suite et l'encouragea dans cette voie. L'élément important de cette rencontre fut que Bedford remit à Oldfield un exemplaire de *Brigg Fair* de Frederick Delius, car ce morceau ressemblait de très près, au point de

vue sonorités, à la musique décrite par Mike. Kevin Ayers, très pragmatique, lui donna un magnétophone deux pistes et lui demanda d'enregistrer ce qu'il avait en tête.

Sans aucune ressource et sans soutien financier, il commença à composer. Il apprit à écrire et à lire la musique, et lentement *Tubular Bells* prit forme.

Grâce à Ayers, Mike Oldfield rencontra Richard Branson, ancien élève de Stowe, école privée anglaise. Branson venait juste de mettre au point une petite affaire de vente de disques par correspondance, moins chers que dans les magasins, sous le nom de « Virgin ». Par la suite, il devait investir tous les bénéfices dans l'achat et la rénovation d'un manoir en ruine du XVIe siècle, près d'Oxford. Il équipa l'endroit avec le meilleur matériel d'enregistrement possible. Il

Ci-dessus : Opryland, le Grand Ole Opry à Nashville.

Ci-contre : Dave Brubeck (piano) et Paul Desmond (saxophone).

expliquait que cela pouvait être un lieu idéal pour faire de la musique : le calme de la campagne, un intérieur luxueux et une liberté totale vis-à-vis des horaires, des hommes d'affaires et des journalistes. Seul, Mike Oldfield trouva l'endroit à son goût. Pendant des mois, il travailla sur bandes, se faisant aider parfois par des groupes qui passaient au manoir, mais surtout en s'enregistrant maintes et maintes fois. Finalement, la bande originale fut prête et Oldfield sortit de l'ombre, convaincu de posséder un chef-d'œuvre. Il avait tout juste dix-huit ans.

Malheureusement, personne d'autre ne partagea son enthousiasme. Branson voulait faire quelque chose, mais il en était incapable : il était fauché. Bien que désirant acquérir *Tubular Bells* pour son nouveau label « Virgin », il demanda à Oldfield d'aller voir d'autres maisons d'édition. Pendant un an, Mike visita toutes les maisons de production de disques du monde occidental, toutes sans exception. Il était sur le point d'abandonner, lorsque Branson le contacta. Dans une dernière tentative, Branson et Simon Draper, son associé, apportèrent la bande au MIDEM à Cannes. Un seul producteur parut intéressé, à condition qu'Oldfield doublât par des chants pour donner un « sens » à l'œuvre. Oldfield s'en remit à Branson, et celui-ci, croyant en cette musique, n'eut pas le choix. Il lança une nouvelle marque de disques avec un morceau dont personne ne voulait.

En haut : Woody Herman et son « Herd ».

Au centre : Earl Fatha Hines.

A droite : Ian Carr, leader du groupe de jazz rock « Nucleus ».

Page de droite : Bob Dylan, en tournée en 1975.

Avec un certain optimisme, Branson donna à *Tubular Bells* le premier numéro du Label, V 2 001.

Oldfield retourna en studio pour certains travaux supplémentaires – en fait, deux mille trois cents enregistrements de plus, et en quelques mois, le tout fut prêt. Le 25 mai 1973, le disque fut lancé sur le marché. Un mois après, ce fut le concert au Queen Elizabeth Hall. Oldfield avait rassemblé pour l'occasion un nombre impressionnant de musiciens, y compris Mick Taylor, alors avec les Stones, David Bedford et Kevin Ayers. Le public, parmi lequel se trouvait Mick Jagger, fut très enthousiaste, même si la salle était à moitié remplie. Certains critiques essayèrent d'évaluer le morceau en termes de fugue et de contrepoint. La plupart étaient

---

Ci-dessus : Joni Mitchell.

A droite : Crosby, Stills, Nash et Young en concert.

Page ci-contre.
En haut : L'Average White Band.

En bas : de gauche à droite : Ron Wood, Billy Preston, Mick Jagger et Keith Richard, lors d'une tournée des Stones nouvelle formule aux U.S.A.

embarrassés mais reconnaissaient que c'était un début de carrière très prometteur. Ce concert persuada Oldfield que ce genre de spectacle ne lui convenait pas, pas plus que le public, la presse et tout le système de promotion de la musique rock.

Ce qui arriva par la suite fut un élément aussi absurde que chanceux. Le disque était déjà connu aux U.S.A. quand le réalisateur William Friedkin décida qu'il emploierait un passage de *Tubular Bells* comme musique de son dernier film, *The Exorcist*. Branson et Oldfield, maintenant, sourcillent lorsque le film est mentionné et Branson, au moins, aimerait convaincre les gens que l'immense succès du film n'avait aucun rapport avec le triomphe de la musique composée par Oldfield. Certes, le disque se vendait très bien, mais le succès commercial normal se transforma rapidement en un super-vedettariat après la sortie en Amérique d'un simple baptisé *Thème de l'Exorciste*.

Le succès, bien sûr, demeure parfois immuable. Led Zeppelin est parmi les groupes qui ont connu le plus grand succès commercial dans toute l'histoire de la musique populaire. Au cours des six premières années de son existence, le groupe enregistra six disques et chacun de ces albums se vendit à deux millions d'exemplaires. Un double album, *Physical Graffiti*, entra dans tous les charts aux U.S.A. directement à la troisième place. A cette époque, aucun disque

n'avait réalisé un tel exploit. Les ventes par anticipation atteignaient déjà 15 millions de dollars, chiffre record. Un à un million et demi de disques furent vendus lors des deux premières semaines de lancement. Un grand magasin de disques de New York annonçait qu'il avait vendu jusqu'à 300 albums en une heure. Led Zeppelin dépassa trois fois les ventes de groupes comme les Stones, et même les Beatles n'avaient jamais connu un chiffre identique. En 1972, l'année durant laquelle Led Zeppelin ne produisit aucun album nouveau, le groupe atteignit cependant près de 18 % du chiffre d'affaires de la marque Atlantic. « Ils sont, déclarait Ahmet Ertegun, président de la maison productrice, le plus grand groupe inconnu du monde. »

Pendant trois ans et demi, Led Zeppelin refusa obstinément de rencontrer la presse, il n'y eut aucune photo du groupe, aucun attaché de presse ne fut employé pour la promotion.

Aucun simple ne fut réenregistré, ce qui était pourtant le meilleur moyen de parvenir au succès ; Led Zeppelin ne fit aucune télévision, sauf une fois pour une émission pilote oubliée depuis, et participa à une seule émission radio en direct. Leur premier guitariste était le seul membre du groupe survivant de toute une école de magiciens de la technique de la fin des années soixante. Un homme fin, fantomatique, semblable à un enfant de chœur, exténué mais souriant.

Jimmy Page commença à jouer de la guitare à l'âge de quinze ans. Fils unique d'un chef du personnel, il passa sa jeunesse à Felton, une banlieue de Londres proche de l'aéroport d'Heathrow. Il se rappelle très précisément l'événement qui changea le cours de sa vie. Un jour, il entendit Chuck Berry chanter *No Money Down* et savait que cette chanson avait un aspect social très profond. Quand sa guitare lui fut confisquée à l'école, Jimmy Page sut parfaitement ce que serait son existence. L'énergie déployée par Little Richard accéléra sa vocation. Il joua partout et avec tout le monde. A vingt ans, Jimmy Page était devenu le plus jeune et le meilleur guitariste de sessions de Londres. Il travailla avec P.J. Proby, Dave Berry, les Kinks, les Who, et les Rolling Stones. Il tourna pendant des nuits entières dans toute l'Angleterre, jusqu'au jour où il s'écroula de fatigue. Il enregistra un simple sous son nom appelé *She Just Satisfies*, sur lequel il chantait et jouait de tous les instruments, sauf de la batterie. Le résultat fut assez désastreux : même son travail comme accompagnateur en studio était devenu catastro-

phique. A la fin, il ne savait plus ce qu'il faisait et pourquoi il le faisait. Il se joignit cependant aux Yardbirds, comme bassiste remplaçant.

Pas marié, il déclara un jour à un ami : « Je cherche un ange avec une aile brisée et qui ne pourrait plus voler. »

Et la musique ? Son style était assez particulier, empruntant certaines phrases à Bo Diddley, aux Stones, à Cream et à Burt Bacharach, mélangeant le blues, le jazz, le rock et le flamenco. C'était persuasif et hargneux, aussi bien sur le plan acoustique qu'électrique. Sa puissance émotionnelle provenait essentiellement du blues, à la fois en améliorant les possibilités musicales de ce style souvent mal utilisé et en demeurant très proche de ses racines. Certains maintiennent que comme les meilleurs et les plus mauvais musiciens de rock, Page et son groupe étaient passés maîtres dans l'art des excès. Ils jouaient trop fort et trop longtemps. Leur style musical empêchait une telle constatation, mais une chanson comme *Stairway to Heaven* est typique du genre inventé par Led Zep : elle commence doucement avec une introduction à la guitare acoustique très bluesy. Puis, la sonorité évolue en une dizaine de minutes, la basse et la batterie font leur entrée, en force ; la guitare devenue électrique et le chanteur attaquent une mélodie dure et torturée. Tous les morceaux de Led Zeppelin étaient composés

ainsi, et ils permettaient au public de reconnaître la musique du groupe. En fait, dans leur musique, on pouvait aussi bien entendre des fragments de la progression modale des Beatles, le blues tourmenté joué par Leadbelly ou la brutalité rythmique de Pete Townshend. Pourtant, le tout produisait une musique très différente.

Page est le maître artisan de tous les musiciens qui ont fréquenté le milieu du rock d'aujourd'hui. Dans une formation comme Cream, les musiciens profitaient de leurs extraordinaires possibilités instrumentales. Mais la question était de savoir à quelles fins. Page reconnaissait que le rock contient tous les éléments pour progresser. Récemment il s'était rendu en Inde, écoutant tous les joueurs de sitar qu'il pouvait trouver dans la rue. « Je me sentais tout petit à côté de leurs qualités musicales ; en réalité j'étais très ennuyé à l'idée de jouer après eux, déclarait-il. Vous retirez du rock uniquement l'apport que vous y avez fait. Personne ne peut rien vous apprendre, vous êtes seul. » En con-

---

A gauche : Peter Rudge, organisateur de la tournée des Rolling Stones en Amérique.

Ci-dessous : Clive Davis, directeur d'Arista (ancien directeur de C.B.S.) avec Patti Smith.

Ci-contre : Aretha Franklin.

cert, quand le groupe apparaît sur scène, le public, environ 20 000 à 30 000 personnes, allume des allumettes, des bougies ou des briquets et demeure silencieux en écoutant les sonorités issues des instruments de Led Zeppelin.

Page déclare que le temps s'arrête quand il joue sur scène. Il a tenté parfois de limiter à deux heures environ la durée de chacun des concerts de Led Zep. Sans succès, car Led Zeppelin revenait toujours à une moyenne de trois heures de présence sur scène. Alors que nous parlions, Jimmy Page me fit de mieux en mieux connaître son univers. Le temps s'écoulait. Nous étions installés dans un hôtel hollywoodien, rideaux fermés, un projecteur posé dans un coin, des disques entassés sur le plancher. Page, une guitare à la main, attendait que « quelque chose arrive » comme il disait. Parfois le silence était rompu par un déplacement dans une ville proche pour y donner un concert. On emmenait la nourriture, les gardes armés toujours en alerte, le téléphone décroché restait pendant au bout de son fil, aucune image sur l'écran de télévision.

Ni Page, ni Oldfield n'avaient renoncé à l'aisance procurée par la musique pop. Tous deux en appréciaient les plaisirs les plus innocents, tout en évitant ses effets désastreux. Chacun composait ou jouait pour sa propre satisfaction, et chacun avait choisi un moyen d'expression qui pouvait être compris par tous. Page et Oldfield luttaient contre l'outrance du « glitter rock », l'effet destructeur de chanteurs tels que Mick Jagger ou la banalité musicale des Osmonds Brothers. Page et Oldfield avaient réussi au sein du système, démontrant que le passage de l'ombre à la gloire et aux millions de dollars n'avait rien de préjudiciable.

Ces deux musiciens s'étaient servis de musiques anciennes pour créer des expériences musicales nouvelles. Oldfield avoua utiliser des mélodies africaines, Page introduisait des airs marocains dans ses morceaux. Tous deux pui-

saient leur rythme et leur style instrumental dans le jazz et le blues. Mais tous les compositeurs, de Bach à Ives, ont introduit dans leurs œuvres des danses et des chants populaires. Ce qui compte, ce n'est pas le fait de reprendre ce qui existe déjà, mais la façon de le recomposer. David Bowie et un groupe nommé Sweet enregistrèrent un simple en 1973 qui comprenait un riff authentique. Il existait déjà sept ans auparavant sur un disque des Yardbirds, et vingt ans avant, Bo Diddley avait utilisé ce même rythme. Plonger dans le passé pour assurer l'avenir musical a toujours été une des exigences des artistes en général.

Pourtant, cela ne fut pas le cas pour l'évolution de la musique populaire. Ceux qui ont souffert, tels que Pinetop Smith ou Muddy Waters, ont autant besoin d'admiration que certaines superstars ridicules. Il n'y a rien d'original dans la musique d'Elvis Presley, si ce n'est Elvis lui-même et cela suffit.

Malgré les exemples qu'Oldfield et Page ont donnés, la musique populaire n'a jamais pu s'en sortir. D'après Lester Bangs, « le problème dans la création d'un mythe à partir de personnes vivantes réside dans le fait que vous devez les voir vieillir et se délabrer, ou s'effondrer et se ridiculiser. Ils ne peuvent survivre au mythe qu'ils ont créé. Mick Jagger en est un parfait exemple. Son visage est flasque, et ses lèvres pendent ; après tout, il commence à prendre de l'âge. Voici un garçon qui a trente-trois ans et qui continue à sauter sur scène en affichant de plus en plus une mine patibulaire. Et c'est, pour ne pas dire plus, malheureux. Surtout quand vous commencez à chanter des chansons sur " le temps qui ne m'attend pas ". Les Rolling Stones semblent satisfaits de chanter *It's Only Rock'n' Roll* et cela indique parfaitement que le rock est absolument sans rapport avec le contexte actuel. »

On dit parfois que les Rolling Stones et certains autres se trouvent pris dans un engrenage financier d'où il est impossible de s'échapper. Peter Rudge, qui organisa les tournées des Stones, déclarait : « Jagger est très intéressé par un petit extra. Avant le premier concert nous avions dépensé un million et demi de dollars. Le coût total de la tournée en Amérique du Nord pour 1975 s'élevait à trois millions et demi de dollars. Puis il fallut payer les impôts,

---

Stevie Wonder, musicien aveugle né à Saginaw, Michigan, en 1951.

les promoteurs et diverses commissions. Là-dessus il restait entre 20 ou 30 % de la recette pour les Stones, pourcentage à diviser en quatre. Le revenu total de la tournée était de 11 millions de dollars. C'est la vie ! »

Aujourd'hui, l'industrie de la musique populaire est si puissante qu'elle ne se laissera pas dépérir. Pourtant la question demeure : que peut-on sauver ? Alors que Roy Acuff rêve d'une renommée mondiale du Grand Ole Opry, d'autres frappent à la porte. Le country rock n'a sans doute rien d'original, mais cette musique possède une certaine vitalité. D'autres, comme Bill Monroe, qui ont quitté le Grand Ole Opry, semblent avoir préservé intact l'esprit de leur musique sans perdre une seule des composantes commerciales. D'autres encore, tels que Pete Seeger, se battent seuls.

D'un autre côté, les comédies musicales conçues par Mamoulian, Rodgers et Hammerstein, reflètent le paradoxe de toute musique populaire, en fait de tout art qui prétend être populaire. Avec l'évolution de la comédie musi-cale sur le plan technique ou du sujet, le public est devenu plus instruit et devient de plus en plus exigeant. Tin Pan Alley n'arbitre plus les goûts musicaux : ses compositeurs sont super-flus. Ceux qui les remplacent ne se servent plus de théâtre comme débouchés pour leurs chansons. Ainsi Broadway est devenu un anachro-nisme, somptueux mais moribond. Pourtant, une œuvre comme *Pacific Overtures* a réussi à s'imposer. Son orchestration insignifiante indique que ce n'est pas un opéra ; son sujet et sa présentation n'en font ni une comédie ni une revue musicale. Sondheim et d'autres ont déve-loppé le goût et les exigences du public, à un point tel qu'ils ne sont pas en mesure de les satisfaire.

Peut-être que le jazz pourrait offrir un moyen d'évasion. « Le jazz a été corrompu par les idées émises par l'Occident sur les questions artis-tiques, déclare Ian Carr, trompettiste de jazz anglais. En fait, c'est quand vous savez exacte-ment ce qu'est le jazz, que le public joue un rôle très important. Ceci ressemble au gospel dans le sud des États-Unis où l'assemblée prend part à l'action. Trop de musiciens de jazz pensent qu'ils jouent avant tout pour eux-mêmes et considèrent la communication avec le public

comme dégradante et vulgaire. Il y a aussi le fait que le soliste prend le pas sur le groupe. L'intérêt du nouveau "jazz-rock", appelez cela comme vous voudrez, de formations comme celles d'Herbie Hancock ou Chick Corea, réside dans le fait qu'elles produisent une musique collective dans laquelle le leader est un des éléments du groupe. »

Le jazz s'est inspiré de deux cultures — européenne et africaine — pour devenir ensuite une musique typiquement américaine. Les musiciens blancs furent très vite récupérés par des gens qui ne pensaient qu'à gagner quelques dollars supplémentaires : ainsi adoptée et transformée, leur musique n'appartenait à personne et n'exprimait plus rien. Les musiciens noirs échappèrent pour un temps à cette récupération, conservant avec eux l'espoir que le jazz puisse devenir une forme musicale florissante. Ils réussirent pendant un temps et les carrières de musiciens tels que Louis Armstrong ou Duke Ellington donnèrent l'illusion que quelque chose d'important avait été créé.

Beaucoup de musiciens noirs connurent le succès commercial et imposèrent le respect culturel et social de leur art et de leur peuple.

Pourtant le succès commercial ne pouvait être réalisé que d'après certains critères blancs. Donc, les musiciens noirs durent tempérer l'ardeur de leur musique jusqu'à la faire reconnaître et adopter par les Blancs, ou alors, rechercher de nouvelles directions, qui devaient faire du jazz une musique stérile et incompréhensible. Seuls des compositeurs de la personnalité de Duke Ellington furent en mesure de survivre dans les années 1925, au raz de marée blanc de l'époque. *Black, Brown and Beige* fut écrit par Duke Ellington malgré, ou plutôt à cause de ce mouvement. Ce n'est pas non plus un hasard si le plus grand succès de Louis Armstrong — devenu presque un thème-fétiche — provenait d'une chanson extraite d'une

---

De gauche à droite : Léo Sayer, qui continua le rock anglais.

Ginger Baker, qui découvrit le rock en Afrique occidentale.

Herbie Hancock, qui combina jazz et rock sur la Côte ouest des U.S.A.

Chick Corea, qui fit de même, mais sur la Côte est.

Chuck Berry, toujours scandaleux.

comédie musicale de deuxième ordre, *Hello Dolly*. Les disques d'Armstrong de la fin des années vingt et début des années trente furent plus ou moins oubliés, sauf par quelques fans.

Chick Corea entra dans le groupe de Miles Davis en 1969. Son éducation musicale et pianistique était extrêmement variée et touchait aussi bien à Beethoven, Bach, Chopin et Stravinsky qu'à Art Tatum. Corea estimait que la musique électrique était inintéressante. Pourtant il découvrit par la suite que le piano électrique possédait des qualités tonales inhabituelles, très utiles pour la composition. « Les intentions de la plupart des musiciens de rock sont nettement différentes de celles de Stravinsky, Bartok ou tout simplement d'un musicien de jazz, m'expliquait-il un jour. La sensibilité est la première considération d'un musicien classique ou de jazz, alors que pour les formations de rock, elle passe au second plan. Ce qui les intéresse, c'est de jouer en public dans leur style propre plutôt que d'essayer de créer une forme musicale qui à la première audition surprendrait les gens, mais ensuite pourrait apporter une plus grande satisfaction. »

Chick Corea affirmait : « Le jazz n'est pas mort. Malgré ce que l'on a pu dire là-dessus à plusieurs reprises. La musique de Bach est un exemple semblable et intéressant. Bach a écrit un nombre impressionnant de morceaux et des centaines de compositeurs l'ont imité, car son style était très riche. Bach, c'est Bach. La

Ci-dessus : Bien que banal sur le plan musical, le reggae peut s'affirmer comme musique faite par le peuple et pour le peuple. Bob Marley et ses Wailers représentent l'insurrection noire, le retour à l'Afrique, la colère contre Babylone — l' « establishment ».

Ci-dessous, de gauche à droite : Bruce Springsteen, dernière découverte de John Hammond. Rufus Thomas, qui continue la tradition des ménestrels. Eric Clapton, ancien musicien de Cream. Stephen Sondheim, compositeur — d'opéra, d'opérette, de comédie ?

Page ci-contre : Jimmy Page, ancien musicien des Yardbirds, puis lead-guitare chez Led Zeppelin.

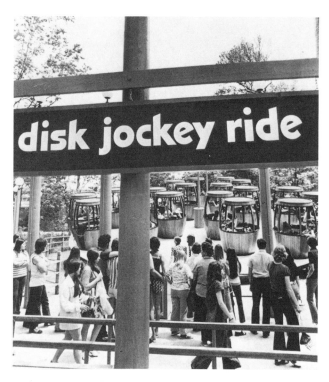

Opryland, Nashville.

musique existe, il faut l'interpréter et savoir l'apprécier. Elle n'est cependant pas l'unique musique ou forme musicale, la même chose s'applique au jazz. Vous pouvez vous inspirer de certains éléments pour créer un style nouveau, mais les origines du jazz seront toujours présentes. La rock music ne possède que très rarement une telle souplesse. »

Return to Forever, le groupe au sein duquel se produit Chick Corea, a également résolu le problème du soliste. « Heureusement, ajoute Corea, chacun des membres du groupe est un excellent technicien et tous composent. Nous ne désirons nullement créer une nouvelle forme artistique, mais nous voulons que les gens soient heureux en écoutant notre musique. L'étiquette que vous pourriez nous coller ne concerne que vous. Tout ce qu'un artiste fait est de concevoir quelque chose de nouveau à partir d'un genre déjà existant, sans penser à lui donner un nom. »

Jimmy Page m'affirmait : « Je déteste que l'on appelle ma musique du rock'n'roll. Le mot pop est tout aussi ridicule. Ces deux styles sont très loin de la réalité. Je déteste les étiquettes. Ce que nous jouons est la musique de la rue, celle

du peuple (folk music) et c'est pour cela que nous refusons tout contact avec les média. Si ce que nous faisons possède une valeur quel-

De gauche à droite : David Bowie, Art Garfunkel, Paul Simon, Yoko Ono, John Lennon et Roberta Flack, lors de la remise des Grammy Awards.

conque, alors les gens de la rue le reconnaîtront. Ce que je fais ne peut s'expliquer dans une interview ou dans un article. Par le passé j'avais été très ennuyé par la façon dont la presse, la télévision, le monde des affaires et les intellectuels avaient dénigré la musique contemporaine. Maintenant je ressens cela comme un avantage. Je suis le produit d'une industrie immensément riche, mais mon plus grand désir serait d'en être exclu et, surtout, cela serait ma meilleure chance de survie. »

Mike Oldfield. Notre meilleur espoir ?

Si la musique populaire doit continuer d'exister non en tant que valeur marchande mais en tant que forme musicale propre, il lui faudra une critique ferme et avisée. A l'inverse de la littérature, de la poésie, voire même de la musique classique, la musique populaire est une forme d'expression qui ne possède pas de langage commun pour permettre une meilleure approche de ses nombreuses productions. Cela provient en partie du fait que, longtemps, cet art n'a pas été jugé digne d'intérêt ; aussi du fait que la musique et l'image qu'elle perpétue sont souvent considérées comme interchangeables. Le plus grand handicap de la musique populaire vient d'un manque d'appréciation raisonnée de la part des diverses sources — autorités religieuses ou critiques célèbres. La vérité a été abandonnée.

Jack Wyrtzen est un missionnaire qui dirige une communauté « Parole de Vie » dans un quartier de New York. Ancien musicien, il prêche actuellement une tout autre foi. « J'ai vu des sauvages entièrement nus, en train de danser. Je ne sais pas où se trouve la différence entre le monde du rock'n'roll idolâtré par notre jeune génération et ces primitifs. Cette musique est née dans la jungle et elle nous y ramène. Je vois que maintenant, nous avons le sexe sans le mariage, les gens dansent et font la fête en bouffant dans la crasse. Notre opposition au rock ne vise pas uniquement le rythme, tel qu'on peut l'entendre dans la jungle, mais les paroles prononcées par les chanteurs et ce qu'elles représentent. Regardez comment vivent ces artistes ; les vêtements et les lunettes qu'ils portent. »

Lester Bangs écrivait : « La première fois que je vis Wet Willie, je fus diablement excité. Vous aussi, je pense, quand vous vivez à Macon, en Georgie, et que vous applaudissez ce groupe un vendredi soir au Grant's Lounge, le bar le plus mal famé de ce côté-ci de la frontière. Auparavant, les souffleurs noirs s'étaient déjà livrés à une bataille de ténor et après eux, la scène fut envahie par un groupe de mecs du Sud qui swinguent comme des diables. Au premier plan, un jeune gars, osseux, qui ressemble à Jagger, sans trop exagérer : c'est un vrai fils du terroir, crâneur, arrogant, il commence à jouer une musique chaleureuse mais en même temps désagréable ; pourtant la plus excitante depuis Paul Butterfield et tout le reste du groupe chauffe derrière lui comme dix " Rastamaniac " [sic]. »

« Tout ceci est démoniaque, poursuit Wyrtzen. Les vêtements, les lunettes qu'ils portent, j'estime que tout cela est lié aux activités sexuelles interdites. Je crois que les musiciens les plus arrivistes du monde du rock sont les Beatles. Regardez donc leur manière de vivre, c'est immoral. La façon dont ils se rendent en Inde avec leurs yogis, et puis ils se passionnent pour les sciences occultes. Regardez Elton John avec ses lunettes et ses vêtements dingues. Elvis Presley qui trouvait qu'il pouvait employer un langage grossier et imiter des mouvements sexuels avec ses hanches. »

« Wet Willie a accroché tout le club et son public dès les premières notes et en interprétant quelques mesures pour célébrer son " honorifique " [sic], poursuit Lester Bangs. Puis le chanteur rejette la tête en arrière et s'écrie :

You're just hanging out
At the local bar
And you're wanderin'
Who in the hell you are
Are you a bum or are you a star ?
Keep on smiling through the rain.

(Tu ne fais que traîner/au bar du coin/et tu te demandes/Qui diable suis-je ?/Suis-je un clodo ou suis-je une idole ?/Souris donc malgré la pluie)
Et croyez-moi, il me donnait le frisson. »

Jack Wyrtzen conclut : « Je crois qu'un jour Elvis Presley, les Beatles et les Rolling Stones devront répondre de leurs actes devant Dieu. Ils ont pollué le monde. La culture rock pousse les gens à faire le mal et non le bien. Comme le faisaient déjà les gens du temps de Noé. Regardez les vêtements et les lunettes qu'ils portent. Le jugement de Dieu s'abattra sur la terre — cela peut venir à n'importe quel moment, avec le rock, la liberté sexuelle, le vin, les femmes et les lunettes des idoles — et il y aura un temps de tribulations, quand tout l'enfer sera déchaîné sur la terre entière... »

La critique ne peut se substituer à la joie du spectateur. Elle peut même la limiter. Cependant, par moment, les critiques pourraient aider à mieux comprendre pourquoi la musique existe sous cette forme. Comme me le déclara un jour Memphis Slim, « tous les chanteurs de blues sont de grands menteurs ».

(Les chiffres en italique se réfèrent aux légendes.)

Joseph Abeles Studio
143, 144, 146, 137 haut & bas
H. Ainscough
244 g.
Arista Records
308 dr.
A.S.C.A.P. (American Society of Composers, Authors & Publishers)
113 bas g., 113 dr., 121 haut
Atlantic Records
293 bas
B.B.C. Copyright Photographs
176 bas, 267 dr., 289 dr.
Janice Belson
22 haut, 79 g. & dr., 85, 127 haut & ctre, 200 ctre haut, 211, 235 dr., 257 bas, 264, 270 haut & bas, 298, 305 haut, 307 bas g., 308 g., 313 dr.
The Bettman Archive Inc.
87, 89, 97 haut, 98, 104, 105 bas g., 114 g., 190 bas
Rudi Blesh Collection
28, 29, 31, 32 haut g., haut dr., bas, 35, 36 haut g., haut dr., bas g., bas dr., 37, 39 bas g., 42 g., page couleurs « The Entertainer ».
Jack Bradley
45, 53 haut, 62 g. (Danny Barker), bas g. (Howard Morehead), 71 bas, 78 dr. (Duncan Scheidt), 129, 179 bas, 180 haut g. (U.P.I.), page couleurs « Mesmerizing Mendelssohn », « Swanee River Flows ».
B.M.I. Archives (Broadcast Music Inc.)
63 bas ctre, 177, 179 haut (Raymond Ross Photography), 181 haut g., 188 bas g., 196 g., 209 haut dr., 216 haut dr. (Bela Cseh), 220 g., 229, 238, 239 haut, 262, 306 (Whitestone Photo)
Carnegie Hall Corp.
25, 26 bas
David Cheshire (Chesarchive)
91, 93 haut g., haut ctre, haut dr., bas g., bas ctre, bas dr., 94, 95, 97 bas, 236 ctre g., ctre dr., bas g., bas dr.

Consolidated Poster Service
142 bas, 302 haut
Thomas R. Copi
58 bas dr., 63 bas dr., 176 ctre, 182 haut dr.
Chick Corea
312 g.
Country Music Foundation
187, 188 dr., 190 haut g., ctre milieu, 203
Culver Pictures, Inc.
30, 96, 100, 101 haut dr., bas, 102 bas g., bas dr., 103 dr., 105 haut, 107 haut, 114 dr., 115, 116, 119 g. & d., 122 haut g., 124 ctre, 126, 128, 131 haut, 132 bas, 134 haut & bas, 135, 136 haut & bas, 137 haut, ctre, bas g., bas dr., 138 haut, ctre, bas, 137 haut, ctre, bas g., bas dr., 138 haut, ctre, bas, 141 haut g., haut dr., bas, 142 haut, 145, 207, 214 ctre, bas, 303, pages couleurs « Bully Song », « Pershing's Crusaders », « I Didn't Raise My Boy... », « America Here's My Boy », « We're Going Over »
Frank Driggs Collection a.k.a. Photo Files
15, 38, 39 dr., 41, 44, 48, 52, 53 bas, 54 haut g. & haut dr., 56, 57, 58 haut, ctre g., ctre dr., bas g., 59, 60, 61 haut & bas, 62, 64, 65 bas ctre, 70, 72 haut & bas, 73, 74, 75, 77 g. & dr., 78 g., 80, 82 g., ctre, ctre, 84 bas g. 88, 92 haut, 101 haut g., 103 g., 122 bas, haut dr., 124 haut & bas, 125, 148 dr., 151, 152, 153 haut, 154, 155, 156, 157 haut g., ctre dr., 158, 159, 160 haut g., haut dr., bas, 161 g. & dr., 162 haut, ctre, bas, 163, 166, 168, 170, 171, 172 bas g. & bas dr., 174 haut, ctre, bas, 175 g., ctre, dr., 180 haut ctre, 181 haut ctre, bas g., 188 haut g., 192, 195 g. & dr. (W.B. Coxe), 188 haut, bas g. & ctre, 200 haut g. & dr., bas dr., 204 dr., 209 haut g. (Windmann Studio), bas, 216 haut g., 223, 227 haut, bas g. & dr., 228 bas g., 231 haut g., haut ctre, haut dr., milieu g., milieu ctre, milieu dr., bas g., bas ctre, bas dr., 233, 255 ctre, 266, 307 haut, page couleurs « Chili Sauce ».
John Edwards Memorial Foundation
190 haut dr., ctre g., 196 dr., 224.

Donald Everly
228 haut dr.
Raeburn Flerlage (Kinnara-Flerlage Photography)
76 dr., 83, 84 bas dr., 200 bas g., 209 haut ctre, 219 g.,
221 g., 305 ctre.
Henry Grossman
315 bas dr.
Woody Guthrie Foundation
210 haut g. & dr., bas g., 212
Historic New Orleans Collection
14, 23, 46
Dezo Hoffman Ltd.
16, 245 bas, 259 haut, 260, 268 bas dr., 288 haut dr.,
313 g. & dr.
Houston Grand Opera
42 dr.
International Media Associates, Inc.
316-317
Island Record
315 haut
Jazz Music Books
48
Barney Josephson
240
Keystone Press Agency Ltd.
99, 101 ctre, 127 bas, 198 bas dr., 206, 214 haut, 215,
236 haut
Alexis Korner
268 bas g. (Hamburger Abendlatt)
Liverpool Daily Post and Echo Limited
245 haut ctre supérieur, haut ctre inférieur
London Features International (L.F.I.)
180 haut dr. (David Ellis), 204 haut g., 250 dr., 252
haut, bas g., 258 bas, 268 haut g. (Michael Putland),
273, 285 (Michael Putland), 289 g., 292 haut, 293 haut
(Michael Putland), 294 (Michael Putland), 309, 310,
314 (Michael Putland), 315 bas g. (Michael Putland),
bas ctre (Michael Putland).
Magnum Photos Inc.
185 (Danny Lyon), 186 bas (Arthur Tress), 256 (Burk
Uzzle)
Rouben Mamoulian
131 bas g.
The Theatre Collection, Museum of the City of New York
26 haut, 109, 111, 113 haut g., 120 haut & bas, 122 haut
ctre.
Museum of Modern Art Film Stills Archive
108, 132 haut, 271 bas
New York Daily News
150, 153 bas, 213, 279, 290
The New York Public Library
18 haut, 50, 51, 66
Tony De Nonno
182 haut g., 275 bas, 306 dr.
Freda Norris
244 dr., 245 haut g., haut ctre milieu
North Carolina Division of Archives and History
184

Frederic Ohringer
148 haut dr.
The Old Slave Mart Museum
18 bas g. & bas ctre, 20 bas
Amy O'Neal
76 g., 79 ctre, 176 haut, 181 haut d.
Opryland
190 haut ctre, 204 bas, 316 g.
Players Theatre London
131 bas dr.
Webb Pierce
198 milieu ctre
Harold Prince Productions
148 g. & ctre haut
Radio Times, Hulton Picture Library
24, 69, 86, 90, 92 bas, 103 ctre, 110 g. & dr., 121 bas,
157 bas g.
Redferns
65 bas g. & dr., 180 bas, 181 bas ctre, 192 bas, 220 dr.,
239 bas, 240 haut g., bas (Stephen Morley), 247 bas,
252 bas ctre & dr., 259 bas (Stephen Morley), 274, 275
haut, 284 (Stephen Morley), 287 g. & dr. (David Ellis),
288 haut g., 291, 292 bas (David Ellis), 296, 297 (Colin
Fuller), 306 bas, 313 dr.
Rex Features Ltd.
245 haut dr., 255 haut & bas, 261 (David Graves)
Rolling Stones Records
268 haut dr., 278 g.
Al Rose
Pages couleurs « Pretty Baby », « Tin Roof Blues »,
« Don't Leave Me, Daddy »
Ethan Russel
276-277, 280
Bob Schanz Studio
299
Sears, Roebuck & Co.
19 haut & bas
Rufus Thomas
316 g.
Tower News Service
218
United Press International
63 haut, 102 haut, 105 bas dr., 216 bas, 219 ctre, 222,
225, 226 haut g., 240 haut g., 242, 243, 248 haut, 250
g., 257 haut, 258 haut, 267 g., 295, 301.
The University of Texas, Hoblitzelle Theatre Arts Collection
40, 68 (The Albert Davis Collection), 71 haut (The
Albert Davis Collection)
Virgin Records
318-319
Wide World Photos
55 bas, 148 bas g., 178, 217, 235 g., 246, 247 haut, 248
bas, 269, 271 haut, 278 dr., 281, 282, 283, 304
Miriam B. Wilson Foundation
172 haut
Herbert Wise
22 bas, 84 haut.